LA VIE EN CHRIST

SOURCES CHRÉTIENNES

N° 361

NICOLAS CABASILAS

LA VIE EN CHRIST

LIVRES V-VII

INTRODUCTION, TEXTE CRITIQUE, TRADUCTION,
ANNOTATION ET INDEX

PAR

Marie-Hélène CONGOURDEAU

Agrégée de l'Université
Chargé de recherche au C.N.R.S.

Ouvrage publié avec le concours
du Centre National de la Recherche Scientifique

LES ÉDITIONS DU CERF, 29, Bd de Latour-Maubourg, PARIS 7ᵉ
1990

*Cette publication a été préparée
avec le concours de l'Institut des Sources Chrétiennes
(U.R.A. 993 du C.N.R.S.)*

BIBLIOGRAPHIE ET ABRÉVIATIONS

Ne figurent dans cette bibliographie que les ouvrages les plus importants ou les plus fréquemment mentionnés dans l'introduction et les notes, avec leurs abréviations éventuelles. On trouvera dans la traduction italienne de Néri (citée dans le volume I, au paragraphe intitulé «Éditions et traductions») une bibliographie plus exhaustive sur Nicolas Cabasilas et la *Vie en Christ*.

A — Auteurs anciens.

ANSELME, *Pourquoi Dieu s'est fait homme*, éd. Roques, *SC* 91, Paris 1953 (cité ANS.).

ATHANASE, *Sur l'Incarnation*, éd. Kannengiesser, *SC* 199, Paris 1973 (cité ATH. *Inc.*).

BASILE DE CÉSARÉE, *Sur le baptême*, *PG* 31, 1513-1628 (cité BAS. *Bapt.*).

CYRILLE DE JÉRUSALEM, *Catéchèses mystagogiques*, éd. Piédagnel, *SC* 126, Paris 1966 (cité CYR. JÉR. *Cat. Myst.*).

DÈMÉTRIOS KYDONÈS, *Correspondance*, éd. Loenertz, *Studi e Testi* 186, Vatican 1956.

DENYS L'ARÉOPAGITE, *Hiérarchie ecclésiastique*, *PG* 3, 369-569 (cité DENYS, *e.h.*).

GEORGES SCHOLARIOS, *Œuvres*, vol. 1 à 8, éd. Petit, Jugie, Sidéridès, Paris 1928-1936.

GRÉGOIRE DE NYSSE, *Discours catéchétique*, *PG* 45, 11-105 (cité GRÉG. NYSS. *or catech.*).

GRÉGOIRE PALAMAS, *Défense des saints hésychastes* (Tria-

des), éd. Meyendorff, «Spicilegium sacrum Lovaniense. Études et Documents» 30 et 31, 2ᵉ éd. Louvain 1973.

JEAN CHRYSOSTOME, *Catéchèses baptismales*, éd. Wenger, *SC* 50 *bis*, Paris 1970 (cité CHRYS. *Cat. Bapt.*).

NICOLAS CABASILAS, *Explication de la Divine Liturgie*, éd. Salaville, Bornert, Gouillard, Périchon, *SC* 4 *bis*, Paris 1967 (cité *Liturgie*).

SYMÉON LE NOUVEAU THÉOLOGIEN, *Catéchèses*, éd. Krivochéïne, *SC* 96, 104, 113, Paris 1963, 1964, 1965 (cité SYM. N. T. *Cat.*).

B — Auteurs modernes.

A. A. ANGELOPOULOS, *Nicolas Cabasilas Chamaetos. Sa vie, son œuvre* (en grec), *Analekta Vlatadôn* 5, Thessalonique 1970 (cité Angelopoulos).

B. BOBRINSKOY, «Nicolas Cabasilas et la spiritualité hésychaste», dans *La pensée orthodoxe. Travaux de l'Institut de théologie orthodoxe de Paris*, XII. Série française 1 (1966), p. 21-42.

G.-T. DENNIS, *The letters of Manuel II Palaeologus*, Dumbarton Oaks 1977.

DENZINGER-SCHÖNMESTER, *Enchiridion symbolorum, definitionum et declarationum de rebus fidei et morum*, 43ᵉ édition, Fribourg-en-Brisgau - Rome 1947 (cité DENZINGER).

GOAR, *Euchologion sive rituale Graecorum*, 2ᵉ édition, Venise 1730, réimpr. Graz 1960 (cité GOAR).

J. GOUILLARD, «L'autoportrait d'un sage du XIVᵉ siècle (Nicolas Cabasilas)» dans *Actes du 14ᵉ congrès international d'études byzantines*, t. 2, Bucarest 1971, p. 103 s. Repris dans Variorum Reprints : J. GOUILLARD, *La vie religieuse à Byzance*, Londres 1981 (cité GOUILLARD, «Autoportrait»).

S. P. Lampros, «Liste des œuvres de Nicolas Cabasilas et
de Dèmètrios Kydonès contenues dans le Paris.
1213» (en grec), dans *Néos Hellènomnèmôn* 2 (1905),
p. 299-323.

R.-J. Loenertz, «Chronologie de Nicolas Cabasilas : 1345-
1354», dans *Orientalia Christiana Periodica* 21
(1955), p. 205-231 (cité Loenertz, «Chronologie»).

— *Manuel Calecas. Correspondance, Studi e Testi* 152,
Vatican 1950.

Myrrha Lot-Borodine, *Un maître de spiritualité au
XIV* *s. : Nicolas Cabasilas*, Paris 1958 (cité Lot-
Borodine, *Un maître*).

S. Mercati, *Notizie di Procoro e Demetrio Cidone, Manuele
Caleca e Teodoro Meliteniota, Studi e Testi* 56,
Vatican 1931.

J. Meyendorff, *Introduction à l'étude de Grégoire Palamas*, Paris 1959 (cité Meyendorff, *Introduction*).

— *Saint Grégoire Palamas et la mystique orthodoxe*, coll.
Maîtres spirituels, Paris 1959.

P. Nellas, «Nicolas Cabasilas», dans *ThEE, Supplément*,
t. 12 (1968), col. 830-857 (en grec — cité Nellas,
Encyclopédie).

S. Salaville, «Le christocentrisme de Nicolas Cabasilas»,
dans *Échos d'Orient* 35 (1936), p. 129-167 (cité
Salaville, «Christocentrisme»).

— «Quelques précisions pour la biographie de Nicolas
Cabasilas», dans *Actes du 9e congrès international
d'études byzantines* (Thessalonique 1953), t. 3, Athènes 1958, p. 215-228 (cité Salaville, «Précisions»).

— «Vues sotériologiques chez Nicolas Cabasilas», dans
Revue des Études Byzantines 1 (1943), p. 5-57 (cité
Salaville, «Sotériologie»).

I. I. Ševčenko, «Nicolas Cabasilas' Anti-zealot Discour-
se : a Reinterpretation», dans *Dumbarton Oaks
Papers* 11 (1957), p. 81-171 (cité I. Ševčenko,
«Anti-zealot»).

A. Spourlakou, « Neilos Kabasilas » dans *ThEE* 9 (1966), col. 337-340 (en grec).

G.-I. Théocharidès, compte-rendu de Angelopoulos, dans *Makédonika* 16 (1976), p. 383-401 (en grec).

— « Sources pour le monastère Vlatadôn », dans *Gregorios Palamas* 42 (1959), p. 9-17 (en grec) — cité Théocharidès, « Sources »).

F. Tinnefeld, *Dèmètrios Kydonès. Briefe* I, 1 et 2, *Bibliothek der Griechischen Literatur* 12 et 16, Stuttgart 1981-1982 (cité Tinnefeld, *D.K.* I, 1 ou I, 2).

W. Völker, *Die Sakramentsmystik des Nikolaus Kabasilas*, Wiesbaden 1977.

SIGLES DES MANUSCRITS

A   Angelica 58.
B   Monacensis Bavar. Supp. Gr. 624.
C   Chisianus 14.
M   Vaticanus Gr. 632.
P   Parisinus Gr. 1213.
V   Vaticanus Gr. 1728.
W   Vindobonensis Theol. Gr. 210.

AUTRES SIGLES

EEBS   Epetèris Etaïriôn Buzantinôn Spoudôn
REG   Revue des Études Grecques
RP   Syntagma tôn théiôn kai hiérôn kanonôn ..., éd. Rhallès-Potlès, Athènes 1852-1859 (t. 1 à 6).
SVF   Stoicorum Veterum Fragmenta, éd. H. von Arnim, t. 1 à 4, 1903-1905 ; 1924.
ThEE   Threskeutikè kai Ethikè Egkuklopaideia, vol. 1 à 12, éd. A. Martinos, Athènes 1962-1968.

TEXTE ET TRADUCTION

LIVRE V

Λόγος πέμπτος · τίνα συντέλειαν αὐτῇ παρέχεται ἡ
καθιέρωσις τοῦ ἱεροῦ θυσιαστηρίου.

(PG 626) **1.** Τῶν μὲν ἱερῶν μυστηρίων οὗτος ὁ λόγος, καὶ ταύτην
ἡμῖν ἔχει πρὸς τὴν ἀληθῆ ζωὴν τὴν παρασκευήν. Ἐπεὶ δὲ
τὸ θυσιαστήριον πάσης ἐστὶν ἀρχὴ τελετῆς, ἄν τε δειπνεῖν
ἄν τε χρῖσμα δέοι λαμβάνειν, καὶ μὴν καὶ ἱεράσασθαι καὶ
5 τοῦ λουτροῦ τὰ τελεώτατα μετασχεῖν, εἰ τί καὶ αὐτὸ πρὸς
τοῖς εἰρημένοις καὶ τὴν πηγνῦσαν αὐτὸ τελετήν, ὡς οἷοί τέ
(628) ἐσμεν, | θεωρήσομεν, μὴ ἂν οἶμαι περίεργον μηδὲν ποιῆσαι
μηδὲ παρέλκον. Τὸν λόγον μὲν οὖν τελεώτερον οὕτως ἂν
εἴημεν ἀποδεδωκότες, ὡς ἂν περὶ τῆς τῶν μυστηρίων
10 κρηπῖδος ἢ ῥίζης ἢ ὅ τι καὶ χρὴ καλέσαι διεξελθόντες.

BCV MPW Gass Migne

Titre : 1-2 Λόγος — θυσιαστηρίου MP : ἢ περὶ τοῦ θυσιαστηρίου
B Περὶ τῆς ἐν Χριστῷ ζωῆς λόγος πέμπτος, ὅτι καὶ τὸ θυσιαστήριον
ἀναγκαῖον πρὸς ἀπαρτισμὸν τῶν θείων καὶ ἱερῶν μυστηρίων· περὶ τῆς
καθιερώσεως τοῦ ἁγίου θυσιαστηρίου λόγος πέμπτος, τίνα τρόπον
ἐπιτελεῖται, ἐν ᾧ τὰ προειρημένα πάντα μυστήρια τελειοῦνται C Περὶ
τῆς θρονώσεως τοῦ θυσιαστηρίου λόγος πέμπτος V Θεωρία εἰς τὸ κατὰ
τὴν τῶν θείων ναῶν καθιέρωσιν μυστηρίων W
1, 4 δέοι P : δέῃ *cett.* ǁ 7 μηδὲν : οὐδὲν BCVW Gass

1. Après l'exposé des trois mystères de l'initiation chrétienne, et
avant d'en venir au rôle de l'homme dans la vie en Christ, Cabasilas
insère ce petit livre, qui n'existait pas dans la version primitive de
l'ouvrage (cf. Introduction, La tradition manuscrite). Il est sensible

LIVRE V

Quel achèvement la consécration du saint autel apporte à la vie en Christ[1]

1. Telle est la raison d'être des saints mystères, et telle est la manière dont ils nous préparent à la vraie vie. Mais puisque l'autel est la source de toute initiation, qu'il s'agisse de participer au banquet sacré ou de recevoir la chrismation, mais aussi d'être ordonné prêtre ou d'avoir part à l'intégralité du bain[2], si, outre ce que nous avons déjà dit, nous considérons[3] ce qu'il est lui aussi, autant qu'il nous est possible, et ce qu'est le rite que le fonde, je pense que nous ne ferons rien de superflu ni qui soit hors du sujet. Nous aurions donc ainsi donné un commentaire d'autant plus complet que nous aurions expliqué en détail ce qui est la base des mystères, ou leur racine, ou toute autre appellation que l'on veuille lui donner.

au caractère étranger de ce livre par rapport aux autres puisqu'il éprouve le besoin d'en justifier la présence (§ 1). Ce livre se présente essentiellement comme une mystagogie, et s'apparente de ce fait à *Liturgie* et aux petits traités édités en appendice de *SC 4 bis*. La justification de Cabasilas est que l'autel est le fondement des mystères et que sans lui aucun mystère n'est efficace. Cf. S. SALAVILLE, *Cérémonial de consécration d'une église selon le rite byzantin,* Vatican 1937.

2. Cf. *Liturgie,* XXIX, 16.

3. Θεωρήσομεν : la θεωρία est l'élément principal de toute explication mystagogique depuis Denys : il s'agit, après les avoir décrits, de saisir la signification spirituelle des rites. Sur la distinction entre ἱστορία (description) et θεωρία (considération spirituelle) chez Cabasilas, cf. R. BORNERT, «Les commentaires byzantins de la liturgie» (*Archives de l'Orient chrétien,* 9), 1966, p. 218-221.

2. Καὶ τοίνυν ἃ παρὰ τῶν τοῦ τελοῦντος χειρῶν γίνεται καὶ ἃ τὸ θυσιαστήριον καθίστησιν, ἑξῆς ἐκτεθέντων
ἁπάντων, ἕκαστον ἔπειτα τίνος ἐστὶν αἴνιγμα καὶ ὅ τι φέρει
σκοπῶμεν.

3. Πρῶτα μὲν οὖν ὀθόνας περιθέμενος ὁ ἱεράρχης λευκὰς
καὶ καταδήσας ἐπί τε τῶν χειρῶν καὶ τοῦ λοιποῦ σώματος,
τῷ Θεῷ προσπίπτει κατακλιθεὶς οὐ κατὰ ψιλοῦ τοῦ ἐδά-
φους, καὶ δεηθεὶς τὸ ζητούμενον πέρας λαβεῖν αὐτῷ τὴν
5 σπουδήν, ἐπὶ τὸ ἔργον ἀνίσταται· καὶ τὴν τράπεζαν
κειμένην ἀνελόμενος, καθιδρύει καὶ πήγνυσιν, οὐ κελεύων
μόνον ἀλλὰ χεῖρας εἰσάγων.

4. Τεθεῖσαν δὲ θερμοῖς ἀποκλυσάμενος ὕδασιν, οἷς
ηὔξατο μὴ ῥύπου φαινομένου μόνον ἀλλὰ καὶ τῆς ἀπὸ τῶν
δαιμόνων προστροπῆς καθάρσιον δύναμιν ἔχειν, εἶτα μυρίζει
οἴνου τε χέων αὐτῇ τοῦ καλλίστου καὶ μύρου στακτοῦ ῥόδων
5 οἶμαι πεποιημένου· μετὰ δὲ ταῦτα τὸ ἱερὸν μύρον ἐπάγει
καὶ χρίει, τρίτον γράφων ἐπ' αὐτῆς τὸν σταυρὸν καὶ τῷ
Θεῷ τὸ προφητικὸν ᾄδων ᾆσμα τὸ πολυύμνητον· εἶτα λευκῇ
περικαλύψας ὀθόνῃ, πέπλοις τε τιμίοις ἐπικοσμεῖ καὶ
τούτοις ὀθόνας ἄλλας ἐφαπλοῖ, τῷ θείῳ μύρῳ τὸν τῆς
10 τραπέζης τρόπον ἀληλιμμένας, ἃς ἐπιβεβλημένας ἔσχατον
τῇ τραπέζῃ δεῖ τοῖς πίναξιν ἀμέσως ὑποκεῖσθαι τοῖς ἱεροῖς.

BCV MPW Gass Migne

2, 3 πρὸς ὅ τι BVW
4, 7 ᾄδων : ᾄδειν W

---

4. Cabasilas dit : ἱεράρχης qui peut désigner un évêque ou un
prêtre. Goar précise : ἀρχιερεύς qui désigne plus précisément l'évêque.
5. A ne pas confondre avec le saint chrême, formé d'un mélange
d'huile d'olive, de baume et de plantes aromatiques, qui vient
aussitôt après. Cabasilas ne semble pas connaître la composition
exacte de ce chrême : argument en faveur de sa qualité de laïc ?
6. Il s'agit de l'Alleluia : GOAR, p. 659.

2. Ainsi donc, après avoir exposé successivement tous les rites qui sont accomplis par les mains du célébrant et qui constituent l'autel, nous examinerons ensuite, pour chacun d'eux, ce qu'il symbolise et ce qu'il réalise.

DESCRIPTION DES RITES

3. Tout d'abord, l'évêque[4] se ceint de linges blancs et se les noue autour des poignets et du reste du corps ; puis il se prosterne devant Dieu, agenouillé mais pas sur le sol nu, et après avoir prié pour que sa ferveur lui obtienne l'effet demandé, il se relève pour sa tâche ; ayant soulevé la table posée à terre, il la fonde et la fixe, sans se contenter de donner des ordres mais en y mettant la main.

4. Une fois la table posée, il la lave avec de l'eau chaude, après avoir prié pour que cette eau ait la vertu de purifier non seulement de la souillure visible, mais aussi de la malédiction des démons ; puis il l'oint en versant sur elle du vin le meilleur et un chrême fait, je pense, d'une essence de roses[5] ; après cela, il apporte le saint chrême et l'en oint, en traçant trois fois sur elle le signe de la croix, et en chantant à Dieu le chant prophétique bien connu[6] ; puis, l'ayant recouverte d'une nappe blanche, il la pare en outre de voiles précieux et déploie par-dessus d'autres nappes ointes du saint chrême comme la table ; ces nappes, que l'on pose en dernier sur la table, devront se trouver immédiatement sous les vases sacrés[7].

---

7. Cabasilas ne donne pas les noms « techniques » de ces linges. La première nappe blanche doit correspondre au *katasarkion,* les voiles précieux à l'*endutè* (étoffe de soie qui couvre l'autel de chaque côté jusqu'à terre), les nappes ointes à l'*éilèton* et à l'*antimension* : cf. MERCENIER, *La prière des Églises de rite byzantin,* t. I. p. xix et CLUGNET, *Dictionnaire grec-français des noms liturgiques,* Paris 1895, sous chacun de ces noms.

5. Καὶ οὕτω ταῦτα τελέσας, λύει μὲν καὶ περιδύεται τὰς ὀθόνας, αὐτὸς δὲ τὴν ἱεραρχικὴν ἔχων στολήν, ἐπί τινα γείτονα τῶν ἱερῶν ἔξεισιν οἴκων. Ὅθεν ἁγίων μαρτύρων ὀστᾶ λαβὼν εἰς τοῦτ' αὐτῷ παρεσκευασμένα καὶ θεὶς ἐπὶ
5 θατέρου τῶν ἐπὶ τοῦ θυσιαστηρίου πινάκων, ἐν ᾧ τὸ φρικτὸν τίθησι δῶρον, καὶ καλύψας οἷς ἐκεῖνα καλύπτει, μάλα τε σεμνῶς ἀναιρεῖται καὶ κομίσας ἐπὶ τῆς κεφαλῆς ἐπὶ τὸν ἁγιαζόμενον πρόεισιν οἶκον, λαμπάσι καὶ ᾄσμασι καὶ θυώμασι καὶ μύροις τὴν πρόοδον πολλῶν κοσμούντων αὐτῷ.

6. Καὶ οὕτω χωρῶν, ἐπεὶ καταλάβοι τὸν νεὼν καὶ πρὸς αὐτῷ γένοιτο, ἵσταται μὲν πρὸ τῶν θυρῶν κεκλεισμένων, κελεύει δὲ τοῖς ἔνδον τὰς πύλας ἀνοίγειν «τῷ τῆς δόξης βασιλεῖ[a]»· καὶ αὐτὰς τοῦ Δαβὶδ εἰπὼν τὰς φωνὰς καὶ παρὰ
5 τῶν ἔνδον ἀκούσας ἃς ἐκεῖνος τοὺς ἀγγέλους λέγοντας ἀλλήλοις εἰσάγει τοῦ Σωτῆρος εἰς τὸν οὐρανὸν ἀνιόντος, τῶν θυρῶν ἀναπετανννυμένων, εἴσεισι τὸ ἱερὸν σκεῦος ἐκεῖνο συγκεκαλυμμένον ἐπὶ τῆς κεφαλῆς ἔχων.

7. Ἐπειδὰν δὲ εἴσω τοῦ θυσιαστηρίου καὶ πρὸς αὐτῇ γένηται τῇ τραπέζῃ, κατατίθεται μὲν ἐπ' αὐτῆς καὶ ἀνακαλύπτει, τὸν δ' ἐγκείμενον αὐτῷ πλοῦτον ἀναιρεῖται μὲν ἐκεῖθεν, ἐντίθησι δὲ θησαυρῷ τῷ μεγέθει τῶν ἐντιθεμένων
5 συμμέτρῳ· καὶ μετὰ τοῦτο, τὸ μύρον αὐτοῖς τὸ παναγέστατον ἐπιχέας, ὑπὸ τὴν τράπεζαν ἀποτίθεται τὴν ἱεράν. Τούτων δὲ οὕτω κατεσκευασμένων, ὁ μὲν οἶκος προσευ-

---

BCV   MPW   Gass   Migne

5, 1 ταῦτα οὕτω Gass ‖ 4 αὐτῷ : αὐτὸς C ‖ παρασκευασμένα CW ‖ καθεὶς V

6, 2 θυρῶν : πυλῶν W ‖ 3 πυλῶν *post* ἔνδον *add.* Gass ‖ 6 ἀνιόντας C ‖ 7 ἐκεῖνο : ἐκεῖ C

7, 2 καὶ *ante* κατατίθεται *add.* V ‖ 3 μὲν *om.* W ‖ 7 κατεσκευασμένων : τετελεσμένων W

---

6. a. Cf. Ps. 23, 7-10

5. Ayant ainsi fait, il dénoue et quitte ses linges, et revêtu de ses ornements sacerdotaux il se rend dans un lieu voisin de la sainte demeure. Là il prend les ossements des saints martyrs qu'il a préparés dans ce but ; il les dépose sur l'un des deux vases sacrés qui sont sur l'autel, celui sur lequel il dépose le très saint don, il les recouvre du voile même dont il le recouvre[8], il les élève très pieusement et, les portant au-dessus de sa tête, il s'avance vers le sanctuaire à consacrer, et de nombreux fidèles rehaussent la beauté de sa marche par des cierges, des chants, de l'encens et des parfums.

6. S'avançant ainsi, quand il atteint l'église et qu'il se trouve devant elle, il se tient devant les portes fermées et ordonne à ceux qui sont à l'intérieur d'ouvrir les portes « au roi de gloire[a] » ; après avoir prononcé lui-même et écouté de ceux qui sont à l'intérieur les paroles même que David prête aux anges qui se répondent au moment où le Sauveur monte vers le ciel[9], quand les portes s'ouvrent, il entre en portant au-dessus de la tête cette patène recouverte du voile.

7. Quand il se trouve à l'intérieur du sanctuaire et devant la table elle-même, il dépose la patène sur l'autel et la dévoile ; puis il en ôte le trésor qui y était contenu et le place dans un reliquaire dont la taille est adaptée à ce qu'il doit contenir ; après cela, répandant sur ces reliques le très saint chrême, il les dépose sous la sainte table. Une fois ces

---

8. Les deux vases sacrés qui se trouvent sur l'autel sont le *diskos* (patène) et le *potèrion* (calice). Les reliques sont déposées sur le *diskos* (le « saint don » désignant ici le pain). Le voile est celui *(kalumma)* qui recouvre le *diskos* et le pain au début de la Divine Liturgie.

9. Le *Ps.* 23 est traditionnellement appliqué à l'Ascension, sinon par les exégètes, du moins par la liturgie : cf. Romanos le Mélode, *Hymne* 48 (l'Ascension), str. 10 (*SC* 283, p. 156 [note 1] et 157).

18 LA VIE EN CHRIST

χῆς οἶκος[a], ἡ τράπεζα δὲ πρὸς τὴν θυσίαν ἔχει καὶ
παρεσκεύασται καὶ θυσιαστήριόν ἐστιν ἀτεχνῶς.

(629)   **8.** | Τὸν δὲ λόγον ἀνθ' ὅτου τούτων τελουμένων ἐκεῖνο
γίνεται, καὶ τοῖς τῷ ἱερεῖ πεπραγμένοις τὸ τοιαῦτα δύνασθαι
τὴν οἰκίαν καὶ τὴν τράπεζαν ἀπαντᾷ, λέγωμεν ἤδη,
θεωροῦντες ἕκαστα.

9. Ἡ μὲν οὖν ἀναβολὴ καὶ τὸ οὕτως ἐσκευασμένον ἐπὶ
τὴν τελετὴν ἀφῖχθαι τὸν ἱεράρχην, τοῦ κατὰ τὸν ἄνθρωπον
θυσιαστηρίου γράφει τὸν τύπον· τὸ γὰρ πᾶσαν ἀπονιψά-
μενον πονηρίαν, καὶ ὑπὲρ χιόνα λευκανθέντα, Δαβὶδ εἶπε[a],
5 συνελεῖν ἑαυτὸν καὶ συμπτύξαι καὶ πρὸς ἑαυτὸν νεῦσαι
τὸν ἄνθρωπον, Θεὸν ἐνοικίζει καθαρῶς τῇ ψυχῇ, καὶ
θυσιαστήριον ἐργάζεται τὴν καρδίαν.

10. Τούτων γὰρ σημεῖα, τοῦ μὲν τὸ λευκὴν εἶναι καὶ
λάμπουσαν αὐτῷ τὴν ἀναβολήν, ἐκείνου δὲ τὸ πανταχόθεν
πρὸς αὐτὸν ἐπεστράφθαι καὶ συνεπτύχθαι τῷ σώματι· καὶ
οὕτω δι' ὧν ἔξεστιν ἐν ἑαυτῷ πρὸ τοῦ τεμένους τὸ
5 θυσιαστήριον δείξας, ἔπειτα τῷ τεμένει τὴν τελοῦσαν δίδωσι
χεῖρα.

BCV MPW Gass Migne

7. a. Cf. Matth. 21,13; Is. 56,7
9. a. Cf. Ps. 50,4.9.12.19

8, 2 τὸ : τὰ V ‖ 3 ἀπαντᾷν W Gass ‖ λέγω με C λέγω μέν V
9, 3 τόπον W
10, 3 ἑαυτὸν VW Gass

10. Cabasilas se situe ici au centre de la tradition hésychaste : la
descente de l'homme en lui-même et l'inhabitation de Dieu dans
l'âme, prise ici comme un équivalent du cœur, sont des thèmes que
l'on retrouve, par exemple, chez Hésychios de Batos, *De temp. et*

actes accomplis, cette maison est une maison de prières[a], la table est préparée pour le sacrifice et est réellement un autel.

8. Disons à présent, en considérant chacun de ces rites, pour quelle raison il en est ainsi lorsqu'ils sont accomplis, et pour quelle raison c'est par les actes du prêtre que l'édifice et la table reçoivent cette vertu.

SIGNIFICATION DES RITES

L'évêque, modèle de l'autel

9. Tout d'abord, cette vêture et le fait que l'évêque soit ainsi préparé pour aborder le rite, cela figure le symbole de l'autel qu'est l'homme ; lorsque l'homme, «lavé de toute malice et blanchi plus que neige», selon les paroles de David[a], se concentre, se recueille et descend en lui-même, Dieu habite parfaitement en son âme, et son cœur est édifié comme un autel[10].

10. En signe de cette première chose, la vêture de l'évêque est blanche et resplendissante ; en signe de la seconde, son corps est de toutes parts serré et concentré en lui-même. Après avoir ainsi montré, autant qu'il est possible, que l'autel est en lui-même avant d'être le sanctuaire, alors il met la main à la consécration du lieu sacré.

virt. Cent. I. *PG* 93, 1480-1544 ; trad. fr. : «Philocalie des Pères neptiques», 3, Abbaye de Bellefontaine 1981). L'image du cœur comme autel semble originale en l'état, mais elle est proche de celle de l'âme-autel ou de l'esprit-autel, que l'on trouve chez les spirituels : par exemple ÉVAGRE, *Centuries gnostiques*, V, 53 ; MAX. CONF., *Myst.*, IV. Plus près de Cabasilas, on retrouve ce thème dans les discours monastiques de Théolepte de Philadelphie.

11. Μάλιστα μέν, ἐπεὶ καὶ τεχνῶν τοῖς προϊσταμένοις καὶ ὅλως ὁτιοῦν ἐργάζεσθαι δυναμένοις, πρὸ τῶν χειρῶν, ἐφ᾽ ἑαυτοῦ συνέστησε τὸ ἔργον ὁ λογισμός· καὶ ὁ μὲν ὁ συνεστήσατο κανόνα ταῖς χερσὶν ἔδωκεν, αἱ δὲ ἐπὶ τῆς ὕλης 5 ἔδειξαν.

12. Καὶ μὴν καὶ ζωγράφους ἔστι μὲν πρὸς ἀρχέτυπα γράφειν, ἀπὸ τῶν πινάκων ποιουμένους τὴν τέχνην· ἔστι δὲ καὶ τῇ μνήμῃ τὰ τοιαῦτα χρωμένους καὶ πρὸς τὴν ψυχὴν ὁρῶντας παράδειγμα· καὶ οὐ ζωγράφοις τοῦτο μόνον, 5 ἀλλ᾽ ἤδη καὶ ἀνδριαντοποιοῖς καὶ οἰκιῶν ἐργάταις καὶ δημιουργοῖς ἅπασι συμβαῖνον ἴδοι τις ἄν. Καὶ τὴν τοῦ τεχνίτου ψυχὴν ὀφθαλμοῖς ἰδεῖν εἴ τις ἦν μηχανή, αὐτὴν ἂν εἶδες τὴν οἰκίαν ἢ τὸν ἀνδριάντα ἢ τῶν ἔργων ὁτιοῦν τῆς ὕλης χωρίς.

13. Ἔπειτα παράδειγμα τοῦ θυσιαστηρίου τὸν ἱεράρχην οὐ τοῦτο ποιεῖ μόνον ὅτι τῶν τοιούτων αὐτὸς τεχνίτης, ἀλλ᾽ ὅτι ναὸς εἶναι Θεοῦ καὶ θυσιαστήριον ἀληθῶς μόνη τῶν ὁρωμένων ἡ τῶν ἀνθρώπων δύναται φύσις, ὡς τό γε χερσὶν 5 ἀνθρώπων παγὲν εἰκόνα τούτου σώζει καὶ τύπον. Ὅθεν ἔδει τὸ πρᾶγμα πρὸ τῆς εἰκόνος ἐν τῷ σχήματι τούτῳ φανῆναι καὶ τἀληθὲς τοῖς τύποις ἡγήσασθαι.

14. Ὁ γὰρ εἰπών· «Ποῖον οἶκον οἰκοδομήσετέ μοι[a]; Ἐνοικήσω, φησίν, ἐν αὐτοῖς καὶ ἐμπεριπατήσω[b]» σημάνοι δ᾽ ἄν, οἶμαι, κἀκεῖνο, ὡς τὸν βουλόμενον ἄλλοις ὄφελος εἶναι προσῆκε πρότερον ἑαυτῷ, καὶ τὸν ἀψύχοις δύναμιν 5 ἐνθεῖναι τοσαύτην ἠξιωμένον ἑαυτῷ πρὸ ἐκείνων τὰ τοιαῦτα

BCV MPW Gass Migne

11, 1 Καὶ μάλιστα V ‖ 3 συνίστησι VW
12, 1 πρὸς τὸν ἀρχέτυπον Gass ‖ 5 ἀλλ᾽ ἤδη : ἀλλὰ W ‖ καὶ[3] om. Gass ‖ 6 ἴδη V
14, 2 σημαίνοι CV Gass σημάνη W

11. Surtout que chez les maîtres artisans, et en général chez ceux qui sont capables de fabriquer quelque chose, avant les mains c'est la pensée qui en elle-même a conçu l'œuvre; la pensée a donné pour modèle aux mains ce qu'elle a conçu, et les mains l'ont exprimé dans la matière[11].

12. Et certes, parmi les peintres, il en est qui peignent d'après un modèle, exerçant leur art à partir de tableaux; mais il en est d'autres qui font cela en utilisant leur mémoire et en voyant le modèle dans leur âme. Et l'on pourrait constater que ce n'est pas seulement le cas des peintres, mais encore des sculpteurs, des architectes et de tous les artisans. S'il existait un moyen de voir de ses yeux l'âme de l'artisan, on y verrait la maison elle-même, ou la statue ou n'importe quelle œuvre, sans la matière.

13. En outre, ce qui fait que l'évêque est un modèle de l'autel, ce n'est pas seulement que lui-même en soit l'artisan, mais c'est que seule de toutes les choses visibles, la nature humaine peut être véritablement un temple de Dieu et un autel, de sorte que ce qui est fixé par la main des hommes en présente l'image et le symbole. C'est pourquoi il fallait que la réalité apparût sous cette forme avant l'image, et que la vérité précédât les symboles.

14. Car celui qui a dit : «Quelle maison me bâtirez-vous[a]?» répond : «J'habiterai au milieu d'eux et m'y promènerai[b]». Cela veut aussi, je pense, signifier que : celui qui veut être utile aux autres doit tout d'abord l'être à soi-même, et celui qui a été jugé digne de conférer une telle vertu à des choses inanimées doit se donner à

---

14. a. Is. 66, 1; Actes 7, 49 ‖ b. Lév. 26, 12; II Cor. 6, 16

---

11. L'idée est aristotélicienne : cf. Ar., *De gen. anim.,* I, 22, 730 AB.

λυσιτελῆ καταστῆναι, καθάπερ καὶ τὸν ἐπίσκοπον Παῦλος ἠξίωσε πόλει καὶ δήμοις ἐσόμενον ἀγαθὸν ἀφ' ἑστίας ἄρξασθαι, καὶ τὸν οἰκίσοντα καλῶς τὴν οἰκίαν, ἑαυτὸν κατὰ τὸν ὀρθὸν λόγον πρότερον ἀγαγεῖν[c].

15. Δεῖται δὲ τοῦ Θεοῦ πρὸς τὸ ἔργον· καὶ γὰρ ἀνῦσαι μὲν δύναιτ' ἂν οὐδεὶς μὴ τοῦ Θεοῦ τυχών, οὐδὲ τῶν ἄλλων οὐδέν, μάλιστα δὲ τῶν μυστηρίων ἐν οἷς τὸ πᾶν ἐκείνου καθαρῶς ἔργον.

16. Ἐπεὶ δὲ ὁ κοινὸς δεσπότης τῶν δούλων οὐκ ἐξ ἐπιτάγματος προὐνοήθη οὐδ' ἔπεμψε τοὺς ἐπιμελησομένους, ἀλλ' αὐτὸς ἦλθε καὶ πάντων δι' ὧν ἔδει σώσων αὐτουργὸς ἦν, τούτου χάριν τὸν ἱεράρχην τὸν ἐκείνου δεικνύντα
(632) 5 μαθητὴν αὐτοχειρίᾳ πηγνύναι τὸ | θυσιαστήριον εἰκὸς ἦν, ὅθεν ἡμῖν αἱ πᾶσαι τῆς σωτηρίας εἰσὶν ἀφορμαί· καὶ ταῦτα ποιεῖ, τὸν ψαλμὸν ἐκεῖνον ἐπὶ τοῦ στόματος ἔχων· «Ὑψώσω σε, ὁ Θεός μου, ὁ βασιλεύς μου[a]», ὃς εὐχαριστίαν ἔχει τῷ Θεῷ καὶ μνήμην τῶν αὐτοῦ θαυμασίων. Εἰ γὰρ ἐν παντὶ
10 εὐχαριστεῖν ὁ τοῦ Παύλου κελεύει νόμος[b], πόσῳ δικαιότερον ἐπ' αὐτοῦ τοῦ κεφαλαίου τῶν ἀγαθῶν!

17. Μετὰ δὲ τοῦτον, ἄλλον ἐπισυνάπτει ψαλμόν· «Κύριος ποιμαίνει με, καὶ οὐδέν με ὑστερήσει[a]». Ταῦτα δὲ οὐχ ἁπλῶς τὴν τοῦ Θεοῦ φιλανθρωπίαν ὑμνεῖ, ἀλλ' αὐτῶν ἅπτεται τῶν παρόντων· καὶ γὰρ καὶ βαπτίσματος μέμνηται

BCV   MPW   Gass   Migne

14, 8 οἰκίσοντα P : οἰκήσαντα W οἰκήσοντα *cett.*
16, 2 ἔπεμψε *om.* C ‖ 3 ἔδει : ἤδει W ‖ 11 εἶεν *post* ἀγαθῶν *add.* V
17, 2 δὲ *om.* V

---

14. c. Cf. I Tim. 3, 4
16. a. Ps. 144, 1 ‖ b. Cf. I Thess. 5, 18
17. a. Ps. 22, 1

lui-même, avant elles, de tels privilèges. Ainsi, Paul a jugé que l'évêque destiné à faire du bien à une cité et à un peuple doit commencer par son propre foyer, et que celui qui est destiné à bien administrer la maison, doit d'abord se conduire lui-même selon la droite raison[c].

C'est Dieu qui consacre l'autel

15. Mais il a besoin de Dieu pour cette œuvre. En effet, nul ne pourrait, sans Dieu, rien mener à bien, et encore moins les mystères dans lesquels tout est purement son œuvre.

16. Puisque le Maître commun n'a pas pris soin de ses esclaves par un ordre et qu'il n'a pas envoyé des gens pour s'en occuper, mais qu'il est venu lui-même et a pourvu lui-même à tout ce qu'il fallait pour les sauver[12], pour cela il convenait que l'évêque, se montrant son disciple, fixât de ses propres mains l'autel d'où nous viennent tous les principes de notre salut; c'est ce qu'il fait, ayant aux lèvres ce psaume : «Je t'exalterai, mon Dieu, mon roi[a][13]», qui est une action de grâces envers Dieu et un rappel de ses merveilles. Si en effet le précepte de Paul ordonne de rendre grâces en toute chose[b], combien plus justement faut-il rendre grâces pour le couronnement même des bienfaits.

Pourquoi on chante le psaume : «Le Seigneur est mon berger»

17. Après ce psaume, il en enchaîne un autre : «Le Seigneur est mon berger, je ne manquerai de rien[a][14].» Ces paroles ne chantent pas seulement la philanthropie de Dieu, mais s'accordent à l'action présente; en effet, elles

12. Cf. *Liturgie*, XIX, 3.
13. *Ps.* 144 : cf. Goar, p. 657.
14. *Ps.* 22 : *ibidem.*

5 καὶ τῆς θείας ἀλοιφῆς καὶ τοῦ ποτηρίου καὶ τῆς φερούσης
τὸν ἱερὸν ἄρτον τραπέζης. Τὸ δὲ βάπτισμα καὶ «ὕδωρ
ἀναπαύσεως[b]» καὶ «τόπον χλόης[c]» καλεῖ, καὶ ποιμαινόμε-
νος ὑπὸ τοῦ Θεοῦ καλῶς εἰς τοῦτο «κατασκηνώσειν[d]»
ἔσχατον ἔφη· ἐπεὶ γὰρ ἡ ἁμαρτία καὶ πόνους τοῖς τολμῶσιν
10 ἤνεγκε καὶ τὴν γῆν ἐνέπλησεν ἡμῖν ἀκανθῶν, τὸ τὴν
ἁμαρτίαν ἐκβάλλον ὕδωρ πρὸς μὲν τοὺς πόνους «ὕδωρ
ἀναπαύσεως», πρὸς δὲ τὰς ἀκάνθας «τόπος χλόης» δικαίως,
οἶμαι, καλεῖται, κατάλυμα δὲ τελευταῖον ὅτι τὸ ἔσχατον
ἀγαθόν, ἐν ᾧ παυόμεθα ζητοῦντες, τὸν Θεὸν ἔστιν ἐνταῦθα
15 λαβεῖν· εἴη δ᾽ ἂν καὶ δι᾽ ἐκεῖνον τὸν λόγον «ἀναπαύσεως
ὕδωρ», ὅτι τῆς φύσεως τὴν ἐπιθυμίαν ἀνέπαυσεν, ὃ «πολλοὶ
προφῆται καὶ βασιλεῖς, φησίν, ἰδεῖν ἐπεθύμουν[e]».

18. Τί δὲ προσπίπτοντα τῷ Θεῷ καὶ προσευχόμενον, τὸ
τοῦ τεμένους ἔδαφος οὐ δέχεται τὸν ἱεράρχην ἀμέσως; ἢ τὴν
τελετὴν ἔτι μὴ δεδεγμένον, οὐδέπω πρὸς τὸν τελεστὴν
ἥρμοσται; καὶ μήπω προσευχῆς γενόμενος οἶκος, πῶς ἂν
5 λάβοι καθαρῶς τὸν εὐχόμενον; Ἐπεὶ καὶ τοὐναντίον τὸν
Μωσέα τῆς «ἁγίας» ἐπιβαίνειν μέλλοντα «γῆς» τὸ ὑπόδημα
ἐχρῆν ὑπολῦσαι[a], κομίζοντα πρὸς τὴν ὁμιλίαν μέσον οὐδέν,
ὥσπερ καὶ τὸν τηνικαῦτα τῷ Θεῷ προσκείμενον δῆμον τῶν
Ἑβραίων τὴν ἐν Αἰγύπτῳ γῆν μετὰ τῶν ὑποδημάτων ἔδει
10 πατεῖν[b].

19. Οὕτω δὲ δράσας, ὕδασιν ἔπειτα σμήχει τὴν τράπεζαν
ἱεροῖς. Ἐπεὶ γὰρ τὸν τῶν ὁρωμένων δεσπότην τὸν ἄνθρωπον
ὁ κοινὸς δουλωσάμενος τύραννος, ἔπειτα τοῖς αἰσθητοῖς

BCV MPW Gass Migne

18, 3 τὸν τελετὴν C τὴν τελετὴν W Gass

17. b. Ps. 22, 2 ‖ c. Ibidem ‖ d. Cf. Ibidem ‖ e. Cf. Lc 10, 24
18. a. Cf. Ex. 3, 5 ‖ b. Cf. Ex. 12, 11

15. Sur l'interprétation mystérique, surtout baptismale et eucha-
ristique, du Ps. 22, cf. CYR. JÉR., *Cat. Myst.* IV, 7 ; CYR. AL., dans

font mémoire du baptême, de la divine onction, du
breuvage et de la table qui porte le pain sacré. C'est le
baptême qu'il appelle «eau du repos[b]» et «pré d'herbe
tendre[c]», et il dit que, heureusement mené par Dieu, il y
«reposera[d]» à la fin ; puisqu'en effet c'est le péché qui a
produit des souffrances pour les coupables et couvert de
ronces notre terre, l'eau qui chasse le péché est appelée, à
juste titre je pense, «eau du repos» par opposition aux
peines, et «pré d'herbe tendre» par opposition aux ronces,
et enfin gîte parce que là nous pouvons saisir Dieu, lui le
bien ultime en qui s'arrête notre quête. On pourrait aussi
l'appeler «eau du repos» pour cet autre motif qu'il a apaisé
le désir de notre nature, lui que «beaucoup de prophètes et
de rois ont désiré voir[e][15]».

Pourquoi l'évêque ne se prosterne pas sur le sol nu

18. Mais pourquoi, lorsqu'il se prosterne devant Dieu et
le prie, n'est-ce pas directement le pavement du temple qui
le reçoit ? N'est-ce pas que, n'ayant pas encore reçu la
consécration, ce dernier n'est pas encore adapté à celui qui
consacre ? Et comment une maison qui n'est pas encore
devenue maison de prière pourrait-elle accueillir parfaitement celui qui prie ? En revanche Moïse, avant de fouler la
«terre sainte», dut ôter sa sandale afin de ne laisser aucun
intermédiaire pour l'entretien entre Dieu et lui[a], tandis
que le peuple hébreu, alors qu'il s'attachait à Dieu, devait
fouler la terre d'Égypte «les sandales aux pieds[b]».

Purification de l'autel

19. Cela fait, il lave ensuite la table avec de l'eau
sanctifiée. En effet, puisque le tyran commun, une fois
asservi l'homme, maître des choses visibles, s'est ensuite

son exégèse du *Ps*. 22, compare déjà l'«eau du repos» à l'eau du
baptême et la «table apprêtée» à la sainte Table (*PG* 69, 841).

ἐνέσκηψε πᾶσι, καθάπερ βασιλείοις τοῦ βασιλέως πεσόν-
5 τος, διὰ ταῦτα ταῖς παραλαμβανομέναις ἐντεῦθεν ὕλαις
ἐφ᾽ ἑκάστου τῶν μυστηρίων, ἀνάγκη τινὸς καθαρσίου κατὰ
τοῦ πονηροῦ δυναμένου· καθάπερ καὶ τὸ ὕδωρ καθ᾽ οὗ δεῖ
τελοῦντα βαπτίζειν τῆς τῶν δαιμόνων ἐπηρείας ἁπάσης
εὐχαῖς καθάρας ὁ ἱερεύς, οὕτω τὴν τελοῦσαν ἐπιλέγει
10 φωνήν, κατὰ τὸν αὐτὸν δὴ τὴν τράπεζαν λόγον ἀλεξικάκοις
ἀποκλύζει πρότερον ὕδασι· καὶ ἅμα τὸν τρόπον ὑποδεικνὺς
ὅπως δεῖ πρὸς τἀγαθὸν τρέχειν, ὅπερ ἐστὶν ἐκκλίνειν ἀπὸ
τοῦ κακοῦ πρότερον[a]· οὗ χάριν καὶ τὸν ἐπὶ κακοῖς
ἀνθρωπίνοις ἡσμένον ᾅδει ψαλμὸν ταῦτα τελῶν· «Ῥαντιεῖς
15 με, λέγων, ὑσσώπῳ καὶ καθαρισθήσομαι· πλυνεῖς με καὶ
ὑπὲρ χιόνα λευκανθήσομαι[b]».

20. Καὶ μετὰ τοῦτο τῷ Θεῷ χάριν ἀποδίδωσι καὶ
(633) γεραίρει· καὶ τοῦτο καθ᾽ ἕκασ|τον τῶν τελουμένων. Πάντα
γὰρ δέον εἰς δόξαν Θεοῦ ποιεῖν, τὰ μυστήρια μάλιστα
πάντων, ὅσῳ καὶ πάντων λυσιτελέστερα καὶ Θεοῦ μόνου.

21. Ἐπεὶ δὲ πρὸ τῶν θείων χαρίτων οὐ καθαίρεσθαι
μόνον, ἀλλὰ καὶ τὰς συστοίχους αὐταῖς ἀρετάς, ὡς οἷοί τε
ἐσμέν, ἐπιδείκνυσθαι χρή, ὡς οὐκ ἐνὸν ἄλλως τυγχάνειν
τοῦ χορηγοῦ τῶν τοιούτων, «ὁ γὰρ Θεὸς εὐχὴν δίδωσι οὐ
5 τοῖς καθεύδουσιν ἀλλὰ τῷ εὐχομένῳ[a]», καὶ τὸν ἀγωνιζό-
μενον ἀλείφει καὶ σωφροσύνης δίδωσι χάρισμα τῷ δι᾽ ὧν

BCV   MPW   Gass   Migne

19, 15 λέγων *om.* V
21, 1 καθαίρεσιν C

---

19. a. Cf. Ps. 33, 15 ; 36, 27 ‖ b. Ps. 50, 9
21. a. Cf. I Sam. 2, 9

abattu sur tous les êtres sensibles, comme on s'empare des biens royaux une fois le roi déchu, pour cette raison les matières qui sont prises ici-bas pour servir à chaque mystère ont besoin d'une purification puissante contre le Mauvais. De même que le prêtre commence par purifier de toute machination du démon, par des prières, l'eau dans laquelle il doit baptiser lorsqu'il célèbre le rite, et qu'ensuite il prononce la parole qui le réalise[16], de la même façon il commence par laver la table avec une eau qui écarte le mal, montrant en même temps de quelle façon il faut courir vers le bien, c'est-à-dire en s'écartant d'abord du mal[a] ; c'est pourquoi, ce faisant, il chante le psaume qui fut d'abord chanté pour des maux d'hommes : «Tu m'aspergeras avec l'hysope et je serai purifié ; tu me laveras et je serai plus blanc que neige[b] [17].»

20. Après quoi, il rend grâces à Dieu et le glorifie, et cela, à chacun des rites. Car s'il faut tout faire pour la gloire de Dieu, à plus forte raison les mystères, dans la mesure où ils nous sont plus utiles que tout et où ils nous viennent de Dieu seul.

Chrismation de l'autel

21. Mais puisque avant de recevoir les grâces divines il ne suffit pas d'être purifié, mais il faut aussi, dans la mesure du possible, que nous fassions preuve des vertus correspondantes, sans quoi il n'y a pas moyen de recevoir le dispensateur de telles grâces — en effet, Dieu donne la prière non à ceux qui dorment mais à celui qui prie[a], il fortifie celui qui lutte et donne le don de tempérance à

16. Cf. la prière de bénédiction des eaux baptismales : Goar, p. 288-289.
17. Cf. Goar, p. 659.

ἔξεστι σωφρονοῦντι, καὶ ὅλως πανταχοῦ τὴν πρὸς τὸ
ζητούμενον ἐπιθυμίαν οὐχ οἷς εὐχόμεθα μόνον ἀλλὰ καὶ
ἐπ' αὐτῶν τῶν ἔργων δεικνύναι χρή, διὰ τοῦτο πρὸ τοῦ
10 θειοτάτου μύρου ὃ τῷ θυσιαστηρίῳ τὴν ἐκ Θεοῦ χάριν οἶδε
κομίζειν, τοῖς παρ' ἡμῖν εὐώδεσι μυρίζει τὴν τράπεζαν, οἴνῳ
καὶ μύρῳ, ὧν τὸ μὲν ἡμῖν τέρψιν ἔχει μόνον, τὸ δὲ καὶ τῇ
ζωῇ βοηθεῖ, ἵνα δείξῃ τἀνθρώπινα εἰσενεγκὼν ἅπαντα, ὅτε
τούτων ἡμῖν τὸν βίον ἅπαντα συμπληρούντων, τῶν τε πρὸς
15 τὸ ζῆν ἀναγκαίων καὶ τῶν ἡδέων, ἀμφοτέρων ἀπάρχεται·
ἐπεὶ κἀκεῖνος ἐλθὼν καὶ ζωὴν ἔδωκε καὶ περισσὸν
προσέθηκεν[b], οὐκ ἀναστήσας μόνον καὶ λύσας, ἀλλὰ καὶ
βασιλεύσας καὶ τῆς ἀκηράτου τρυφῆς ἡμῖν μεταδούς.

22. Τούτοις ἐπιφέρει τὸ μύρον, ὃ πᾶσαν τῇ τελετῇ τὴν
δύναμιν ἔχον ἐπ' αὐτὴν τὴν θυσίαν ἄντικρυς φέρει.

Ἐπεὶ γὰρ τοῖς δυσὶ τούτοις αὐτὴν ἐτέλεσεν ὁ Σωτὴρ ἐξ
ἀρχῆς· «λαβών, φησί, τὸν ἄρτον καὶ εὐλογήσας[a]», τὴν χεῖρα
5 ζητοῦμεν ἐκείνην καὶ τὴν φωνήν. Τὴν μὲν οὖν φωνὴν οἱ
ἱερεῖς ἀφιᾶσι, καί ἐστιν ἐνεργὸς ὡς ἂν ἐκείνου κελεύσαντος·
«Τοῦτο γάρ, φησί, ποιεῖτε εἰς τὴν ἐμὴν ἀνάμνησιν[b]». Τὴν
δὲ χεῖρα τὸ μύρον δύναται· καὶ γὰρ «αὐτόν, φησὶν ὁ θεῖος
Διονύσιος, τὸ μύρον εἰσάγει τὸν Ἰησοῦν». Ἀλλ' οἱ μὲν
10 ἀπόστολοι καὶ τὴν χεῖρα παρ' ἑαυτῶν εἰσέφερον, καὶ γὰρ
καὶ ταύτην εἶχον τὴν χάριν· οἱ δ' ἐκείνους ἐκδεξάμενοι
ταυτησὶ τῆς τελετῆς ἐδεήθησαν, τὴν φωνὴν δυνάμενοι

BCV   MPW   Gass   Migne

21, 13 ὅτι Gass
22, 1 μύρον : μυστήριον CMP ‖ πᾶσα C ‖ 7 ποιεῖται V ‖ 8 αὐτὸ
V Gass

21. b. Cf. Jn 10, 10
22. a. Matth. 26, 26 ‖ b. Lc 22, 19

18. Cf. MACAIRE, *Hom. Spir.*, XIX, 3 : «Lorsque quelqu'un
s'approche du Seigneur, il faut d'abord qu'il se fasse violence pour
accomplir le bien (...), qu'il se fasse violence pour être doux sans avoir

celui qui pratique de son mieux la tempérance[18], et
partout, en un mot, il nous faut manifester notre désir de
ce que nous souhaitons, non en nous contentant de prier
mais aussi par nos actions elles-mêmes —, pour cette
raison, avant le très saint chrême, qui a la capacité de
donner à l'autel la grâce qui vient de Dieu, il parfume la
table avec les arômes qui viennent des hommes, du vin et
de l'huile parfumée ; cette dernière nous apporte une
simple jouissance et l'autre soutient notre vie ; il montre
ainsi qu'il apporte tout ce qui est de l'homme, lorsqu'il
offre les prémices des deux sortes de biens qui intègrent
toute notre vie, les uns nécessaires à l'existence et les
autres savoureux ; étant donné que Dieu lui-même, en
venant, a donné la vie et a ajouté la surabondance[b], ne se
bornant pas à ressusciter et à libérer, mais nous procla-
mant rois et nous faisant partager ses délices sans mélange.

22. A ces parfums il ajoute le chrême qui, ayant en lui-
même toute la vertu nécessaire à la consécration, rend
l'autel directement apte au sacrifice.

Puisqu'en effet le Sauveur, au commencement, a
accompli ce sacrifice avec la main et avec la parole :
«Prenant le pain et rendant grâces» dit l'Écriture[a], c'est
cette main que nous cherchons, et cette parole. La parole,
donc, les prêtres la prononcent et elle est efficace en tant
que lui-même a ordonné : «Faites cela en mémoire de
moi»; mais la main, c'est le chrême qui la signifie ;
en effet, «le chrême, dit le divin Denys, représente Jésus
lui-même[19]». Les apôtres, pour leur part, apportaient leurs
propres mains — en effet, ils possédaient aussi cette
grâce —; mais leurs successeurs ont eu recours à ce rite,

de douceur (...). Quand Dieu verra comment il lutte et se fait violence,
alors que son cœur ne le veut pas, il lui donnera (...) la vraie
douceur ...» (tr. fr. P. DESEILLE, *Spiritualité Orientale* 40, Abbaye de
Bellefontaine, p. 224-225).

19. DENYS, *e.h.*, IV, 3, 4 (*PG* 3, 480 A).

μόνον. Τοῖς μὲν γὰρ πρώτοις ἱερεῦσι θυσιαστήριον ἦσαν αἱ
χεῖρες· τοῖς δὲ μετ' ἐκείνους δι' ἐκείνων ὁ Χριστὸς τοὺς
15 μυστοδόκους ᾠκοδόμησεν οἴκους.

23. Ἐπιλέγει δὲ οὐδὲν οἷον πρότερον ἐπιχέων τῇ τραπέζῃ τὸ μύρον, ἀλλὰ τοῦτ' αὐτὸ μόνον ᾄδει τῷ Θεῷ ᾆσμα,
φωνῆς μὲν Ἑβραίας συλλαβαῖς ὡρισμένον ὀλίγαις, διανοίας
δὲ παναγοῦς τοῦ τῶν ἱερῶν προφητῶν χοροῦ.

5 Καὶ γὰρ ἔστι μὲν εὐφημεῖν μακρῷ λόγῳ τὰ κατωρθώμενα
διεξιόντας· ἔστι δὲ ῥήμασιν ὀλίγοις τὴν ᾠδὴν ὁρίζοντας τὸν
ὑμνούμενον ἀναδεῖν. Προσήκει δ' ἄν, οἶμαι, τὸ μὲν πρῶτον
παρῳχηκότων ἢ μελλόντων ἔτι τῶν ἐπαινουμένων ἔργων,
ἵν' εἶεν ἀντὶ τούτων τοῖς θεωμένοις οἱ λόγοι· ἐνισταμένων
10 δὲ καὶ γινομένων, οἶμαι, τὸ δεύτερον, ὅτε τῶν πραγμάτων
παρ' ἑαυτῶν φαινομένων, ἀνάγκη τῶν κηρυττομένων λόγων
οὐδ' ἡτισοῦν πλὴν τὴν ἡδονὴν ὅσον ἐνδείξασθαι καὶ τὸ
θαῦμα· ὥσπερ καὶ οἱ προφῆται ἕως Ἰωάννου προεφή-
τευσαν[a], τὸ γὰρ ἐντεῦθεν, τί τῶν ἀγγέλων ἔδει, τοῦ
15 μεμηνυμένου φανέντος; ἐκεῖνον γὰρ οὐδὲν ἢ βοᾶν καὶ
στεφανοῦν | ὑπόλοιπον ἦν, ὃ καὶ τοῖς ἀγγέλοις ἐδόκει οἷς
ἐφάνη πρώτοις ἐλθὼν εἰς τὴν γῆν, ὧν τὸ «Δόξα ἐν ὑψίστοις
Θεῷ[b]» περὶ αὐτὸν χορευόντων ἦν ἡ φωνή, κατὰ τοῦτον δὴ
τὸν λόγον ὁ ἱεράρχης, ἐπεὶ τὸν καλούμενον εὐεργέτην
20 ἐπ' αὐτῶν οἶδε τῶν ἔργων, οὔτε εὔχεται οὐδὲν τῶν ἐν ταῖς
εὐχαῖς αὐτῷ προκεχωρηκότων, οὔτε καταλέγει τὰ τῆς
φιλανθρωπίας ἑστῶτα πρὸ τῶν ὀφθαλμῶν, ἀλλὰ τοῦτο
μόνον ἀγάλλει τῷ μέλει τῷ μυστικῷ.

(636)

BCV MPW Gass Migne

23, 1 οἴων W ‖ 4 τοῦ τῶν ἱεροῦ χοροῦ προφητῶν V ‖ 12 ἑτισοῦν
W ‖ 18 αὐτῶν C Gass

23. a. Cf. Matth. 11, 13 ‖ b. Cf. Lc 2, 14

20. Cette idée curieuse vient peut-être de pratiques du monachisme oriental : cf. THÉODORET DE CYR, *Hist. des moines de
Syrie,* 20, 4 (*SC* 257, p. 66) et P. CANIVET, *Le monachisme syrien
selon Théodoret de Cyr,* p. 232.

car ils ne pouvaient que prononcer la parole. Les premiers prêtres, en effet, avaient leurs mains comme autel[20] ; mais pour ceux qui sont venus après eux, c'est par eux que le Christ a construit les maisons de culte.

23. En répandant le chrême sur la table, l'évêque n'ajoute aucune parole comme précédemment, mais il chante seulement à Dieu ce simple chant, constitué d'un petit nombre de syllabes de la langue hébraïque et dont le sens très saint vient du chœur des saints prophètes[21].

En effet, on peut célébrer par un long discours les rites que l'on accomplit en les exposant en détail ; mais on peut aussi, en limitant le chant à quelques paroles, tresser une couronne pour celui que l'on célèbre. La première manière concerne, je pense, la louange des œuvres passées ou encore à venir, afin que les discours en tiennent lieu pour les assistants ; mais pour les œuvres qui sont imminentes et qui sont en train de se dérouler, je pense que c'est la seconde manière qui convient, parce que quand les réalités se présentent elles-mêmes, il n'est besoin d'aucun discours pour les proclamer, sinon juste de quoi manifester son plaisir et son émerveillement ; de même que les prophètes ont prophétisé jusqu'à Jean[a] — à partir de lui, en effet, qu'était-il besoin de messagers, puisque celui qu'ils annonçaient avait paru ? il ne lui restait qu'à proclamer et à couronner, ce qui parut bon aussi aux anges à qui il se manifesta en premier à sa venue sur terre, eux dont le « Gloire à Dieu au plus haut des cieux » fut le chant quand ils formaient un chœur autour de lui[b] —, pour la même raison, l'évêque, quand il sait que le bienfaiteur appelé est effectivement à l'œuvre, ne demande plus rien de ce qu'il demandait auparavant dans ses prières, et il ne déroule plus les bienfaits de la philanthropie qui éclatent à tous les yeux, mais il se contente de l'honorer par l'hymne mystique.

21. Il s'agit, là encore, de l'Alléluia.

24. Ὅτι δ' ἡ τοῦ θυσιαστηρίου δύναμις τὸ μύρον ἐστίν, ἐχρῆν τῇ δυνάμει ταύτῃ καὶ τὴν ὑποκειμένην ὕλην οἰκείως ἔχειν· δρᾶσαι γὰρ ἂν οὕτω βέλτιον, ὥσπερ καὶ πῦρ καὶ φῶς διὰ τῶν ἐπιτηδείων, οἶμαι, σωμάτων· ἐπεὶ καὶ τοὔνομα
5 αὐτὸ τοῦ Σωτῆρος, ὃ πάντα ἐδύνατο καλούμενον, οὐκ ἐν τοῖς ἁπάντων στόμασι τὴν ἰσχὺν ὁμοίως ἐπεδείκνυ τὴν αὐτοῦ. Καὶ τοίνυν ζητήσας ὅ τι ἂν τῶν σωμάτων κατάλληλον ὁ τελεστὴς ὑποθείη τῷ μύρῳ, τῶν μαρτυρικῶν ὀστέων ὃ προσήκει μᾶλλον εὗρεν οὐδέν, καὶ ταῦτα μυρίσας
10 καὶ ἀληλιμμένα τῇ τραπέζῃ προσθείς, τὸ θυσιαστήριον ἀπαρτίζει.

25. Μαρτύρων γὰρ τοῖς τοῦ Χριστοῦ μυστηρίοις οὐδὲν συγγενέστερον, οἷς πρὸς αὐτὸν τὸν Χριστὸν καὶ σῶμα καὶ πνεῦμα καὶ θανάτου σχῆμα καὶ πάντα κοινά· ὃς καὶ ζῶσι συνῆν καὶ τελευτώντων τοὺς νεκροὺς οὐκ ἀπολιμπάνει, ἀλλὰ
5 ταῖς ψυχαῖς ἡνωμένος ἐστὶν ὅπως καὶ τῇ κωφῇ ταύτῃ σύνεστι καὶ ἀναμέμικται κόνει· καὶ εἴ που τῶν ὁρωμένων τούτων ἔστιν εὑρεῖν τὸν Σωτῆρα καὶ κατασχεῖν, ἐπὶ τῶν ὀστέων ἔξεστι τούτων.

26. Διὰ ταῦτα πρὸς τῷ νεῷ γενόμενος, εἰσάγειν δεῆσαν, ἐκείναις ταῖς φωναῖς αὐτοῖς ἀνοίγει τὰς πύλας αἷς ἂν εἰ

BCV   MPW   Gass   Migne

24, 6 ἐπεδείκνυτο W Gass
25, 1-2 τοῖς — οὐδὲν *post* συγγενεστέρον *transp.* W Gass ‖ 6 ἀνα-
μίγνυται W ‖ 7 ἐπεὶ C
26, 1 εἰσάγειν δεῆσαν *om.* W Gass

---

22. Ces images viennent de DENYS, *c.h.*, XIII, 3 (*SC* 58 *bis*, p. 152).
23. Cf. l. III, p. 246, n. 8. Le culte des reliques des martyrs a pris
à Byzance une telle importance que l'empereur iconoclaste Constan-
tin V interdit de placer des reliques sous l'autel, prétextant que ce

Les reliques des martyrs

24. Parce que la vertu de l'autel vient du chrême, il
fallait que la matière qui le reçoit fût aussi accordée à cette
vertu ; il pourrait ainsi mieux agir, comme le feu et la
lumière, je pense, à travers les corps appropriés[22], de même
que le nom même du Sauveur, qui pouvait tout quand on
l'invoquait, ne manifestait pas également sa force sur
toutes les lèvres. Ayant donc cherché quel corps serait le
plus approprié pour recevoir le chrême, le célébrant a
trouvé que rien ne conviendrait mieux que les ossements
des martyrs ; et après les avoir oints et ajoutés, ainsi
parfumés, à la table, il achève l'autel.

25. Car rien n'est plus apparenté aux mystères du Christ
que les martyrs, qui ont en commun avec le Christ lui-
même et le corps, et l'esprit, et le genre de mort, et tout ;
lui quand ils vivaient était avec eux et, une fois morts, il
n'abandonne pas leurs dépouilles, mais il est uni à leurs
âmes de telle sorte qu'il est présent et mêlé même à cette
poussière insensible[23] ; et s'il est possible de trouver et de
posséder le Sauveur en quelqu'une des choses visibles,
c'est dans ces ossements qu'on le peut.

26. C'est pourquoi, une fois que l'évêque est devant
l'église, comme il doit y introduire ces ossements, il leur
ouvre les portes en employant les paroles mêmes avec

n'étaient que des ossements morts (cf. Nicéphore le Patriarche,
Antirrhet. II adv. Constant. Copr., PG 100, 344) : il englobait ainsi
dans un même rejet les icônes et les reliques, deux signes sensibles
de la présence du Christ en ce monde. De nombreux textes pourraient
être évoqués à propos de la permanence de la grâce du Christ dans
les corps des saints après leur mort (fondement du culte des reliques).
Citons simplement Chrys., le grand inspirateur de Cabasilas : *laud.
Paul.*, IV, 9 (*SC* 300, p. 200).

τὸν Χριστὸν εἰσῆγεν αὐτόν, καὶ τἆλλα δὲ παραπλησίως τοῖς
ἱεροῖς ἐτίμησε δώροις. Ἄλλως τε Θεοῦ μὲν νεὼς ἀληθὴς
5 καὶ θυσιαστήριον τὰ ὀστᾶ ταῦτα, ὁ δὲ χειροποίητος οὗτος
τἀληθοῦς μίμημα. Οὐκοῦν εἰκὸς ἦν τοῦτον ἐκείνῳ προστε-
θῆναι, καὶ πρὸς τὴν τελείωσιν ἐκείνου τοῦτον εἰλῆφθαι,
καθάπερ τῶν νόμων τοῦ παλαιοῦ τὸν καινόν.

27. Ἐπεὶ δὲ πάντα ἤδη τελέσοι, καὶ πρὸς τὴν θυσίαν
καὶ τὰς εὐχὰς τὴν οἰκίαν παρασκευάσοι, λύχνον ἐπὶ τὸ
θυσιαστήριον ἅψας, ἔξεισι· πρῶτον μὲν δεικνὺς τὸν τῆς
θυσίας, οἶμαι, καιρόν, πηνίκα τὴν ἀρχὴν ἐξεδόθη, καὶ γὰρ
5 περὶ τὴν ἑσπέραν καὶ τὰς τῶν λύχνων ἀφάς· ἔπειτα, ὡς
ἐν οἰκίᾳ τοῦ τὴν δραχμὴν ἀπολωλεκότος[a], ὁ λύχνος οὗτος
ἐκεῖνον ἡμῖν εἰσάγει τῇ μνήμῃ τὸν λύχνον ὃν ἅψας καὶ
ζητήσας, τὴν πολλῇ γῇ καὶ σκότῳ συγκεκαλυμμένην εὗρε
δραχμήν, ὡς ἂν ὑπὸ γῆν ἐν ᾅδου κειμένην. Τοῦτο γάρ,
10 οἶμαι, δύναται τὸ σαρῶσαι τὴν οἰκίαν, τὸ πάντα ἀνακαλύψαι
καὶ ὑπὸ τὸ φῶς ἀγαγεῖν ὃς καὶ τὸν ᾅδην φωτὸς ἐνέπλησεν
εἰσελθών.

Le paragraphe qui suit n'existe que dans le *Vind. Théol.
Gr.* 210, où il a été ajouté par une autre main (f. 143ᵛ).
Il a été édité en note par Gass (col. 635-637).

Χρίει δὲ τὸν οἶκον ἅπαντα τῷ μύρῳ περιϊών, ἵνα
προσευχῆς οἶκον αὐτὸν ἐργάσηται καὶ τοὔνομα ἐνεργὸν ἔχῃ
καὶ πρὸς τὰς εὐχὰς ἡμῖν βοηθῇ. Ἡ γὰρ πρὸς τὸν Θεὸν
τῶν ἀνθρώπων παρουσία καὶ τὸ κατευθῦνον τὴν προσευχὴν

BCV MPW Gass Migne

27, 2 ἐπὶ : ὑπὲρ VW ‖ 7 τὸν λύχνον τῇ μνήμῃ V

27. a. Cf. Lc 15,8

24. Cabasilas ne fait pas mention de la Divine Liturgie qui, d'après
GOAR (p. 663), clôt la cérémonie.

lesquelles il ferait entrer le Christ en personne, et pour tout
le reste il les honore exactement comme il honorerait les
saints dons. Au reste, ces ossements sont le temple
véritable et l'autel de Dieu, tandis que le temple que voici,
fait de main d'homme, est l'image du véritable. Il
convenait donc d'ajouter la réalité à l'image et de prendre
la réalité pour achever l'image, de même que l'ancienne loi
est achevée par la nouvelle.

La lampe sur l'autel

27. Une fois qu'il a accompli tous les rites et qu'il a
rendu la maison propre au sacrifice et aux prières, il allume
une lampe sur l'autel et sort[24] ; voulant montrer par là tout
d'abord, je pense, le moment du sacrifice, l'heure à laquelle
il fut accompli la première fois — car ce fut vers le soir, à
l'heure où l'on allume les lampes — ; et ensuite, comme
dans la maison de celui qui a perdu la drachme[a], cette
lampe-ci nous remet en mémoire la lampe par excellence,
celle que le Christ a allumée et avec laquelle il a cherché et
retrouvé la drachme recouverte de beaucoup de terre et de
ténèbre, elle qui gisait sous la terre dans l'hadès. Car il a ce
pouvoir, je pense, de balayer la maison, de découvrir
toutes choses et de les amener à la lumière, lui qui en y
entrant a empli de lumière même les enfers[25].

Ajout du *Vindobonensis Théol. Gr.* 210

Faisant le tour de l'édifice, il l'oint entièrement de
chrême, afin d'en faire une maison de prière, de rendre
ce nom effectif et de favoriser nos prières. Car l'accès des
hommes à Dieu, et ce qui fait monter nos prières en droite

---

25. Sur cette image assez liturgique s'achève le l. V dans tous les
manuscrits, excepté dans le *Vind. Th. Gr.* 210 où il est suivi de ce
texte très cabasilien de facture.

5 ἡμῶν ὡς θυμίαμα[a] τὸ μύρον ἐστὶ τὸ ἐκκενωθὲν ὁ Σωτήρ[b],
παράκλητος[c] ἡμῖν γενόμενος πρὸς τὸν Θεὸν καὶ μεσίτης[d].
Ἐπεὶ γὰρ μονογεννὴς ὢν αὐτὸς ἑαυτὸν εἰς τοὺς δούλους
ἐξέχεεν, εἰκότως ὁ Πατὴρ διήλλακται, καὶ ἥμερον εἰς ἡμᾶς
βλέπει καὶ προσιόντας προσίεται φιλανθρώπως, ὡς ἂν αὐτὸν
10 εὑρίσκων ἐν ἡμῖν τὸν Υἱὸν τὸν ἀγαπητόν. Ὅθεν ἀκόλουθον
ἦν εἰς τὴν οἰκίαν ἐν ᾗ τὸν Θεὸν καλοῦμεν καὶ προσευχῆς
ἐστιν ἐργαστήριον, τὸ παναγέστατον ἐκκενωθῆναι μύρον·
ἵνα τὸν αὐτόθι καλούμενον Θεὸν εἰς ἑαυτὴν ἐπιστρέφῃ καὶ
κατὰ τὴν τοῦ Σολομῶντος εὐχὴν «οἱ ὀφθαλμοὶ αὐτοῦ νυκτὸς
15 καὶ ἡμέρας εἰς τὸν οἶκον τοῦτον ὦσιν ἀνεῳγμένοι[e]». Ἄλλως
τε ναὸν Θεοῦ καλούμενον ἵνα πρὸς τὸν ἀληθῆ ναὸν ἀναφέρῃ,
καὶ πρὸς ἐκεῖνον ἔχῃ τι κοινόν, ἔδει καθάπερ ἐκεῖνος ἐχρίσθη
τῇ θεότητι[f], τὸν ἴσον τρόπον καὶ αὐτὸν γενέσθαι χριστὸν
τῷ μύρῳ ἀληλιμμένον. Λέγω δὲ ναὸν ἀληθῆ τοῦ Θεοῦ τὸ
20 πανάγιον αὐτοῦ σῶμα, ὥσπερ αὐτὸς ἐκάλεσεν αὐτό·
«Λύσατε, λέγων, τὸν ναὸν τοῦτον[g]».

BCV MPW Gass Migne

Ajout du *Vind. Th. Gr.* 210 :

9 φιλανθρώπως om. Gass ‖ 12 ἐστιν — παναγέστατον *om.* Gass ‖
14 Σολομῶνος Gass

ligne comme l'encens[a], c'est le chrême répandu[b], le
Sauveur, devenu notre avocat[c] et notre médiateur[d] auprès
de Dieu. En effet, puisque lui, le Fils unique, s'est répandu
lui-même sur les esclaves, le Père a été justement
réconcilié ; il nous regarde avec douceur, il accueille
dans sa philanthropie ceux qui accourent vers lui, comme
s'il trouvait en nous le fils bien-aimé en personne. Voilà
pourquoi il était juste que, dans la maison où nous
invoquons Dieu et où se trouve un atelier de prière, fût
répandu le très saint chrême : afin qu'elle tourne vers elle
le Dieu qui y est invoqué et que, selon la prière de
Salomon, «ses yeux nuit et jour soient ouverts sur cette
maison[e]». Au reste, afin que ce temple qui est appelé
temple de Dieu fût en rapport avec le véritable temple
et eût quelque chose de commun avec lui, il fallait que,
comme le véritable temple fut chrismé par la divinité[f],
de la même façon celui-là aussi devînt christ en étant oint
par le chrême. J'appelle temple véritable de Dieu son
corps très saint, comme lui-même l'a appelé en disant :
«Détruisez ce temple[g].»

Ajout du *Vind. Théol. Gr.* 210 :

    a. Cf. Ps. 140,2 ‖ b. Cf. Cant. 1,3 ‖ c. I Jn 2,1 ‖ d. Cf.
I Tim. 2,5 ‖ e. Cf. III Rois 8,29 ‖ f. Cf. Actes 10,38 ‖ g. Jn 2,19

LIVRE VI

Λόγος ἔκτος · πῶς αὐτὴν ἀπὸ τῶν μυστηρίων λαβόντες φυλάξομεν.

1. Ἃ μὲν οὖν τῆς ἐν Χριστῷ ζωῆς εἰς αὐτὸν τὸν Χριστὸν (640) ἀναφέρει καὶ ὧν ἐκείνῳ μόνῳ προσῆκε, | ταῦτά ἐστιν. Ἐπεὶ δὲ τὸ μὲν συστῆναι τὴν ζωὴν ἐξ ἀρχῆς τῆς τοῦ Σωτῆρος χειρὸς ἐξήρτηται μόνης, τό γε μὴν φυλάξαι παγεῖσαν καὶ 5 μεῖναι ζῶντας καὶ τῆς ἡμετέρας ἔργον σπουδῆς · ἀνάγκη δὲ καὶ τῶν ἀνθρωπίνων ἐνταῦθα καὶ τοῦ παρ' ἡμῶν συντελοῦντος, ὥστε μὴ διαφθεῖραι λαβόντας ἀλλὰ διὰ τέλους σῶσαι τὴν χάριν καὶ τὸν θησαυρὸν ἐνθένδεν ἐν χεροῖν ἔχοντας ἀπελθεῖν, καὶ ταῦτα σκοπεῖν δι' ὧν ἔξεστιν ἀνῦσαι λοιπὸν ἂν 10 εἴη τῷ νῦν ἀγῶνι · καὶ τοῦ περὶ τῆς ζωῆς ἡμῖν λόγου γένοιτ' ἂν καὶ τοῦτο μέρος εἰκότως.

(641) **2.** Καθάπερ γὰρ ἐπὶ τῶν πραγμάτων αὐτῶν | εἰκός ἐστι καὶ συμβαῖνον, τὴν ζωὴν οὐκ ἀγαπᾶν δεξαμένους οὐδὲ καθεύδειν ὡς ἂν τὸ πᾶν ἔχοντας, ἀλλὰ καὶ δι' ὧν φυλάξομεν προσῆκε ζητεῖν, τὸν ἴσον τρόπον κἂν τοῖς λόγοις ἂν ἔχοι, καὶ

ABCV MPW Gass Migne

Titre : 1 ἔκτος : πέμπτος AW ‖ 1-2 πῶς — φυλάξομεν *om.* A ἃ ποιοῦντες οἱ μεμυημένοι δυνήσονται φυλάττειν αὐτήν B
2, 4 τοῖς λόγοις — καὶ *om.* Gass

──────────

1. Cf. *Liturgie*, XLI, 4.

LIVRE VI

Livre VI : Comment garder la vie en Christ que nous avons reçue des mystères.

1. Voilà donc ce qui, de la vie en Christ, se rapporte au Christ lui-même et ne concerne que lui. Mais puisqu'engendrer la vie à l'origine dépend de la seule main du Sauveur, tandis que veiller sur cette vie qui prend chair et demeurer vivants est aussi l'œuvre de notre ferveur, et puisqu'ici il faut la contribution de l'homme et notre coopération, pour ne pas détruire après avoir reçu mais au contraire sauvegarder jusqu'à la fin la grâce et tenir en nos mains, à notre mort, le trésor que nous en avons reçu[1], il nous reste, pour le présent propos, à examiner aussi les moyens par lesquels nous pouvons aboutir ; et ce sujet peut à juste titre faire partie de notre discours sur la vie (en Christ).

CONFORMER SA VOLONTÉ A LA VOLONTÉ DU CHRIST

2. En effet, de même que ce qui apparaît et qui se produit réellement dans la réalité, c'est qu'on ne se contente pas de recevoir la vie et qu'on ne reste pas inerte comme si on possédait déjà tout, mais qu'au contraire il faut chercher les moyens de la garder, de même en est-il dans notre discours : aux livres qui ont montré la première

5 τοῖς περὶ τῶν προτέρων τοὺς περὶ τῶν δευτέρων προσθεῖναι,
καὶ ὅθεν ἐζήσαμεν καὶ ὅπως καὶ τί παθόντες εἰπόντας,
ἔπειτα τί ποιοῦντες οὐ προδώσομεν τὴν εὐδαιμονίαν ἀκόλουθον ἂν εἴη διεξελθεῖν.

3. Καίτοι τοῦτο μέν ἐστιν ἀρετὴ καὶ τὸ ζῆν κατὰ τὸν
ὀρθὸν λόγον · τούτων δὲ πέρι, πολλοῖς μὲν εἴρηται τῶν
ἀρχαίων, πολλοῖς δὲ τῶν ἔπειτα, καὶ οὐκ ἔστιν ὃ παρεῖται
δέον εἰρῆσθαι, καὶ κινδυνεύει δὴ περίεργον ἂν ἡμῖν τὸν
5 ἀγῶνα τοῦτον ἠνύσθαι. Ἐπεὶ δ' ὧν ἐξ ἀρχῆς ἐνεστησάμεθα
καὶ τὸ περὶ τούτων εἰπεῖν ἀπαιτούντων, εἰ μὴ προσθεῖμεν
οὐκ ἔστι σῶν εἶναι τὸν λόγον, ῥητέον ὡς οἷόν τε, ἃ μὲν
ἴδια τῶν ἀνθρωπίνων βίων ἑκάστῳ προσῆκε πολλῶν ὄντων
παραλιπόντας, ὧν δ' ὑπόχρεω κοινῇ τῷ Θεῷ καθέσταμεν
10 πάντες, ταῦτα σκοποῦντας.

Οὔτε γὰρ τὴν αὐτὴν ἀρετὴν εἴποι τις ἂν εἶναι δεῖν τῶν τε
τὰ κοινὰ πολιτευομένων καὶ οἳ τὰ αὐτῶν πράττουσιν, οὔτε
τῶν μετὰ τὸ λουτρὸν τῷ Θεῷ μηδὲν πλέον ὑπεσχημένων καὶ
οἷς ὁ βίος μονώτης, οἳ παρθενίαν προὐστήσαντο καὶ τὸ μηδὲν
15 ἔχειν καὶ μὴ μόνον ἄλλού του κτήματος ἀλλ' οὐδ' αὐτοὶ σφῶν
αὐτῶν εἶναι κύριοι.

ABCV   MPW   Gass   Migne

2, 5 προθεῖναι C
3, 6 μὴ : μὴν Gass ‖ 7 σῶν : σῶον AV ‖ 11 τῶν : τὸν Gass ‖ 14 μονό-
της P

2. D'après J. Gouillard, Cabasilas annonce ici le sujet des deux
derniers livres, qui se présentent comme un traité sur la vie
bienheureuse, influencé par les traités similaires de l'Antiquité, et plus
particulièrement celui d'Aug. (De beata vita). Cf. J. Gouillard,
«L'autoportrait d'un sage du xivᵉ s.», Actes du 14ᵉ congrès international d'études byzantines, II, Bucarest 1975. Repris dans Variorum
Reprints : J. Gouillard, La vie religieuse à Byzance, Londres 1981.
3. Formule classique, déjà présentée par Ar. comme une opinion
généralement admise (Eth. Nic., II, 2, 2), reprise par les stoïciens et
vulgarisée par leurs émules (cf. SVF III, 198 p. 48 et 501 p. 136),
christianisée par les Pères : cf. Clém. Al., Pédag., I, 13 (SC 70,
p. 290-295).

chose, il faut ajouter ceux qui concernent la seconde, et après avoir dit d'où nous est venue la vie et comment, et ce que nous avons éprouvé, il est bon à présent d'exposer en détail ce que nous devons faire pour ne pas trahir notre bonheur[2].

3. Certes, il s'agit de la vertu et de la vie selon la droite raison[3] ; et sur ces sujets, beaucoup d'anciens ont parlé, ainsi que beaucoup de ceux qui sont venus ensuite[4] ; rien de ce dont il fallait parler n'a été laissé de côté, et notre travail risque, une fois mené à terme, de se trouver superflu. Mais puisque ce que nous avons entrepris depuis le début réclame que l'on parle aussi de cela, et que si nous ne l'ajoutions pas notre discours ne peut être complet, nous devons dire, dans la mesure du possible, après avoir laissé de côté ce qui revient en propre à chaque état de vie des hommes, car ils sont nombreux, les obligations communes[5] que nous avons tous envers Dieu, et c'est ce que nous devons examiner.

Les vertus propres à chaque état de vie

En effet, personne ne dira qu'il faut la même vertu à ceux qui s'occupent des affaires publiques et à ceux qui s'occupent de leurs propres affaires ; à ceux qui après le bain ne se sont engagés à rien de plus envers Dieu et à ceux qui mènent la vie solitaire, qui ont fait vœu de garder la virginité, de ne rien posséder et de renoncer à être maîtres non seulement de tout bien étranger mais d'eux-mêmes[6].

---

4. Allusion à l'abondante littérature antique, suivie de la non moins abondante littérature ascétique.

5. Distinction classique entre les commandements qui s'adressent à tous et les préceptes propres à chaque état de vie.

6. Peut-on voir là une influence des trois vœux (chasteté, pauvreté, obéissance) du monachisme occidental ?

4. Ὅτι ἡ τῶν θείων ἐντολῶν ἐργασία τὴν ἀπὸ τῶν μυστηρίων χάριν ἐν ἡμῖν συντηρεῖ, καὶ ταύτης χωρὶς ἀδύνατον ἐν Χριστῷ ζῆν.

Ὁ δὲ κοινόν ἐστιν ἅπασι χρέος τοῖς ἀπὸ Χριστοῦ καλου-
5 μένοις, ὥσπερ αὐτὸ δὴ τὸ πρόσρημα, καὶ δεῖ πάντας ὁμοίως
εἰσενεγκεῖν, ὑπὲρ οὗ πᾶν ὁτιοῦν προϊσχομένους οὐκ ἔστι
παραιτήσασθαι τοὺς ἀπολιπομένους, οὐ τὴν ἡλικίαν, οὐ
τέχνην, οὐ τύχην οὐδ' ἡντινοῦν, οὐ νόσον, οὐκ εὐεξίαν, οὐ
τὴν ἐσχατιάν, οὐ τὴν ἐρημίαν, οὐ τὰς πόλεις, οὐ τοὺς θορύ-
10 βους, οὐκ ἄλλο τῶν πάντων οὐδὲ ἓν ἐφ' ἃ συμβέβηκεν
ἐγκαλουμένους ἀναχωρεῖν, ὡς οὐδενὸς αὐτῷ προσίστασθαι
δυναμένου καὶ πᾶσιν ἐξόν· τῇ τοῦ Χριστοῦ θελήσει μὴ
πολεμεῖν, ἀλλὰ τοὺς ἐκεῖθεν ἐκ παντὸς τρόπου σῴζοντας
νόμους πρὸς τἀκείνω δοκοῦντα διατιθέναι τὸν βίον...

5. Ταῦτα γὰρ οὔτε κρείττω δυνάμεως ἀνθρωπείας ἔστιν
εἰπεῖν, οὐ γὰρ ἂν τοῖς παρανομοῦσιν ἔκειτο δίκη, τῶν τε
Χριστιανῶν οὐκ ἔστιν οὐδεὶς ὃς οὐκ εἰς ἔργον ἅπαντα ἀγαγεῖν ἑαυτῷ σύνοιδεν ὑπόχρεως ὤν. Οἵ γε τὴν ἀρχὴν αὐτῷ
5 προσιόντες ἦ μὴν διὰ πάντων ἀκολουθήσειν ηὔξαντο πάντες
ὁμοίως, καὶ ταύταις ταῖς συνθήκαις δήσαντες ἑαυτοὺς οὕτω
μετέσχον τῶν ἱερῶν.

6. Οὕτω δ' ὄντα κοινὰ πᾶσιν ὀφλήματα τὰ τοῦ Σωτῆρος
ἐπιτάγματα τοῖς πιστοῖς, καὶ δυνατὰ τοῖς βουλομένοις
ἀνῦσαι καὶ σφόδρα τῶν ἀναγκαίων καὶ ὧν χωρὶς οὐκ ἂν
γένοιτο Χριστῷ συνελθεῖν, τῷ πλείστῳ καὶ καλλίστῳ μέρει
5 διεστηκότας τῇ θελήσει καὶ τοῖς βουλήμασιν.

ABCV   MPW   Gass   Migne

4, 1-3 ABVP *mg.* ‖ 7 ἀπολοιπομένους C ‖ 8 οὐ νόσον, οὐκ εὐεξίαν *om*.
Gass ‖ 11 προΐστασθαι Gass ‖ 12 Χριστοῦ : θεοῦ V

7. Cf. Grég. Nys., *De professione christiana, passim.*

4. *La pratique des commandements divins conserve en nous la grâce issue des mystères, sans laquelle il est impossible de vivre en Christ.*

Le devoir qui est commun, comme leur appellation même, à tous ceux qui sont appelés du nom du Christ[7], ce dont tous doivent s'acquitter au même titre, ce dont aucun prétexte, quel qu'il soit, ne peut affranchir les négligents, ni l'âge ni la profession ni le sort quel qu'il soit, ni la maladie ni la santé, ni l'éloignement ni le désert ni les cités ni le tumulte, ni aucune des excuses qu'ont coutume d'alléguer les accusés, du fait que rien ne peut s'y opposer et qu'il est possible pour tous : c'est de ne pas entrer en guerre contre la volonté du Christ, mais conformer sa vie à ce qui lui plaît en observant ses préceptes de toutes les façons ...

5. Cela, en effet, on ne peut pas dire que ce soit au-dessus des forces humaines — autrement il n'y aurait pas de jugement pour les transgresseurs —, et il n'est aucun chrétien qui ne se sache tenu de le mettre en pratique intégralement. Étant allés au Christ au commencement, ils ont à coup sûr tous également promis de le suivre en tout, et c'est après s'être liés par de tels engagements qu'ils ont participé aux rites[8].

Vouloir ce que veut le Christ : une nécessité pour tous les fidèles

6. Les commandements du Sauveur étant ainsi des obligations communes à tous les fidèles, ils sont réalisables pour ceux qui le veulent, ils font partie des nécessités impérieuses et sans lesquelles il n'est pas possible de s'unir au Christ, puisqu'on s'en séparerait par sa partie la plus importante et la meilleure : la volonté et les intentions.

---

8. Le mot συνθήκη désigne les promesses baptismales. Sur le fait que tous les baptisés sont liés par ces promesses, cf. Bas., *Bapt.*, II, 1 (*PG* 31, 1580-1581).

Ἀνάγκη γὰρ κοινωνῆσαι γνώμης ᾧ κοινωνοῦμεν αἱμάτων,
καὶ μὴ τὰ μὲν συνημμένους, τὰ δὲ διηρημένους, οὕτω μὲν
φιλεῖν, ἐκείνως δὲ πολεμεῖν, καὶ τέκνα μὲν εἶναι, μωμητὰ δέ,
καὶ μέλη μέν, ἀλλὰ νεκρά, οἷς ὄφελος οὐδὲν τὸ συμφῦναι καὶ
(644) 10 γεννηθῆναι, καθάπερ τὸ κλῆμα τῆς ἀληθινῆς ἀμπέλου |
διαιρεθεῖσιν, οὗ τέλος ἔξω βληθῆναι καὶ ξηρανθῆναι καὶ
προσριφῆναι πυρί[a].

7. Διὰ ταῦτα τὸν ἐν Χριστῷ ζῆν προῃρημένον ἀκόλουθον
μὲν τῆς καρδίας καὶ τῆς κεφαλῆς ἐκείνης ἐξῆφθαι, οὐ γὰρ
ἑτέρωθεν ἡμῖν ἡ ζωή· τοῦτο δὲ οὐκ ἐξὸν δυνηθῆναι μὴ τὰ
αὐτὰ βουλομένους, ἀνάγκη πρὸς τὴν τοῦ Χριστοῦ θέλησιν
5 τὴν γνώμην καθόσον οἷόν τε ἀνθρώποις ἀσκῆσαι καὶ τῶν
αὐτῶν ἐπιθυμεῖν καὶ τοῖς αὐτοῖς ἐκείνῳ χαίρειν παρασκευά-
σαι. Τὰς γὰρ ἐναντίας ἐπιθυμίας μιᾶς ἀνίσχειν καρδίας τῶν
ἀμηχάνων· «ὁ γὰρ πονηρὸς ἄνθρωπος ἐκ τοῦ πονηροῦ
θησαυροῦ τῆς καρδίας οὐδὲν ἄλλο, φησί, προφέρειν οἶδεν ἢ
10 πονηρόν, καὶ ὁ ἀγαθὸς ἀγαθόν[a].» Καὶ καθάπερ τοῖς ἐν
Παλαιστίνῃ πιστοῖς, ὅτι τῶν αὐτῶν ἐπεθύμουν, «ἦν ἡ
καρδία, φησί, καὶ ἡ ψυχὴ μία[b]», τὸν ἴσον τρόπον εἴ τις
τῷ Χριστῷ μὴ κοινωνὸς εἴη τῆς γνώμης, ἀλλ᾽ οἷς ἐκεῖνος
ἐπιτάττει πρὸς παλινῳδίαν ἐξάγοι, τὴν ἑαυτοῦ ζωὴν οὐ
15 πρὸς τὴν αὐτὴν ἐκείνῳ τάττει καρδίαν, ἀλλὰ δῆλός ἐστι
καρδίας ἐξηρτημένος ἑτέρας· ἐπεὶ καὶ τοὐναντίον κατὰ τὴν
ἑαυτοῦ καρδίαν εὗρε τὸν Δαβίδ[c] ὅτι «τὰς ἐντολάς σου,
φησίν, οὐκ ἐπελαθόμην[d]».

8. Εἰ δὲ ζῆν μὲν οὐκ ἔστι μὴ τῆς καρδίας ἐξηρτημένους
ἐκείνης, ἐξηρτῆσθαι δὲ οὐκ ἂν εἴη μὴ τὰ αὐτὰ βουλομένους,

ABCV MPW Gass Migne

6, 7 μὴ om. Gass
7, 6 ἐκείνῳ om. ABV ‖ 15-16 αὐτὴν — ἑτέρας : τοῦ Σωτῆρος ἀναφέρει
καρδίαν, ἀλλ᾽ ὅτι καρδίας ἑτέρας ἐξήρτηται φανερὸν ABV
8, 1 οὐκ ἔστι : οὐκέτι C ‖ 2 αὐτὰ : αὐτοῦ W

6. a. cf. Jn 15,6

Il est en effet nécessaire de partager la volonté de celui dont on partage le sang ; de ne pas être unis sous un rapport mais séparés sous un autre, de ne pas aimer d'une façon tout en combattant d'une autre, ni être des enfants mais dignes de blâme, des membres mais des membres morts, de ceux à qui il ne sert à rien d'avoir été greffés et engendrés, puisqu'ils se sont séparés de la vraie vigne comme le sarment dont le sort final est d'être jeté dehors, de se dessécher et d'être livré au feu[a].

7. C'est pourquoi celui qui a résolu de vivre en Christ doit en conséquence être rattaché à ce cœur et à cette tête — car ce n'est pas d'ailleurs que nous vient la vie — ; or, comme cela n'est possible que si l'on veut la même chose, il faut nécessairement, autant qu'il est possible à des hommes, exercer sa volonté à vouloir ce que veut le Christ, et s'entraîner à désirer la même chose que lui et à se réjouir de même. Que des désirs contraires montent d'un seul et même cœur, c'est une chose impossible : « l'homme mauvais, du mauvais trésor de son cœur, ne saurait rien tirer d'autre que du mal, et l'homme bon du bien[a] ». De même que les fidèles de Palestine, parce qu'ils désiraient les mêmes choses, « avaient, dit l'Écriture, un seul cœur et une seule âme[b] », de même celui qui ne partage pas la volonté du Christ mais rejette et renie ce qu'il a commandé, ne règle pas sa vie sur le même cœur que lui mais de toute évidence dépend d'un autre cœur ; au contraire Dieu trouva David un homme selon son cœur[c] parce qu'il disait : « Je n'ai pas oublié tes commandements[d] ».

8. S'il n'est pas possible de vivre sans dépendre de ce cœur, et s'il n'est pas possible de dépendre de ce cœur sans vouloir les mêmes choses que lui, examinons, afin de

---

7. a. cf. Lc 6, 45 ‖ b. cf. Actes 4, 32 ‖ c. cf. Actes 13, 22 ‖ d. Ps. 118, 83

ἵνα ζῆν δυνηθῶμεν σκοπῶμεν ὅπως τῶν αὐτῶν ἐρᾶν τῷ
Χριστῷ καὶ τοῖς αὐτοῖς ἐκείνῳ δυνησόμεθα χαίρειν.

9. Ἔστι τοίνυν πράξεως μὲν ἐπιθυμία πάσης ἀρχή,
ἐπιθυμίας δὲ λογισμός · οὐκοῦν πειρατέον πρό γε πάντων,
τῶν ματαίων ἀπάγειν τὸν τῆς ψυχῆς ὀφθαλμόν, ἐννοιῶν
ἀγαθῶν μεστὴν ἔχοντας ἑκάστοτε τὴν καρδίαν, ὥστε
5 μηδαμοῦ κενὴν οὖσαν χώραν εἶναι ταῖς πονηραῖς.

10. Ὅτι τὸ τὰ Χριστοῦ μελετᾶν ἀεὶ καὶ στρέφειν ἐν τῇ
ψυχῇ τῆς ἐργασίας τῶν ἐντολῶν αἴτιον καὶ ἀρχὴ γίνεται ·
καὶ περὶ τῆς τοιαύτης μελέτης.

Πολλῶν δὲ ὄντων ἃ μελέτης ὕλην καὶ ψυχῆς ἔργον καὶ
5 νοῦ τρυφὴν καὶ διατριβὴν ποιεῖσθαι προσῆκε, τὸ πάντων
ἥδιστον καὶ λυσιτελέστατον καὶ φθέγξασθαι καὶ λογίσασθαι,
τῶν μυστηρίων ὁ λόγος καὶ ὃν ἐνθένδεν ἔσχομεν πλοῦτον ·
καὶ τίνες μὲν ἦμεν πρὶν μεμυῆσθαι, τίνες δὲ καθέσταμεν
μυηθέντες · καὶ τίς μὲν ἡ προτέρα δουλεία, τίς δὲ ἡ νῦν
10 ἐλευθερία καὶ βασιλεία · καὶ τίνα μὲν ἡμῖν ἤδη τῶν ἀγαθῶν
παρεσχέθη, τίνα δὲ ἀπόκειται · καὶ πρό γε τούτων, τίς ἡμῖν

ABCV MPW Gass Migne

9, 5 τοῖς πονηροῖς P
10, 1-3 ABVP *mg.* ‖ 10 ἡμῖν *om.* A

9. Cabasilas commence ici un développement sur la *Praktikè*,
branche de la littérature spirituelle qui concerne l'action *(praxis)*,
c'est-à-dire la conduite (cf. A. et C. GUILLAUMONT, tome introductif à
l'éd. d'ÉVAGRE, *Traité Pratique, SC* 170). Le mécanisme pensée-désir-
action, bien que rarement exprimé avec cette sobriété lapidaire, est
traditionnel dans cette littérature. L'originalité de Cabasilas est
double : dans son application des principes «pratiques» hors de la
sphère monastique ; dans sa vision positive des «pensées». — Le mot
λογισμός est employé ici tantôt au singulier, tantôt au pluriel. Nous
traduisons le premier par «imagination» (faculté qui produit les

pouvoir vivre, comment nous pourrons nous éprendre et nous réjouir des mêmes choses que le Christ.

LA MÉDITATION, CLEF DE L'AMOUR

9. Le principe de toute action, c'est le désir ; le principe du désir, c'est la pensée[9]. Ce à quoi il faut donc s'exercer avant tout, c'est à détourner l'œil de l'âme des vanités, en ayant à tout instant le cœur rempli de bonnes imaginations, de sorte qu'il n'y ait nulle part de place libre pour les mauvaises[10].

10. *Méditer sans cesse et ruminer dans son âme les choses du Christ devient la cause et le principe de la pratique des commandements ; sur cette méditation.*

Beaucoup de sujets méritent d'être la matière de la méditation, l'ouvrage de l'âme, les délices et l'occupation de l'esprit ; mais le sujet le plus agréable et le plus utile de tous, que l'on parle ou que l'on pense, c'est la raison d'être des mystères[11] et la richesse que nous en avons retirée : ce que nous étions avant d'y être initiés, et ce que nous sommes devenus après l'avoir été ; quelle était notre primitive servitude et quelles sont désormais notre liberté et notre royauté ; quels biens nous ont déjà été donnés et quels nous sont encore réservés ; mais avant tout cela, qui

pensées), le second par «pensées» (ce qui est produit par l'imagination).

10. Chez la plupart des auteurs byzantins, λογισμός est pris en mauvaise part : ce sont les «mauvaises pensées» ou «pensées passionnées». Il existe cependant une tradition plus positive opposant aux mauvais λογισμοί les bons λογισμοί : cf. Sym. N.T., *Cat.* III (*SC* 96, p. 302-303) ; *Cat.* IV (p. 320-321).

11. Cf. *Liturgie*, XLI, 4.

ἁπάντων τούτων ὁ χορηγὸς καὶ οἷον μὲν αὐτῷ τὸ κάλλος,
ὁποῖος δὲ τὴν χρηστότητα, καὶ ὅπως ἐφίλησε τὸ γένος καὶ
ἡλίκος ὁ ἔρως.

11. Τούτων γὰρ τὴν διάνοιαν προκατειληφότων καὶ τὴν
ψυχὴν κατασχόντων, οὐ ῥᾴδιον ἐπ᾽ ἄλλο βλέψαι τὸν
λογισμὸν καὶ τὴν ἐπιθυμίαν μετενεγκεῖν ἑτέρωσε, οὕτω μὲν
καλῶν ὄντων, οὕτω δὲ ἐπαγωγῶν· αἵ τε γὰρ εὐεργεσίαι
5 πλήθει καὶ μεγέθει νικῶσι, τό τε φίλτρον ὅθεν ἐπὶ ταύτας
προήχθη, μεῖζον ἢ λογισμοῖς ἀνθρώπων ὑποπεσεῖν.

12. Καθάπερ γὰρ τῶν ἀνθρώπων τοὺς ἐρῶντας ἐξίστησι
(645) τὸ φίλτρον, ὅταν ὑπερβάλῃ καὶ κρεῖττον γένηται | τῶν
δεξαμένων, τὸν ἴσον τρόπον ὁ περὶ τοὺς ἀνθρώπους ἔρως
τὸν Θεὸν ἐκένωσεν[a]. Οὐ γὰρ κατὰ χώραν μένων καλεῖ πρὸς
5 ἑαυτὸν ὃν ἐφίλησε δοῦλον, ἀλλ᾽ αὐτὸς ζητεῖ κατελθών· καὶ
πρὸς τὴν καταγωγὴν ἀφικνεῖται τοῦ πένητος ὁ πλουτῶν·
καὶ προσελθών, δι᾽ ἑαυτοῦ μηνύει τὸν πόθον, καὶ ζητεῖ τὸ
ἴσον, καὶ ἀπαξιοῦντος οὐκ ἀφίσταται· καὶ πρὸς τὴν ὕβριν
οὐ δυσχεραίνει, καὶ διωκόμενος προσεδρεύει ταῖς θύραις[b],
10 καὶ ἵνα τὸν ἐρῶντα δείξῃ πάντα ποιεῖ, καὶ ὀδυνώμενος φέρει
καὶ ἀποθνήσκει.

13. Ἐπεὶ γὰρ δυοῖν ὄντων ἃ δῆλον καθίστησι καὶ
θριαμβεύει τὸν ἐραστήν· τοῦ τε πᾶσιν οἷς ἔξεστιν εὖ ποιεῖν
τὸν ἐρώμενον, τοῦ τε δεινὰ πάσχειν αἱρεῖσθαι περὶ αὐτοῦ
καὶ ὀδυνᾶσθαι δεῆσαν, δεῖγμα μὲν φιλίας τοῦ προτέρου τὸ
5 δεύτερον γένοιτ᾽ ἂν πολλῷ τινι μεῖζον, τῷ Θεῷ δὲ οὐκ ἐξῆν
ἀπαθεῖ ὄντι κακῶν· ἀλλὰ φιλάνθρωπος ὢν εὐεργετεῖν μὲν
εἶχε τὸν ἄνθρωπον, ἀνέχεσθαι δὲ ὑπὲρ αὐτοῦ πληττόμενος
οὐδ᾽ ἐγγύς· καὶ τὸ μὲν φίλτρον ὑπερφυὲς ἦν, τὸ δὲ σημεῖον

ABCV   MPW   Gass   Migne

12, 6 τὴν *om.* C
13, 7 καὶ φέρειν ὀδυνώμενος *add.* ABCV *post* πληττόμενος ‖ 8 μὲν : μὴ
A ‖ τὸ δὲ — ἂν ἦν *om.* C

est pour nous le donateur de tous ces biens, quelle est sa
beauté et quelle sa bonté, combien il a aimé le genre
humain et quelle est la force de son amour.

11. Quand ces sujets ont pris les devants pour occuper
l'esprit et posséder l'âme, il n'est pas facile de tourner son
imagination vers autre chose et de porter son désir ailleurs,
tant ces sujets sont beaux et attirants ; car les bienfaits
l'emportent en nombre et en grandeur, et la tendresse qui
pousse à les considérer est trop grande pour céder devant
des pensées humaines.

L'amour fou du Christ

12. De même que chez les hommes, quand la tendresse
devient trop grande pour les cœurs qui la contiennent, elle
fait sortir d'eux-mêmes ceux qui aiment, de même son
amour pour les hommes a *vidé*[a] Dieu. Car il ne demeure
pas chez lui en appelant à lui l'esclave qu'il a aimé, mais il
descend lui-même le chercher ; le riche vient dans le gîte du
pauvre ; s'étant approché il déclare lui-même sa passion et
réclame même chose en retour ; repoussé il ne se retire pas ;
outragé il ne s'irrite pas ; chassé il s'assied à la porte[b] ; il
fait tout pour montrer qu'il aime ; il supporte les
souffrances qu'on lui inflige et il meurt.

13. Puisqu'en effet deux choses révèlent et trahissent
quelqu'un qui aime, faire du bien à celui qu'il aime de
toutes les façons possibles et accepter de supporter pour lui
et de souffrir des épreuves terribles s'il le faut, — cette
seconde preuve d'amitié serait bien plus forte que la
première, mais elle était impossible pour Dieu car il est
incapable d'éprouver des maux ; étant ami des hommes
il pouvait faire du bien à l'homme, mais il ne pouvait en
aucune façon supporter des blessures pour lui ; son amour

12. a. cf. Phil. 2, 7 ‖ b. cf. Apoc. 3, 20

ᾧ δῆλον ἂν ἦν οὐ προσῆν, ἔδει δὲ μὴ λανθάνειν σφόδρα
10 φιλῶν, ἀλλὰ τῆς μεγίστης ἀγάπης δοῦναι πεῖραν ἡμῖν καὶ
δεῖξαι τὸν ἔσχατον ἐρῶν ἔρωτα· ταύτην μηχανᾶται τὴν
κένωσιν καὶ πραγματεύεται καὶ ποιεῖ δι' ὧν οἷός τε γένοιτ'
ἂν δεινὰ παθεῖν καὶ ὀδυνηθῆναι· καὶ οὕτως οἷς ἠνέσχετο
πείσας, ὡς ἄρα φιλεῖ διαφερόντως, πρὸς ἑαυτὸν ἐπιστρέψει
15 τὸν ὅτι πέπειστο μισεῖσθαι φυγόντα τὸν ἀγαθόν.

14. Τὸ δὲ πάντων καινότατον· οὐ γὰρ ἤνεγκε μόνον τὰ
δεινότατα πάσχων καὶ ἐπὶ ταῖς πληγαῖς ἀποθνῄσκων, ἀλλὰ
καὶ ἀναβιοὺς καὶ τῆς φθορᾶς ἀναστήσας τὸ σῶμα, τῶν πληγῶν ἔτι περιέχεται τούτων καὶ τὰς οὐλὰς ἐπὶ τοῦ σώματος
5 φέρει, καὶ τοῖς ὀφθαλμοῖς τῶν ἀγγέλων μετὰ τούτων φαίνεται[a] καὶ τὸ πρᾶγμα κόσμον ἡγεῖται καὶ χαίρει δεικνὺς ὅτι
δεινὰ πέπονθε καὶ τἆλλα μὲν ἔρριψεν ὅσα τοῦ σώματος καὶ
ἔστιν αὐτῷ τὸ σῶμα πνευματικὸν[b] καὶ οὔτε βάρους οὔτε
πάχους οὔτ' ἄλλου πάθους αὐτῷ τῶν σωματικῶν οὐδὲν
10 ὑπελείφθη· τὰς ὠτειλὰς δὲ παντάπασιν οὐκ ἀπέβαλεν οὐδὲ
τελέως ἀπετρίψατο τὰς πληγάς, ἀλλὰ στέργειν ᾠήθη διὰ τὸ
περὶ τὸν ἄνθρωπον φίλτρον, ὅτι διὰ τούτων εὗρεν ἀπολω-
λότα[c] καὶ πληττόμενος εἷλε τὸν ἐρώμενον.

15. Ἄλλως γὰρ ἔτι συνεστάναι τὰ πληγῶν ἴχνη πῶς ἂν
ἀκόλουθον ἦν ἀθανάτου σώματος, ἃ θνητῶν ἐνίοτε καὶ
φθαρτῶν καὶ τέχνη καὶ φύσις ἐξέβαλεν· Ἀλλ' ὡς ἔοικεν,
ἐπιθυμία μὲν ἦν αὐτῷ περὶ ἡμῶν[a] ἀλγῆσαι πολλάκις· ἐπεὶ
5 δὲ οὐκ ἐξῆν, τοῦ σώματος αὐτῷ τὴν φθορὰν[b] καθάπαξ
διαφυγόντος, καὶ ἅμα τῶν πληξόντων φειδόμενος ἀνθρώπων, τὰ γοῦν σημεῖα τῆς σφαγῆς ἔγνω τῷ σώματι συντηρεῖν

ABCV   MPW   Gass   Migne

13, 9 ᾧ : ὃ MW ‖ 13 ἀνέσχετο Gass
14, 7 τοῦ *om.* V ‖ 9 πάθους *om.* C
15, 6 πληξάντων Gass

---

14. a. cf. I Tim, 3, 16 ‖ b. cf. I Cor 15, 44 ‖ c. cf. Lc 15, 6.24.32
15. a. cf. Hébr. 9, 26 ‖ b. cf. Rom. 6, 9

était extraordinaire mais aucun signe pour le manifester
ne s'offrait à lui ; il fallait pourtant ne pas laisser caché
un si violent amour, mais nous faire expérimenter cette
charité extrême et nous montrer, en aimant, la cime de
l'amour —, il imagine cette kénose, il la réalise et il
s'arrange pour être capable de supporter et de souffrir
des épreuves terribles[12] ; ayant ainsi convaincu, par les
souffrances qu'il a endurées, de la violence singulière de
son amour, il retournera vers lui-même celui qui fuyait
le Très-Bon parce qu'il s'en croyait haï.

14. Mais voici le plus inouï de tout : il ne s'est pas
contenté de supporter les pires souffrances et de mourir de
ses plaies, mais même après avoir revivifié son corps et
l'avoir relevé de la corruption, il est encore couvert de ces
plaies et en porte les cicatrices sur son corps ; c'est avec
elles qu'il apparaît aux yeux des anges[a], il considère cela
comme une parure et il se réjouit de montrer qu'il a enduré
des souffrances terribles ; du corps il a rejeté tout le reste,
son corps est spirituel[b] et il ne connaît plus ni pesanteur, ni
épaisseur, ni aucune autre affection corporelle ; mais ses
cicatrices, il ne les a absolument pas rejetées, il n'a pas du
tout effacé ses plaies ; au contraire il a tenu à les garder à
cause de son amour pour l'homme, parce que c'est par elles
qu'il a retrouvé celui qui était perdu[c] et c'est en étant
blessé qu'il a conquis celui qu'il aimait.

15. Autrement, serait-il normal qu'un corps immortel
portât encore les traces de plaies que l'art et la nature
effacent parfois sur des corps mortels et corruptibles ?
C'est qu'il avait, semble-t-il, le désir de souffrir plusieurs
fois pour nous[a] ; mais puisque c'était impossible, son corps
ayant une fois pour toutes échappé à la corruption[b], et
comme en même temps il voulait épargner aux hommes de

12. Cf. CHRYS., *In Rom.*, X, 6 (*PG* 60, 482).

καὶ τοῖς τύποις ἀεὶ συνεῖναι τῶν τραυμάτων ὧν ἄπαξ
ἐνεγέγραπτο σταυρωθείς, ἵνα δῆλος ὡς ἄρα περὶ τῶν δούλων
10 ἐσταύρωται καὶ τὴν πλευρὰν ἐνύγη πόρρωθεν ᾖ, καὶ μετὰ
τῆς ἀκτῖνος ἐκείνης τῆς ἀπορρήτου καὶ ταῦτα κόσμον ἔχῃ
τῷ βασιλεῖ.

16. Τί τοῦ φίλτρου τούτου γένοιτ᾽ ἂν ἴσον ; τί τοσοῦτον
(648) ἐφίλησεν ἄνθρω|πος ; τίς οὕτω μήτηρ φιλόστοργος ἢ πατὴρ
φιλότεκνος ; ἢ τίς τῶν καλῶν οὑτινοσοῦν οὕτως ἔλαβεν
ἔρωτα μανικόν, ὥστε ὅτι φιλεῖ, παρ᾽ αὐτοῦ τοῦ φιλουμένου
5 πληγεὶς οὐκ ἀνασχέσθαι μόνον οὐδὲ τὸ φίλτρον ἔτι περὶ
τὸν ἀγνώμονα σῴζειν, ἀλλὰ καὶ αὐτὰ τοῦ παντὸς ἡγεῖσθαι
τὰ τραύματα ; καίτοι ταῦτα γένοιτ᾽ ἂν οὐ φιλοῦντος μόνον,
ἀλλὰ καὶ σφόδρα τιμῶντος, εἰ δὴ τῆς ἐσχάτης τοῦτο τιμῆς
τὸ μηδὲ τοῖς ἀρρωστήμασι τῆς φύσεως ἐπαισχύνεσθαι, ἀλλὰ
10 μετὰ τῶν μωλώπων ὧν τῆς ἀνθρωπίνης ἐκληρονόμησεν
ἀσθενείας, ἐπὶ τοῦ βασιλείου καθῆσθαι θρόνου.

17. Καὶ οὐ τὴν φύσιν μὲν τοσούτων ἠξίωσε, τοὺς καθ᾽
ἕνα δὲ περιεῖδεν, ἀλλ᾽ ἐπὶ τὸ διάδημα τοῦτο πάντας καλεῖ,
δουλείας ἀφῆκεν, υἱοὺς ἐποίησε · τὸν οὐρανὸν ἀνέῳξε πᾶσι
καὶ τὴν ὁδὸν ὑποδείξας καὶ ὅπως ἔστιν ἀναπτῆναι, καὶ
5 πτερὰ δέδωκε · καὶ οὐκ ἠγάπησεν, ἀλλὰ καὶ αὐτὸς ἡγεῖται
καὶ ὑπανέχει καὶ παρακαλεῖ ῥαθυμοῦντας.

18. Καὶ οὔπω τὸ μεῖζον εἶπον · οὐ γὰρ μέχρι τοσούτου
τοῖς δούλοις σύνεστιν ὁ Δεσπότης καὶ κοινωνεῖ τῶν αὐτοῦ
οὐδὲ χεῖρα δίδωσι μόνον, ἀλλ᾽ ἑαυτὸν ἡμῖν ὅλον παρέσχεν,

ABCV MPW Gass Migne

15, 9 ἐγέγραπτο C ǁ περὶ : ὑπὲρ A ǁ περὶ τῶν δούλων om. V
16, 3 οὑτινοῦν C ǁ 10 μετ᾽ αὐτῶν ABCV ǁ 11 θρόνον C
17, 1 τοσούτου MW
18, 1 τοσούτου : τοῦτον W ǁ 3 αὐτὸν post ἡμῖν add. C

le blesser, il décida de conserver du moins sur son corps les signes de son immolation et de porter toujours les traces des blessures qui furent gravées sur lui une fois pour toutes quand il fut crucifié, afin qu'il fût clair de loin que pour des esclaves il fut crucifié et eut le côté transpercé, et qu'outre son rayonnement ineffable il eut aussi ces plaies comme parure royale.

16. Quel amour pourrait égaler celui-là? Quel objet a jamais été aimé à ce point par un homme? Quelle mère fut si tendre, ou quel père si affectueux[13]? Ou encore, qui a jamais conçu pour quelque beauté un amour si fou[14] qu'au nom de cet amour, vient-il à être blessé par celui même qu'il aime, non seulement il le supporte, non seulement il garde encore son amour à l'ingrat, mais il place ces blessures au-dessus de tout? C'est certes le fait de quelqu'un qui ne se contente pas d'aimer mais qui estime aussi fortement, si tel est le comble de l'estime : ne pas même rougir des infirmités de la nature humaine mais s'asseoir sur le trône royal avec les meurtrissures héritées de la faiblesse humaine.

17. Jugeant notre nature digne d'une telle estime, il n'a pas méprisé pour autant les individus ; au contraire, il invite tous les hommes à ce diadème, il les a délivrés de la servitude et adoptés pour fils ; c'est à tous qu'il a ouvert le ciel, et après leur avoir montré le chemin et comment on peut s'envoler, il leur a aussi donné des ailes ; non content de cela, il se met lui-même à leur tête, il les soutient et encourage les indolents.

18. Et je n'ai pas encore dit le plus fort : non seulement le Maître accompagne ses esclaves jusque-là, leur partage ses propres biens et leur donne la main, mais c'est lui-même tout entier qu'il nous a donné, et c'est pourquoi

13. Cf. 1. IV, n. 37.
14. Cf. Chrys., *In Eph.* 7, 4 (*PG* 11, 51) ; *In I Thess.* 3, 2 (*PG* 11, 443).

ὑπὲρ οὗ «νεώς ἐσμεν Θεοῦ[a]» ζῶντος. Χριστοῦ μέλη ταῦτα
5 τὰ μέλη· τούτων τῶν μελῶν τὴν κεφαλὴν τὰ χερουβὶμ
προσκυνεῖ· οἱ πόδες οὗτοι, αἱ χεῖρες αὗται ἐκείνης
ἐξήρτηνται τῆς καρδίας.

19. Τίνων μὲν οὐ λυσιτελέστερα, τίνων δὲ οὐχ ἡδίω
ταῦτα λογίζεσθαι; Ταῦτα γὰρ σκοπούντων καὶ τούτων ἐν
τῇ ψυχῇ κρατούντων τῶν λογισμῶν, πρῶτον μὲν οὐκ ἂν
εἴη πάροδος ἐν ἡμῖν τῶν πονηρῶν οὐδενί· ἔπειτα περιέσται
5 τὰς εὐεργεσίας καταμαθοῦσι τῷ περὶ τὸν εὐεργέτην
προσθεῖναι πόθῳ· φιλοῦντες δὲ οὕτω σφόδρα, καὶ τῶν
ἐντολῶν ἐργάται τῶν αὐτοῦ, καὶ τῆς γνώμης ἐσόμεθα
κοινωνοί· «Ὁ γὰρ ἀγαπῶν με, φησί, τὰς ἐντολάς μου
τηρήσει[a]».

20. Ἄλλως τε τὴν οἰκείαν ἀξίαν, ὅση τίς ἐστιν,
ἐπιγνόντες, οὐκ ἂν προδοῖμεν ῥαδίως· οὐκ ἀνασχοίμετα
δουλεῦσαι τῷ δραπέτῃ δούλῳ, βασιλείαν συνεγνωκότες ἡμῖν
αὐτοῖς· οὐκ ἀνοίξομεν τὸ στόμα πονηρᾷ γλώσσῃ, ἂν ἐν
5 νῷ τὴν τράπεζαν ἔχωμεν καὶ οἷον τὸ τὴν γλῶσσαν ταύτην
φοινίξαν αἷμα. Πῶς χρησόμεθα τοῖς ὀφθαλμοῖς ἐφ᾽ ἃ μὴ
δεῖ, μυστηρίων οὕτω φρικτῶν ἀπολελαυκόσιν; Οὐ κινήσομεν
τοὺς πόδας, οὐκ ἐκτενοῦμεν χεῖρας ἐπί τι πονηρόν, ἂν
ἐνεργὸν ἐν τῇ ψυχῇ τὸν περὶ τούτων ἔχωμεν λόγον ὡς ἄρα
10 Χριστοῦ μέλη[a] ταῦτα καὶ ἱερὰ καὶ καθάπερ φιάλη τὸ ἐκείνου
φέρουσιν αἷμα, μᾶλλον δὲ ὅλον αὐτὸν ἐνδέδυνται τὸν
Σωτῆρα, οὐ καθάπερ ἱμάτιον οὐδ᾽ ὥσπερ αὐτὸ τὸ σύμφυτον

ABCV   MPW   Gass   Migne

18, 4 νεώς : ναός A
19, 2-3 καὶ — κρατούντων om. C
20, 8 τι : τὸ P ‖ 11 ἐνδέδονται Gass

18. a. cf. I Cor. 3, 16
19. a. cf. Jn 14, 21
20. a. cf. I Cor. 6, 15

nous sommes le «temple du Dieu vivant[a]». Les membres que voici sont les membres du Christ ; devant la tête de ces membres-ci se prosternent les chérubins ; ces pieds, ces mains que voici dépendent de ce cœur-là.

19. Peut-on concevoir réflexions plus utiles ou plus savoureuses que celles-là ? Si nous contemplions ces choses et si ces pensées régnaient dans notre âme, premièrement il n'y aurait en nous nul accès pour aucune pensée mauvaise ; et ensuite, ceux qui ont appris à connaître les bienfaits reçus y gagneront un surcroît de passion pour le bienfaiteur ; épris d'un amour si violent, nous mettrons en œuvre ses commandements et nous partagerons sa volonté : «Celui qui m'aime, dit-il, gardera mes commandements[a]».

Les mystères nous donnent d'aimer le Christ follement

20. Par ailleurs, ayant reconnu la grandeur de notre propre dignité, nous ne saurions aisément trahir ; conscients de notre propre royauté, nous ne consentirions pas à être les esclaves de l'esclave fugitif ; nous n'ouvrirons pas notre bouche sur une langue méchante, si nous gardons à l'esprit la sainte Table et quel est le sang qui a empourpré cette langue[15]. Comment porterons-nous les yeux vers ce qui est inconvenant, quand ils ont contemplé de si redoutables mystères ? Nous ne porterons pas nos pieds, nous ne tendrons pas nos mains vers ce qui est mal, si nous avons agissante en notre âme la réflexion que ces membres sont les membres du Christ[a], des membres sacrés, qui contiennent son sang comme une coupe, ou plutôt qui l'ont revêtu tout entier, lui le Sauveur, non comme un

---

15. Cf. CHRYS., *Cat. Bapt.* III, 12 (*SC* 50*bis*, p. 158) ; *Sur le sacerdoce*, III, 4 (*SC* 272, p. 144-145) ; *In Matth., hom.* 82 (*PG* 58, 743).

δέρμα, ἀκριβέστερον δὲ τοσοῦτον ὅσον καὶ αὐτῶν τῶν
ἁρμονιῶν καὶ αὐτῶν τῶν ὀστῶν τὸ ἔνδυμα τοῦτο τοῖς ἐνδε-
15 δυμένοις πολὺ συμπέφυκε μᾶλλον. Τὰ μὲν γὰρ δύναιτ' ἄν τις
καὶ μὴ βουλομένων ἀποτεμεῖν, τὸν Χριστὸν δὲ οὐδ' ἂν
εἷς οὐχ ἑκόντας εἶναι περιδῦσαι τοὺς ἅπαξ ἐνδυσαμένους,
οὐ τῶν ἀνθρώπων, οὐ τῶν δαιμόνων, «οὐ τὰ ἐνεστῶτα,
φησὶ Παῦλος, οὐ τὰ μέλλοντα, οὔτε ὕψωμα οὔτε βάθος,
20 οὔτ' ἄλλη κτίσις ἑτέρα[b]», κἂν ὁπωσοῦν δυνάμει κρατῇ.

21. Τῶν γὰρ τοῦ Χριστοῦ μαρτύρων τὴν | μὲν δορὰν
ἀποσύραι καὶ περιελεῖν ὁ Πονηρὸς ἴσχυσε ταῖς τῶν
τυράννων χερσί, καὶ κατατεμεῖν τὰ μέλη καὶ ὀστᾶ συντρίψαι
καὶ τἄνδον ἐκχέαι καὶ ἀνασπάσαι τὰ σπλάγχνα· τὸ δ' ἱμά-
5 τιον τοῦτο συλῆσαι καὶ τοῦ Χριστοῦ γυμνῶσαι τοὺς
μακαρίους, τοσοῦτον ἐδέησε ταῖς ἐπινοίαις, ὥστε πολὺ
μᾶλλον ἢ πρόσθεν δι' ὧν ᾠήθη περιδῦσαι περιβαλὼν ἔλαθε.

22. Τί οὖν ἱερώτερον γένοιτ' ἂν τοῦ σώματος τούτου,
ᾧ φυσικῆς συμφυΐας ἁπάσης ὁ Χριστὸς ἐντέτηκε μᾶλλον;
Οὐκοῦν αἰδεσόμεθα καὶ τηρήσομεν αὐτῷ τὸ σεμνόν, ἂν
οὕτω θαυμαστὴν αὐτῷ λαμπρότητα συνειδότες, ἔπειτα πρὸ
5 τῶν ὀφθαλμῶν αὐτὴν ἔχωμεν ἑκάστοτε τῆς ψυχῆς; Εἰ γὰρ
τεμένη καὶ σκεύη καὶ ὁτιοῦν ἱερόν, ὅτι τοῦτ' αὐτὸ
γινώσκομεν ὡς ἄρ' ἐστὶν ἱερόν, ἄσυλον τηροῦμεν ἐκ παντὸς
τρόπου, σχολῇ γε τὰ μείζω προδώσομεν· οὐδὲν γὰρ ὅσον
ἄνθρωπος ἱερὸν ᾧ καὶ φύσεως ἐκοινώνησεν ὁ Θεός.

23. Ἐνθυμηθῶμεν γὰρ τίνι μὲν «ἅπαν γόνυ κάμψει
ἐπουρανίων καὶ ἐπιγείων καὶ καταχθονίων[a]»· τίς δὲ ἐπὶ

ABCV MPW Gass Migne

20, 13-14 καὶ αὐτῶν τῶν ἁρμονιῶν *om.* Gass ‖ 15 γὰρ *om.* C ‖ 17
οὐχ — ἐνδυσαμένους *om.* Gass

21, 1 τὴν *om.* AVC Gass ‖ 2 ὑποσύραι P

22, 6-7 ὅτι — ἱερόν *om.* V

23, 2 καὶ ἐπιγείων *om.* Gass

---

20. b. Rom. 8,39

vêtement ni même comme leur peau naturelle, mais d'autant plus étroitement que ce vêtement est infiniment plus uni à ceux qui l'ont revêtu que leurs propres articulations et leurs propres os. Car tout cela, on pourrait l'arracher à quelqu'un, même contre son gré, mais le Christ, nul ne pourrait en dépouiller contre leur gré ceux qui l'ont une fois revêtu : ni homme, ni démon, «ni présent, ni avenir, dit Paul, ni hauteur ni profondeur, ni aucune autre créature[b]», si puissante fût-elle.

21. En effet le Mauvais a eu le pouvoir, par la main des tyrans, de déchirer et d'arracher la peau des martyrs du Christ, de hacher leurs membres, de broyer leurs os, de répandre leurs entrailles et d'extraire leurs viscères ; mais ôter ce vêtement-là, et dénuder du Christ les bienheureux, cela échappa si bien à ses artifices qu'à son insu il les vêtit bien mieux qu'auparavant, par les moyens mêmes par lesquels il pensait les déshabiller.

Dignité de l'homme aimé du Christ

22. Quoi de plus sacré que notre corps auquel le Christ s'est fondu plus intimement que toute cohésion naturelle ? N'allons-nous pas le respecter, lui garder sa dignité si, une fois que nous avons pris conscience de son admirable splendeur, nous la gardons ensuite toujours présente devant les yeux de notre âme ? En effet, si les temples, les vases et tout ce qui est consacré, parce que nous les savons consacrés, nous les gardons hors d'atteinte de toute espèce de profanation, à plus forte raison ne livrerons-nous pas ce qui est plus sacré encore ; or rien n'est aussi sacré que l'homme dont Dieu a partagé même la nature.

23. Rappelons-nous en effet devant qui «tout genou fléchira au ciel, sur la terre et dans les enfers[a]» ; qui

23. a. cf. Phil. 2, 11

τῶν νεφελῶν ἥξει «μετὰ δυνάμεως καὶ δόξης πολλῆς[b]»,
ὑπὲρ πᾶν παράδειγμα λάμπων · ἄνθρωπος οὗτος ὥσπερ δῆτα
5 καὶ Θεός. Καὶ ἡμῶν δὲ ὑπὲρ τὸν ἥλιον ἕκαστος ὡς ἀληθῶς
δύναται λάμψειν[c], ἐπὶ τῶν νεφελῶν ἀρθῆναι[d], τὸ σῶμα ἰδεῖν
ἐκεῖνο τοῦ Θεοῦ, πρὸς αὐτὸν πετάσαι, προσελθεῖν, ἡμέρως
ὀφθῆναι. Φανέντα γὰρ τὸν Δεσπότην ὁ τῶν ἀγαθῶν δούλων
περιστήσεται χορός, καὶ λάμποντος ἐκείνου καὶ αὐτοὶ
10 λάμψουσιν[e]. Οἷον τὸ θέαμα φωστήρων πλῆθος ἀριθμοῦ
κρεῖττον ἐπὶ τῶν νεφελῶν ἰδεῖν, ἀνθρώπους αἰρομένους καὶ
πετομένους, πανήγυριν ἀνενεχθῆναι πρὸς οὐδὲν παράδειγμα
δυναμένην, δῆμον θεῶν περὶ τὸν Θεόν, καλοὺς περὶ τὸν
ὡραῖον, οἰκέτας περὶ τὸν Δεσπότην, οὐ βασκαίνοντα τοῖς
15 δούλοις εἰ τῆς λαμπρότητος κοινωνήσει, οὐδ᾽ ἡγούμενον
ἐλάττω τὴν δόξαν ἑαυτῷ ποιήσειν εἰ τῆς βασιλείας πολλοὺς
λήψαιτο μερίτας · καθάπερ τῶν ἀνθρώπων οἱ κρατοῦντες
τοῖς ὑπὸ χεῖρα κἂν πάντα δῶσι, τῶν σκήπτρων οὐδ᾽ ὄναρ
ἀνέχονται κοινωνεῖν. Οὐ γὰρ ὡς δούλοις προσέχει, οὐδὲ
20 τιμᾷ δούλων τιμαῖς · φίλους δὲ ἡγούμενος καὶ νόμους αὐτοῖς
φιλίας σῴζων, ὅ γε θεὶς ἐξ ἀρχῆς, κοινὰ τὰ ὄντα ποιεῖται
καὶ οὐ τοῦτο ἢ ἐκεῖνο μόνον, ἀλλὰ τὴν βασιλείαν αὐτήν,
αὐτὸ δίδωσι τὸ διάδημα.

24. Καὶ πρὸς τί γὰρ ἄλλο βλέπων ὁ μακάριος Παῦλος
«κληρονόμους μὲν εἶναι φησὶ Θεοῦ, συγκληρονόμους δὲ
Χριστοῦ[a]» καὶ τῷ Χριστῷ «συμβασιλεύειν» τοὺς μετασχόντας τῶν δυσχερῶν[b]; Τί τοσοῦτον τερπνὸν ὥστε πρὸς τὴν

ABCV   MPW   Gass   Migne

23, 7 πρὸς αὐτὸν ἀρθῆναι *post* Θεοῦ *add.* Gass ‖ 11-12 καὶ πετομένους
om. Gass ‖ 16 πολλοὺς *om.* C ‖ 17 λήψεται A

---

23. b. cf. Matth. 24, 30 ‖ c. cf. Matth. 13, 43 ‖ d. cf. I Thess.
4, 17 ‖ e. cf. Col. 3, 4
24. a. Rom. 8, 17 ‖ b. cf. II Tim. 2, 12

viendra sur les nuées « avec puissance et grande gloire[b] »,
resplendissant au-delà de toute comparaison : c'est un
homme, certes, autant qu'un Dieu. Et nous, chacun de
nous, en vérité, peut resplendir plus que le soleil[c], être
exalté sur les nuées[d], voir ce corps de Dieu[16], déployer ses
ailes pour le rejoindre, s'approcher de lui, en être regardé
avec douceur. Car lorsque paraîtra le Maître, le chœur des
bons serviteurs fera cercle autour de lui, et de même qu'il
resplendira, eux aussi resplendiront[e]. Quel spectacle ! Voir
sur les nuées une multitude d'astres impossible à dénom-
brer, des hommes élevés dans les hauteurs, en plein vol,
assemblée de fête sans point de comparaison possible, un
peuple de dieux entourant Dieu, des êtres beaux entourant
le Beau par excellence, des serviteurs entourant le Maître ;
et ce Maître n'est pas jaloux que ses esclaves partagent sa
splendeur et n'estime pas sa gloire amoindrie de ce qu'il
fait participer un grand nombre à sa royauté, au contraire
des puissants de la terre qui, quand bien même ils
donneraient tout à leurs sujets, ne supporteraient pas,
même en songe, de partager avec eux leur souveraineté.
Car celui-ci ne les considère pas comme des esclaves, il ne
les honore pas d'un honneur d'esclaves, mais les regardant
comme des amis, et observant envers eux les lois de
l'amitié, lui qui les a établies dès l'origine, il partage avec
eux non seulement tel ou tel de ses biens, mais jusqu'à sa
royauté et son diadème.

24. Le bienheureux Paul songe-t-il à autre chose
lorsqu'il écrit que nous sommes « héritiers de Dieu,
cohéritiers avec le Christ[a] » et que ceux qui partagent ses
épreuves « règneront avec lui[b] » ? Existe-t-il chose assez

---

16. Cf. 1. I, n. 39. Cf. aussi CHRYS., *In ep. I Cor.*, *hom.* 24, 4 (*PG* 61,
203 B) : le rapprochement est d'autant moins fortuit que CHRYS.
vient d'exprimer la métaphore des aigles et que Cabasilas aussitôt
après parle de « déployer ses ailes pour le rejoindre ».

5 θέαν ἐκείνην ἀμιλληθῆναι; Χορὸς μακαρίων, δῆμος χαιρόντων? Καὶ ὁ μὲν εἰς τὴν γῆν ἐξ οὐρανοῦ καταβαίνει, γῆ
δὲ ἡλίους ἄλλους ἀντανίσχει τῷ τῆς δικαιοσύνης ἡλίῳ καὶ
πάντα γέμει φωτός. Ἔνθεν οἱ μελέτῃ καὶ κακοπαθείᾳ καὶ
πόνοις καὶ τῇ τῶν ὁμοφύλων κηδεμονίᾳ τὴν περὶ τὸν
10 Χριστὸν ἐπιδειξάμενοι καρτερίαν· ἐκεῖθεν οἱ καὶ τὴν σφαγὴν
μιμησάμενοι τὴν αὐτοῦ καὶ πρὸς ξίφη καὶ πῦρ καὶ θάνατον
(652) ἐκδεδωκότες | αὐτούς, τὰς οὐλὰς ἔτι δεικνύντες ἐπὶ τῶν
λαμπόντων σωμάτων καὶ θριαμβεύοντες τοῖς τῶν πληγῶν
τύποις ὡς ἐπιγραφῇ τροπαίων, κύκλος ἀριστέων ἀπὸ
15 τραυμάτων εὐδοκίμων παρὰ βασιλεῖ τῷ σφαγῆναι νενικη-
κότι[c] καί, ᾗ φησι Παῦλος, «διὰ τὸ πάθημα τοῦ θανάτου
δόξῃ καὶ τιμῇ ἐστεφανωμένῳ[d]».

25. Ταῦτα ποιουμένοις μελέτην καὶ τούτων οὖσιν ὅσαι
ὦραι τῶν λογισμῶν, τό τε τῆς φύσεως ἡμῶν ἀξίωμα
γνώριμον ἥ τε φιλανθρωπία δήλη γένοιτ' ἂν ἡμῖν τοῦ Θεοῦ.

26. Ὅτι κἂν ἁμάρτωσιν οἱ τὰ Χριστοῦ μελετῶντες οὐκ
ἀπαγορεύουσι σωτηρίαν· ἀλλ' αὐτίκα τῷ τῆς μετανοίας
φαρμάκῳ τὴν ψυχικὴν ὑγείαν ἀνακαλοῦνται.

Τοῦτο δὲ μάλιστα μὲν ἐπί τι πονηρὸν ἰδεῖν οὐκ ἐάσει,
5 πεσόντας δὲ εἰ συμβαίη ἀναλήψαιτ' ἂν ῥᾳδίως.

Πολλῶν γὰρ ὄντων ἅπερ ἂν ἡμῖν προσταίη τῇ σωτηρίᾳ,
μέγιστον ἁπάντων τὸ πλημμελοῦντας ὁτιοῦν μὴ πρὸς τὸν
Θεὸν εὐθὺς ἐπεστράφθαι παραιτουμένους, ἀλλ' αἰσχυνομέ-
νους καὶ δεδοικότας, ἐργώδη τινὰ νομίζειν τὴν εἰς ἐκεῖνον
10 ὁδόν, καὶ ὡς ὀργίλως πρὸς ἡμᾶς καὶ δυσχερῶς ἔχει, καὶ
μεγάλης δεῖ τοῖς προσελθεῖν βουλομένοις παρασκευῆς.

ABCV MPW Gass Migne

24, 6 ἀστράπτων *post* ὁ μὲν *add.* ABCVW Gass ‖ 10 καρτερίαν :
προθυμίαν ABCVW Gass ‖ 16 ᾗ : ὃ ABCV Gass
26, 1-3 ABVP *mg.* ‖ 4 ἐάσαι C

24. c. cf. Apoc. 5,5 s. ‖ d. Hébr. 2,9

attrayante pour rivaliser avec cette vision? Chœur de bienheureux, peuple de ceux qui exultent! Lui descend du ciel sur la terre, la terre de son côté fait lever d'autres soleils à la rencontre du soleil de justice, et tout déborde de lumière. D'un côté arrivent ceux qui par la méditation, l'affliction, les peines, la sollicitude envers leurs frères, ont montré leur constant attachement au Christ; de l'autre, ceux qui ont imité son immolation même et se sont livrés aux glaives, au feu et à la mort, portant encore les cicatrices sur leurs corps resplendissants et triomphant par les traces de leurs plaies comme par une inscription sur un trophée, cercle de héros honorés pour leurs blessures devant un roi qui a vaincu par son immolation[c] et, comme dit Paul, « a été couronné de gloire et d'honneur pour avoir souffert la mort[d] ».

25. Si nous méditions cela et si nous nous adonnions à ces pensées à chaque instant, nous connaîtrions la dignité de notre nature et la philanthropie de Dieu serait évidente à nos yeux.

Méditation et repentir

26. *Même pécheurs, ceux qui méditent les choses du Christ ne désespèrent pas de leur salut; au contraire ils font aussitôt revenir la santé de l'âme par le remède de la pénitence.*

Cette méditation empêche surtout de porter les yeux vers quelque chose de mal, mais si certains venaient à pécher elle les relèverait facilement.

En effet, beaucoup de choses font obstacle à notre salut, mais le plus grand de tous ces obstacles est, quand nous avons commis quelque faute, de ne pas nous retourner aussitôt vers Dieu pour implorer son pardon, mais au contraire, remplis de honte et de crainte, de penser que la route qui mène vers lui est laborieuse, qu'il est courroucé et irrité contre nous et que ceux qui veulent s'approcher de lui ont besoin d'une longue préparation.

27. Ἡ δὲ τοῦ Θεοῦ φιλανθρωπία τῆς ψυχῆς παντάπασι
τοῦτον ἐκβάλλει τὸν λογισμόν. Τῷ γὰρ εἰδότι σαφῶς ὅπως
ἡμερότητος ἔχει καὶ ὡς «ἔτι λαλοῦντος ἐρεῖ· 'Ιδοὺ πάρει-
μι'ᵃ», τί γένοιτ' ἂν κώλυμα περὶ τῶν ἡμαρτημένων εὐθὺς
5 αὐτῷ προσελθεῖν; Τοῦτο γὰρ μηχάνημα καθ' ἡμῶν καὶ
τέχνη τοῦ κοινοῦ πολεμίου, πρὸς μὲν τὴν ἁμαρτίαν ἄγοντα
θρασύτητι καὶ τόλμῃ κινεῖν, τολμήσασι δὲ τὰ δεινότατα καὶ
πεσοῦσιν αἰσχύνην καὶ δέος ἄτοπον ἐντιθέναι· ὡς ἂν τῷ μὲν
παρασκευάσῃ πεσεῖν, τῷ δ' ἀναστῆναι μὴ συγχωρήσῃ·
10 μᾶλλον δὲ τῷ μὲν ἀπαγάγῃ Θεοῦ, τῷ δὲ πρὸς αὐτὸν
ἐπανελθεῖν οὐκ ἐάσῃ, καὶ οὕτω διὰ τῶν ἐναντίων ἐφ' ἓν
ἑλκύσῃ βάραθρον.

Ταῦτα δὲ πάσῃ σπουδῇ φυλάττεσθαι δεῖ καὶ φεύγειν
ὁμοίως τήν τε πρὸ τῆς ἁμαρτίας τόλμαν καὶ τὴν μετὰ
15 ταύτην αἰσχύνην καὶ φόβον ὧν οὐδὲν ὄφελος. Οὐ γὰρ δὴ
κέντρον οὗτος ὁ φόβος ἀλλὰ νάρκη τίς ἐστι ταῖς ψυχαῖς·
οὐδ' αἰσχυνόμεθα τοῖς τραύμασιν ἵν' ἐξεύρωμεν οἷς θερα-
πεύσομεν ἀλλ' ἵνα τοὺς τοῦ Σωτῆρος φύγωμεν ὀφθαλμούς·
καθάπερ Ἀδὰμ ἐκρύβη διὰ τὸ τραῦμα, τὴν τοῦ ἰατροῦ χεῖρα
20 φεύγων ὑπὲρ οὗ ζητεῖν ἔδει, τῷ μὴ κατ' αὐτὸς αὐτοῦ
θριαμβεῦσαι τὴν ἁμαρτίαν, ἀλλὰ τὴν γυναῖκα προϊσχόμενος,
τὴν τῆς γνώμης ἀσθένειαν συγκαλύψαι τό γ' ἐπ' αὐτῷᵇ,
καὶ Κάϊν μετ' ἐκεῖνον λανθάνειν ζητῶν, οἷς ᾠήθη δυνηθῆναι
λαθεῖν, ᾧ πάντα πρὸ τῶν ὀφθαλμῶνᶜ.

28. Ἔστι γὰρ λυσιτελῶς καὶ δεῖσαι καὶ αἰσχυνθῆναι καὶ
ψυχὴν τῆξαι καὶ σῶμα κατενεγκεῖν ὅταν πρὸς τὸν Θεὸν
ταῦτα δύνηται φέρειν· «Ἀπὸ γὰρ τῶν καρπῶν αὐτῶν,
φησίν, ἐπιγνώσεσθε αὐτούςᵃ».

ABCV   MPW   Gass   Migne

27, 17 οἷς : ᾧ ABCVW Gass ‖ 17-18 θεραπεύσωμεν A
28, 4 ἐπιγνώσεσθαι C

27. a. Is. 58,9 ‖ b. cf. Gen. 3,8-12 ‖ c. cf. Gen. 4,14

L'amour de Dieu écarte les embûches de l'ennemi

27. Or la philanthropie de Dieu chasse complètement de l'âme cette pensée. Car si quelqu'un sait clairement combien il est plein de mansuétude, et que «tu appelles et aussitôt il dira ' Me voici '[a]», qu'est-ce qui l'empêcherait de courir vers lui aussitôt après avoir péché ? Car c'est un piège contre nous et un artifice de l'ennemi commun que de pousser au péché par la hardiesse et l'audace et, dès lors que l'on a commis les pires excès et que l'on est tombé, d'inspirer honte et crainte démesurée ; de sorte que d'un côté il incite à tomber et de l'autre ne permet pas de se relever ; ou plutôt, d'un côté il écarte Dieu et de l'autre empêche de revenir à lui, et ainsi, par des chemins contraires, il entraîne vers le même précipice.

Il faut se garder de ces ruses de toutes ses forces et fuir aussi bien l'audace avant le péché que la honte et la peur après lui, car elles ne servent à rien. En effet, cette peur n'est pas pour les âmes un aiguillon mais une torpeur ; nous n'avons pas honte de nos blessures pour chercher ce qui peut nous guérir mais pour fuir les yeux du Sauveur : comme Adam se cacha à cause de sa blessure, fuyant la main du médecin qu'il aurait dû chercher, pour ne pas confesser lui-même son propre péché mais pour cacher, autant qu'il le pouvait, la faiblesse de sa volonté en mettant en avant sa femme[b] ; et Caïn après lui cherchant, par des moyens qu'il crut efficaces, à se cacher de celui qui a toutes choses devant les yeux[c].

28. Il peut être utile d'avoir peur, d'avoir honte, de consumer son âme et d'humilier son corps, quand cela peut mener à Dieu : «C'est à leurs fruits que vous les reconnaîtrez», dit l'Écriture[a].

28. a. Matth. 7, 16

5   Ἐπεὶ δ' οὐχ ὅσον αἰσχύνη καὶ δέος ἀλλὰ βαρεῖά τις ἀνία
τὴν ἁμαρτίαν ἐκδέχεται, καὶ ταύτης οὐδεμία γένοιτ' ἂν
βλάβη τοῖς ἀκριβῶς τὴν τοῦ Θεοῦ φιλανθρωπίαν ἐπισταμέ-
νοις. Κἂν γὰρ τὰ ἔσχατα τῶν κακῶν αὐτοῖς συνειδῶσιν,
οὐκ ἂν πρόοιντο τὰς ἐλπίδας · εἴσονται δὲ μηδὲν οὕτω μεῖζον
10   εἶναι συγγνώμης ὥστε τῆς τοῦ Θεοῦ κρατῆσαι χρηστότητος · λύπην δὲ τὴν μὲν οἴσουσι τὴν σωτήριον καὶ ζητήσουσιν
οἷς μείζω ποιήσουσι, τὴν ἑτέραν δὲ ἐκβαλοῦσι ταῖς ἀγαθαῖς
ἐλπίσι λυμαινομένην[b].

(653)   **29.** | Τοῦ μὲν οὖν διττὴν εἶναι τὴν ἐπὶ τοῖς ἁμαρτήμασι
λύπην, καὶ τὴν μὲν ἐπανορθοῦν, τὴν δὲ τοῖς ἀνεχομένοις
ὄλεθρον ἔχειν, μάρτυρες σαφεῖς ἑκατέρων · τοῦ μὲν Πέτρος
ὁ μακάριος, θατέρου δὲ Ἰούδας ὁ μιαρός. Ὧν τῷ μὲν
5   διέσωσε τὴν γνώμην ἡ λύπη, καὶ τῷ Χριστῷ συνέστη
κλαύσας πικρῶς[a] οὐδὲν ἧττον ἢ πρὶν εἰς αὐτὸν ἐξαμαρτεῖν ·
τὸν δὲ ἐπὶ βρόχον ἤγαγε, τὸν Ἰούδαν, καὶ ἀπῆλθε δεσμὰ
φέρων ἐν τῷ καιρῷ τῆς κοινῆς ἐλευθερίας, ὅτε τὸ καθάρσιον
τοῦ κόσμου παντὸς ἐχεῖτο τὴν ἑαυτοῦ κάθαρσιν ἑνὸς ἀνδρὸς
10   ἀπογνούς[b].

30. *Διττῆς οὔσης τῆς ἐπὶ τοῖς ἁμαρτήμασι λύπης, καὶ
τῆς μὲν οὔσης βλαβερᾶς, τῆς δὲ σωτηρίου, τίς ἡ διαφορά ;*

Ὡσὰν δὲ πόρρωθεν εἰδότες, τὴν μὲν εἰσδεχώμεθα, τὴν
δὲ φεύγωμεν, τῶν παθῶν ἑκατέρου προσθεῖναι δεῖ τὴν
5   διαφοράν, καὶ ᾧ τὸ μὲν εὖ ποιεῖν ἡμᾶς ἔχει, τὸ δὲ κακῶς.

ABCV   MPW   Gass   Migne

28, 5 καὶ *post* ἀλλὰ *add.* ABV ‖ 8 συνειδόσιν A
29, 4 τῶ μὲν : τῆς μὲν A[pc]
30, 1-2 ABVP *mg*

─────────

28. b. cf. II Cor. 7,10
29. a. cf. Matth. 26,75 ‖ **b.** cf. Matth. 27,5

Mais lorsque ce n'est pas tant la honte et la crainte, mais un pesant chagrin qui succède au péché, même de ce chagrin il ne peut résulter aucun dommage pour ceux qui ont appris à connaître parfaitement la philanthropie de Dieu. En effet, même s'ils se savaient coupables des pires maux, ils ne perdraient pas espoir ; ils songeront que rien ne peut excéder le pardon au point de triompher de la bonté de Dieu ; ils supporteront la tristesse salutaire et chercheront à l'accroître, et ils chasseront l'autre tristesse, celle qui est effacée par la bonne espérance[b].

Tristesse féconde et tristesse stérile

29. Il y a deux tristesses à propos des péchés[17] : l'une restaure, l'autre cause la perte de ceux qui la subissent, et en voici les témoins évidents : de la première tristesse, le bienheureux Pierre, de la seconde, l'infâme Judas. Pour le premier, la tristesse sauva sa volonté et il se retrouva auprès du Christ, après qu'il eut pleuré amèrement, aussi bien qu'avant d'avoir péché contre lui[a]. Mais l'autre, Judas, la tristesse le conduisit à la corde ; il s'en alla chargé de fers à l'heure de la délivrance commune, désespérant, lui seul, de sa propre purification au moment où était répandu le sang qui purifie le monde entier[b].

30. *La tristesse à propos des péchés étant double, quelle est la différence entre celle qui est funeste et celle qui est salutaire ?*

Afin que, les connaissant à l'avance, nous accueillions l'une et fuyions l'autre, il faut préciser la différence entre ces deux sentiments et savoir en quoi l'un peut nous faire du bien et l'autre du mal.

17. La distinction entre tristesse du monde et tristesse selon Dieu est classique dans la littérature monastique.

31. Ἐπεὶ γὰρ ἁμαρτάνοντες τῷ τε Θεῷ καὶ ἡμῖν αὐτοῖς
γινόμεθα πονηροί, τὸ μὲν ὑπὲρ τῆς εἰς τὸν Δεσπότην
ἀγνωμοσύνης ἀλγεῖν οὔτε βλάβος οὐδὲν οἴσει καὶ μάλιστα
γένοιτ' ἂν ἡμῖν ἐν καιρῷ· τό γε μὴν περὶ ἡμῶν αὐτῶν
5 θαυμαστάς τινας ψήφους ὑποθεμένους, ἔπειτ' ἐξεληλεγμένας
ὁρῶντες, δι' ὧν τῶν δεόντων ἡμαρτήκαμεν, ἀνιᾶσθαι καὶ
κόπτεσθαι καὶ πικρῷ τινι μεταμέλῳ τὴν καρδίαν πιέζειν,
ὡς οὐκ ὂν βιωτὸν τηλικούτοις κακοῖς τοιοῖσδε περιπεσοῦσι,
ταύτην δὲ τὴν λύπην ἀποτρέπεσθαι δεῖ, θανάτου μητέρα
10 φανερῶς οὖσαν, καὶ πρὸς ἅδην ἄγουσαν. Τὴν μὲν γὰρ
ἀλαζονεία καὶ τὸ πολλοῦ τινος ἡμᾶς αὐτοὺς ἀξιοῦν, τὴν
ἑτέραν δὲ τὸ περὶ τὸν Δεσπότην. ἐγείρει φίλτρον, καὶ τὸ
σαφῶς εἰδέναι τὸν εὐεργέτην, καὶ ὧν ὀφειλέται πάντες αὐτῷ
καταστάντες οὔτ' εἰσφέρομεν οὐδὲν καὶ πρός γε κακοῖς
15 ἀμειβόμεθα. Καθάπερ τοίνυν ἀλαζονεία πονηρόν, οὕτω καὶ
τὸ διὰ ταύτην ταῖς ψυχαῖς γινόμενον ἄλγος· καὶ αὖθις ἥ
τε περὶ τὸν Χριστὸν ἀγάπη τῶν ἐσχάτως ἐπαινουμένων,
τοῦ τε τοῖς ἐκεῖθεν βέλεσι κεντουμένους ὀδυνᾶσθαι καὶ
τήκεσθαι τὴν ψυχήν, μακαριώτερον τοῖς εὖ φρονοῦσιν οὐδέν.

32. Ὅτι τὴν περὶ τοῦ Χριστοῦ καὶ τῶν αὐτοῦ μελέτην
συνεχῆ ποιεῖσθαι δεῖ μὴ διακοπτομένους.

Ἐπεὶ δ' ἐξήρτηται μὲν τῆς περὶ τὸν Χριστὸν ἀγάπης ἡ
χαρίτων γέμουσα λύπη, ἀγάπη δὲ τῶν ἐννοιῶν αἳ τὸν
5 Χριστὸν ἔχουσι καὶ τὴν ἐκείνου φιλανθρωπίαν, ταύτας ἂν
εἴη προὔργου τῇ μνήμῃ κατέχειν καὶ στρέφειν ἐν τῇ ψυχῇ
καὶ τῆς διατριβῆς ταυτησὶ μηδέποτε σχολὴν ἄγειν· ἀλλ'

ABCV MPW Gass Migne

31, 8 τοιοῖσδε : τοῖς οἷς δὲ A ‖ 10-11 καὶ πρὸς — ἀλαζονεία *om.* Gass
32, 1-2 ABVP *mg.* ‖ 3 ἐξήρηται Gass ἐξήρηται Migne

18. Le rôle de la mémoire, du souvenir de Dieu et de sa
philanthropie, a toujours été grand dans les textes spirituels, mais ce
thème a surtout été abondamment développé par le mouvement

31. Puisque, lorsque nous péchons, nous faisons du tort et à Dieu et à nous-mêmes, souffrir du premier tort à cause de notre ingratitude envers le Maître ne nous causera aucun dommage, et cela peut même être fort à propos pour nous ; mais quand on s'est fait de soi-même une opinion flatteuse et qu'ensuite on la voit réfutée parce qu'on a manqué à ses devoirs, s'attrister alors, se frapper la poitrine et broyer son cœur d'un amer dépit, en jugeant qu'on ne peut plus supporter de vivre après être tombé dans de si grands déboires, cette tristesse-là, il faut s'en détourner comme étant à l'évidence mère de mort et conduisant à l'hadès. Cette tristesse, en effet, c'est la vantardise et une trop haute estime de nous-mêmes qui l'éveillent ; l'autre, c'est notre tendresse envers le Maître et la claire connaissance de notre bienfaiteur ; nous ne lui rendons rien de ce que tous nous lui devons, et même nous lui donnons des maux en échange. De même que la vantardise est un mal, de même aussi la douleur qui advient aux âmes par elle ; en revanche, la charité envers le Christ est chose infiniment louable, et il n'est pas de plus grande béatitude, pour les gens sensés, que de souffrir et de consumer son âme parce qu'on est transpercé par les traits de cette charité.

La méditation doit être continuelle

32. *Il faut méditer continuellement sur le Christ et ses mystères, sans s'interrompre.*

Puisque la tristesse porteuse de grâces dépend de notre charité pour le Christ, et que cette charité dépend de nos réflexions sur le Christ et sa philanthropie, il peut être fort utile de garder ces réflexions dans notre mémoire[18], de les ruminer dans notre âme et de ne jamais donner de trève à ce labeur ; mais il convient tantôt de les méditer et d'y

hésychaste : Cabasilas n'en est peut-être jamais aussi proche que dans ce livre.

ἐπίτηδες τοῦτο μὲν ἐφ' ἑαυτῶν αὐτοὺς ταυτὶ μελετᾶν καὶ
λογίζεσθαι, τοῦτο δ' ἐν ταῖς συνουσίαις γλώσσης τρυφὴν
10 καὶ συλλόγων ὕλην ποιεῖσθαι, καὶ πρός γε πειρᾶσθαι μηδενὶ
διακοπτομένους συνεχῆ ταύτην ἐπιδείκνυσθαι τὴν σπουδήν,
εἰ μὲν οἷόν τε διὰ βίου, εἰ δ' οὖν συχνόν τινα χρόνον, ὡς
ἂν ἐντακῆναι δυνηθῇ καὶ κατάσχῃ παντάπασι τὴν καρδίαν.
Οὔτε γὰρ πῦρ δράσειεν ἂν οὐδὲν οἷς ἂν ἐπέλθοι μὴ συνεχῶς
15 ὁμιλήσαν, οὔτε λογισμὸς διαλείπων πρὸς ὁτιοῦν πάθος ἂν
διάθοιτο τὴν καρδίαν, ἀλλὰ δεῖ χρόνου συχνοῦ τινος ἐφεξῆς.

33. Οἱ μὲν οὖν ἀπὸ τῶν ἐν αἰσθήσει καλῶν καὶ ἡδέων
τὴν ἐπιθυμίαν καίοντες λογισμοί, διότι τὰς μὲν αἰσθήσεις
ἐνεργοὺς ἡμῖν ἐξ ἀρχῆς εἶναι συμβαίνει, τοὺς δὲ ἐκεῖθεν
ὁρμᾶσθαι, σύντροφοι καὶ ἡλικιῶται, καὶ πείθοντες ἅτ' ἂν
(656) 5 βούλοιντο ῥᾳδίως, τῷ τε ἡδεῖς | εἶναι, τῷ τε πολὺν ἡμῖν
χρόνον συνεῖναι.

34. Πρὸς δὲ τὸν νοῦν καὶ τὴν ἐκείνου φιλοσοφίαν χρόνῳ
ὕστερον ἀφιγμένοις, πολλῆς ἀνάγκη τῆς σπουδῆς, ὡς ἐν
βραχεῖ χρόνῳ, καὶ συνεχοῦς συνουσίας, ὥστε παθεῖν τι πρὸς
τὸ ἀγαθόν, οὔτε αὐτίκα τέρπον, καὶ ὀψὲ μάλα πολλῶν ἤδη
5 πληρωθεῖσιν ἐπεισερχόμενον. Μόλις γὰρ ἂν τῷ συντόνῳ τῆς
μελέτης τὸ μακρὸν τῆς ἐκείνων διακόψαντες συνηθείας,
τἀληθῆ μὲν τῶν δοκούντων, τἀγαθὰ δὲ τῶν ἡδέων ἀντει-
σαγαγεῖν δυνηθεῖμεν.

ABCV   MPW   Gass   Migne

32, 8 ταυτὶ *om.* AB ‖ 11 τινα *post* συνεχῆ *add.* AB ‖ 12 τινα χρόνον
om. Gass ‖ 13 τῇ ψυχῇ *post* δυνηθῇ *add.* ABCV
34, 2 πολλοῖς C

---

19. Cf. *Liturgie*, I, 13.

réfléchir en notre for intérieur, tantôt, en société, d'en faire les délices de notre langue et la matière de nos entretiens ; et en outre de nous efforcer, sans être interrompu par rien, de soutenir cet effort continu tout au long de notre vie si c'est possible, ou sinon pendant un temps prolongé, de façon à ce qu'il puisse nous pénétrer profondément et prendre entièrement possession de notre cœur. Car, pas plus que le feu ne peut avoir d'action sur ce qu'il touche sans un contact continu, une pensée intermittente ne peut incliner le cœur vers quelque passion que ce soit ; au contraire il y faut un temps continu et prolongé[19].

Mécanisme psychologique des pensées

33. Les pensées issues de choses belles et agréables que nous percevons par les sens et qui allument en nous un désir nous sont familières et ont le même âge que nous, parce qu'il se trouve que nos sens agissent en nous depuis notre naissance et que c'est d'eux que naissent nos pensées ; c'est pourquoi elles nous persuadent facilement de ce qu'elles veulent, d'abord parce qu'elles sont agréables et ensuite parce qu'elles sont en nous depuis longtemps.

34. Mais comme on parvient plus tard dans le temps à l'intelligence et à sa sagesse, il faut un grand effort, dans la mesure où le temps est plus court, et une fréquentation assidue, pour ressentir quelque chose pour le bien ; ce sentiment ne charme pas tout de suite, et c'est très tard qu'il s'introduit en des êtres déjà pleins de nombreuses autres passions. Car c'est en brisant la force de l'habitude de ces autres passions par l'intensité soutenue de la méditation que nous pouvons substituer en nous le vrai à l'apparence et le bien à l'agréable.

35. Διὰ τί οὐ κρατοῦσιν οἱ ἀγαθοὶ λογισμοὶ τῶν πονηρῶν ἀεί.

Ὅθεν οὐδὲ χρὴ θαυμάζειν εἰ τῶν λογισμῶν οἱ ἄριστοι τῶν πονηρῶν οὐ κρατοῦσι πανταχοῦ καὶ τῶν χειρόνων οὐ
5 πλέον ἔχουσιν οἱ καλλίους παρὰ τοῖς ἐν λόγῳ ζῶσιν.

Ἀρκέσαι γὰρ ἂν εἰκότως, οἶμαι, πρὸς τὸ δυνηθῆναι γενέσθαι χρηστόν, οὐ τοῦτ᾿ αὐτὸ μαθεῖν ὅθεν ἂν γένοιτο πεισθῆναι γενέσθαι χρηστόν· ἀνάγκη δὲ καὶ μελετῶντας διατρίψαι καὶ μεῖναι λογιζομένους καὶ τὸν ὀρθὸν λόγον οὐ
10 μαθόντα κτήσασθαι μόνον, ἀλλὰ καὶ χρήσασθαι πρὸς ἃ δεῖ. Καθάπερ καὶ σιτίον καὶ ὅπλον καὶ φάρμακον καὶ ἱμάτιον οὐ τοῖς συνοῦσιν ἁπλῶς καὶ κεκτημένοις ὄφελος ἔχει, τοῖς χρωμένοις δὲ τὰ γιγνόμενα βοηθεῖ.

36. Εἰ δὲ τῶν λογισμῶν οἱ μὲν φαῦλοι τὸν νοῦν εἰς ἑαυτοὺς ἀσχολοῖεν ἐγκείμενοι, τῶν δ᾿ ἀγαθῶν ὅσον αἰσθέσθαι γεγευμένοι μόνον ἀποπηδῶμεν, τί καινὸν τὰ χείρω κρατεῖν, καὶ τοὺς μὲν πονηροὺς κατασχεῖν τὴν τῆς ψυχῆς
5 χώραν ἐνεργοὺς ὄντας, τοὺς δ᾿ ἐκβεβλῆσθαι παντάπασιν ἡττημένους ὄντας ἀργούς;

Οὔτε τοίνυν μὴ οἰκοδομεῖν τὸν οἰκοδομεῖν εἰδότα ἢ μὴ τὸν ἰατρὸν ὑγιάζειν ἢ τῶν δημιουργῶν ὁντινοῦν τὰ αὐτοῦ ποιεῖν, ἕως οὗ χρῷτο τῇ τέχνῃ, καινὸν οὐδέν· οὔτε ἐκεῖνο
10 θαυμαστόν, εἴ τις τὸν ὀρθὸν λόγον ἔχων, ἐνεργὸν δὲ οὐκ ἔχων, οὐδὲν ἀπώνατο τῆς σπουδῆς. Χρήσαιτο γὰρ ἄν τις τοῖς μὲν ὅπλοις πρὸς τοὺς ἐπιόντας, ᾗ προσῆκε διαχειρίζων, τῇ τέχνῃ δὲ κατ᾿ αὐτὴν ἐνεργῶν· τῶν δὲ λογισμῶν τοῖς ἀρίστοις καθάπερ τοῖς συμβούλοις χρώμεθα, προσέχων τὸν

ABCV MPW Gass Migne

35, 1-2 ABVP *mg.* ‖ 7 οὐ τοῦτ᾿ αὐτὸ : οὐκ αὐτὸ C ‖ 10 μαθόντας A
36, 7 τον οἰκοδομεῖν *om.* Gass ‖ 8 μὴ *post* ὁντινοῦν *add.* ABCVW
Gass

20. Cette analyse psychologique du mécanisme des pensées est un

35. *Pourquoi les bonnes pensées ne triomphent pas toujours des mauvaises.*

C'est pourquoi il ne faut pas non plus s'étonner si les meilleures pensées ne triomphent pas partout des mauvaises et si les nobles ne l'emportent pas sur les basses chez les êtres doués de raison.

En effet, je pense qu'apparemment il ne suffirait pas, pour pouvoir devenir bon, d'apprendre comment on peut se persuader de devenir bon, mais il est nécessaire aussi de passer du temps à méditer et de persévérer dans la réflexion, et une fois qu'on a appris le juste raisonnement, ne pas se contenter de le posséder mais l'appliquer à ce qu'il faut, de même que la nourriture, les armes, les remèdes, les vêtements sont inutiles à ceux qui se contentent de les avoir avec eux et en leur possession, mais servent réellement à ceux qui les utilisent.

36. Si, parmi les pensées, les perverses occupent l'esprit et le tiennent occupé d'elles-mêmes, et si nous fuyons les bonnes à peine sentons-nous que nous les avons goûtées, quoi de surprenant que les basses triomphent, que les mauvaises, qui sont actives, occupent le territoire de notre âme et que les autres, qui restent oisives, soient complètement dominées et chassées[20] ?

Rien de surprenant si celui qui a appris à construire ne construit pas, si le médecin ne guérit pas, ou si tout autre artisan ne fait pas ce qui lui revient, tant qu'ils n'exercent pas leur art ; et rien d'étonnant non plus, si quelqu'un qui possède le droit raisonnement mais ne le met pas en action, ne tire aucun profit de son effort. On peut en effet utiliser ses armes contre ses agresseurs quand on les manie comme il faut, et son art quand on l'exerce ; et nous nous servons de nos meilleures pensées comme de conseillers quand nous

topos de la littérature monastique. Cf. Max. Conf., *Centuries*, III, 88) ; Sym. N.T., *Cat.* 24 (*SC* 113, p. 46-47) ; *Cat.* II (*SC* 96, p. 270 et n. 1).

15 νοῦν οὐχ ὅσον ἃ δεῖ μαθόντα γνῶναι, ἀλλ᾽ ὥστε γνόντα
πεισθῆναι καὶ τῶν ὡς ἀληθῶς καλῶν ἔρωτα σχεῖν, ὃ
περιέργου δεῖται μελέτης. Ἐπεὶ καὶ τοὐναντίον ἐπὶ τῶν
φαύλων τὸ μὲν ἀσχολεῖσθαι καὶ διατρίβειν, τῇ ψυχῇ τὸν
ὄλεθρον ἔχει, τὸ δ᾽ ἁπλῶς οὑτωσὶ γνῶναι δεινὸν οὐδέν · ὅθεν
20 ἀνάγκη τὴν μελέτην ὥσπερ ἐκεῖ φεύγειν, οὕτως ἐνταῦθα
διώκειν.

37. *Ὅτι ἡ περὶ τῶν θείων μελέτη συνεχὴς γινομένη
ἀνάπτει τὸν περὶ Χριστὸν ἔρωτα.*

Τὸ μὲν οὖν ἐθέλειν τἀγαθὸν οὐδὲν ἔργον · οὐδεμία γὰρ
τοῦ πράγματος ἡγεῖται σπουδή. Πρὸς δὲ τὸ λαβεῖν καὶ
5 σῶσαι πόνου δεόμενον, πραγματείας καὶ μεθόδου χρεία
τινός, πῶς ἂν ἑκόντες εἶναι τοὺς ἀγῶνας ἀνελοίμεθα
τούτους, ὡς οὐκ ὂν ῥάδιον ἑλέσθαι πονεῖν.

38. Ἔστι δὲ τὸ μὲν ἀπανταχοῦ πρὸς τοὺς ἀγῶνας
ἀλεῖφον ὁ περὶ ὧν ἀγωνιζόμεθα πόθος · οὗτος γὰρ ἡδεῖς
ποιεῖ τοὺς πόνους, κἂν ὦσι λίαν ὀδυνηροί · τὸν ἔρωτα δὲ
τῶν καλῶν, τῶν ἄλλων μὲν οὐδέν, τὸ προσχεῖν δὲ τὸν νοῦν
5 αὐτοῖς καὶ καταμαθεῖν τὸ κάλλος ἀνάπτει. Καὶ τοῦτό ἐστι
τὸ πῦρ ὅπερ ἀπὸ τῆς περὶ Θεὸν μελέτης ἀνήφθη τῇ τοῦ
προφήτου ψυχῇ · «Καὶ ἐν τῇ μελέτῃ μου, φησίν, ἐκκαυθή-
σεται πῦρ[a]». Ὃς ἑτέρωθι δεικνὺς περὶ ὅ τε ἡ μελέτη καὶ
τίνος ἔργον ἀνδρός, τὸν μέν φησι τὸν μακάριον ἄνθρωπον
(657) 10 εἶναι, τὸ | δὲ τὸν τοῦ Θεοῦ νόμον · «ὁ γὰρ μακάριος
ἀνὴρ ἡμέρας, φησί, καὶ νυκτὸς ἐν τῷ νόμῳ τοῦ Θεοῦ
μελετήσει[b]».

ABCV   MPW   Gass   Migne

36, 19 ἔχει *om.* Gass
37, 1-2 ABVP *mg.* ‖ 3 θέλειν C ‖ 4 σπλάγματος C
38, 10 νόμον : φόβον AB ‖ 11 ἀνὴρ : ἄνθρωπος A

y appliquons notre esprit, non pas dans le seul but d'apprendre et de connaître ce qu'il faut, mais de façon à ce que, le sachant, nous en soyons persuadés et que nous possédions l'amour des choses véritablement belles, ce qui requiert une méditation consciencieuse. Au contraire, se préoccuper des pensées perverses et y passer du temps, c'est la ruine pour l'âme, tandis qu'il n'y a pas de danger à les connaître sans plus ; c'est pourquoi, de même qu'il faut dans ce cas fuir la méditation, de même dans l'autre cas faut-il la poursuivre.

37. *La méditation des choses divines, quand elle est continue, nous enflamme d'amour pour le Christ.*

Désirer le bien n'est pas un travail, c'est une affaire qui ne réclame aucun effort préalable. Mais pour gagner et conserver un bien qui réclame de la peine, il faut une étude et une méthode, pour comprendre comment nous pouvons bien choisir l'existence de ces combats, étant donné qu'il n'est pas facile de choisir la peine.

38. Ce qui partout nous encourage au combat, c'est le désir de ce pour quoi nous combattons ; car c'est lui qui rend douces les peines, même si elles sont très douloureuses ; mais l'amour des belles choses, rien d'autre ne l'enflamme comme d'y appliquer son esprit et d'en découvrir la beauté. Voilà le feu qui fut allumé dans l'âme du prophète par la méditation sur Dieu : «Dans ma méditation, dit-il, un feu s'embrasera[a]». Et ailleurs, voulant montrer quel est l'objet de la méditation et de quel homme elle est l'œuvre, il dit que celui qui médite, c'est l'homme bienheureux, et que ce qu'il médite, c'est la loi de Dieu : «L'homme bienheureux, dit-il, nuit et jour méditera la loi de Dieu[b]».

38. a. Ps. 38, 4 ‖ b. cf. Ps. 1, 2

39. Εἰ δὲ ἡ περὶ τὸν γραπτὸν νόμον μελέτη τὸ πῦρ ἀνάπτειν δύναται τοῦτο, τί ποτε χρὴ δρᾶσαι νομίσαι τὸν νόμον τοῦ Πνεύματος, ὃς τὸν ἀληθινὸν ἔρωτα τοῦ Θεοῦ τοῖς ἀνθρώποις ἐνέθηκε μόνος, καὶ πυρὰν ἀνῆψε πόθου
5 σβεσθῆναι μηδενὶ δυναμένην[a], οὐ τῶν ἡδέων, οὐ τῶν ἑτέρως ἐχόντων, «οὐ τῶν ἐνεστώτων, οὐ τῶν μελλόντων[b]»; Ὑπὲρ οὗ μοι δοκεῖ καὶ πυρίναις φανῆναι γλώσσαις εἰσενεχθείς[c], ὅτι τὴν πυρὸς δίκην πάντα τολμῶσαν ἀγάπην εἰσήνεγκεν· ἐπεὶ καὶ πρῶτον αὐτὸν τὸν τοῦ νόμου νομοθέτην ἀγάπη
10 κεκόμικεν εἰς τὴν γῆν καὶ αὐτὸ τὸ τοῦ νομοθέτου σῶμα φιλανθρωπίας ἐστὶ καρπός, καὶ ἄλλως δὲ αὐτῷ ὁ νόμος ἅπας ἔρωτος γέμει· καὶ τοῦτον μὲν ἐπιδείκνυται πᾶσιν οἷς ἔχει, τοῦτον δὲ εἰσάγει, τούτῳ δὲ πείθει, τοῦτον δὲ παρ' ἡμῶν δῶρον ὑπὲρ ὧν ἔδωκεν ἀποχρῶν ἡγεῖται λαβών.

40. Οὐ γὰρ ἐπιτάττει καθάπερ ὀφείλουσι δούλοις, ἀλλ' ὥσπερ πολλῶν μὲν παρ' ἡμῶν πρὸς αὐτὸν πόνων ἡγησαμένων, πολλῆς δὲ συνηθείας καὶ φίλτρων, ἐπὶ τὴν κοινωνίαν καλεῖ τῶν αὐτοῦ προσιόντας εὐθὺς ἐξ ἀρχῆς. Ἐγὼ μὲν ὑπὲρ
5 τῆς βασιλείας ἠγώνισμαι καὶ πολλοῖς, φησίν, ἔπλεξα τὸν στέφανον πόνοις· ὑμεῖς δὲ ἀπονητὶ δέξασθε, αἰτῶ δὲ παρ' ὑμῶν ἀντὶ τούτων εἰ φιλεῖτε πλέον οὐδέν.

41. Ὢ τῆς ἀρρήτου χρηστότητος, εἰ μὴ φιλεῖ μόνον οὕτω σφοδρῶς, ἀλλὰ καὶ τὸ φιλεῖσθαι παρ' ἡμῶν τοσούτου τιμᾶται καὶ ὑπὲρ τούτου πάντα ποιεῖ. Καὶ τίνος γὰρ ἕνεκεν ᾠκοδόμησε μὲν οὐρανὸν καὶ γῆν καὶ τὸν ὁρώμενον κόσμον,
5 τοῦ δὲ μὴ ὁρωμένου τὸ κάλλος οἷον καὶ ὅπως αὐτῷ συνέστη νεύματι μόνῳ καὶ τὴν ἐνταῦθα πᾶσαν διδάσκει φιλοσοφίαν, ἢ τοῦ γε πρὸς ἑαυτὸν ἐπιστρέψας πεῖσαι φιλεῖν; Καὶ ὅλως

ABCV   MPW   Gass   Migne

39, 4 πυρὰν : πῦρ ἀν AW Gass ‖ 5 δυναμένου A ‖ οὐ τῶν ἡδέων om. Migne ‖ 9 τὸν om. Gass τὸν τούτου AB ‖ 13 τούτῳ : τούτου C
40, 6 δέξεσθε Migne ‖ αἰτῶ : ζητῶ W
41, 2 τοσούτου : τούτου C ‖ 4 σύμπαντα post ὁρώμενον add. A ‖ 6 φιλοτιμίαν C

39. Si la méditation de la loi écrite est capable d'allumer ce feu, que penser de la loi de l'Esprit, qui seule a infusé dans les hommes le véritable amour de Dieu et a allumé un brasier de désir que rien ne saurait éteindre[a], ni le doux ni l'amer, «ni le présent ni l'avenir[b]»? La raison pour laquelle, me semble-t-il, il apparut apporté par des langues de feu[c], c'est qu'il a apporté la charité qui tel un feu a toutes les audaces : car tout d'abord la charité a fait venir sur terre le législateur même de la loi, et le corps même du législateur est un fruit de la philanthropie ; et par ailleurs toute sa loi déborde d'amour : c'est cet amour qu'il manifeste par tous les moyens, c'est lui qu'il infuse, c'est par lui qu'il persuade, et cet amour, quand il le reçoit de notre part, il l'estime comme un don suffisant pour prix de ce qu'il nous a donné.

40. En effet, il ne nous donne pas des ordres comme à des esclaves débiteurs, mais, comme si nous avions fait les premiers pas vers lui par de nombreuses peines, une longue fréquentation et une grande tendresse, dès que nous approchons il nous invite à partager ses biens : 'Moi, dit-il, j'ai combattu pour le royaume et j'ai tressé de mainte peine la couronne ; vous, recevez-la sans peine ; je ne vous demande en échange rien de plus que de m'aimer'.

41. Indicible bonté ! il ne se contente pas d'aimer avec une telle violence, mais il prise au plus haut point d'être aimé de nous, et il fait tout pour cela ! Pourquoi donc a-t-il créé le ciel et la terre et le soleil et le monde visible et la beauté du monde invisible, qui est telle qu'il l'a conçue d'une simple volonté, et nous enseigne-t-il toute la sagesse d'en bas, pourquoi tout cela sinon pour nous tourner vers lui-même et nous convaincre de l'aimer ? En un mot,

---

39. a. cf. Cant. 8, 7 ‖ b. Rom. 8, 35 ‖ c. cf. Actes 2, 3

καθάπερ οἱ θερμοὶ τῶν ἐραστῶν τὴν σοφίαν ἡμῖν ἐπιδείκνυται καὶ τὴν χρηστότητα καὶ τὴν τέχνην, ἵν' ἐνθεῖναι
10 τὸν ἔρωτα τὸν ἑαυτοῦ δυνηθῇ. Καὶ τοίνυν ποιεῖται τοσοῦτον
τοῦ πράγματος λόγον καὶ οὕτως ἄγει πολλοῦ τινος ὥσθ'
ὑπὲρ τούτου πάντα ποιήσας ἃ Θεοῦ φύσει προσῆκεν οὐκ
ἀγαπῆσαι, ἀλλὰ πρὸς ἑτέραν φύσιν ἰδεῖν, ὥστε καὶ ταύτῃ
πρὸς τοῦτο χρήσασθαι, ἵν' ἅπερ οὐκ εἶχε πείθειν τῷ Θεὸς
15 εἶναι, ταῦτα γενόμενος ἄνθρωπος δυνηθῇ, καὶ δι' ἑκατέρων
ὧν τε οἴκοθεν ἧκε κομίζων, ὧν τε ἔξωθεν εἴληφει, τὸν
ἐρώμενον ἀναρτήσηται.
Οὕτως ὁ τοῦ Πνεύματος νόμος[a] φιλίας ἐπιεικῶς ἐστι
νόμος, καὶ πρὸς εὐγνωμοσύνην αὐτόθεν ἀσκεῖ. Διὰ τοῦτο
20 προσεκτέον αὐτῷ τὸν νοῦν.

42. *Ὅτι τὸ τὰ Χριστοῦ μελετᾶν οὐ δεῖται πόνου οὐδὲ*
πρός τι τῶν βιωτικῶν ἡμῖν προσίσταται.

Πρῶτον μὲν ὅτι οὐδὲ ἱδρώς ἐστιν ἐνταῦθα οὐδείς, οὐδὲ
δεῖ πονεῖν οὐδὲ χρήματα ἀναλίσκειν, οὐδ' ἀδοξία γένοιτ' ἂν
5 οὐδ' αἰσχύνη, οὐδ' ἄλλο γε οὐδὲν ἐσόμεθα χείρους· ἀλλὰ
καὶ τέχναις ἔστι χρήσασθαι οὐδὲν ἧττον καὶ πρὸς ἐπιτή-
δευμα ὁτιοῦν ἔχειν οὐδὲν κώλυμα· καὶ στρατηγήσει μὲν ὁ
στρατηγός, γεωργήσει δὲ ὁ γεωργὸς καὶ δημιουργὸς
προστήσεται τῶν ἔργων, καὶ οὐ δεήσει γε οὐδενὶ τῶν
10 γιγνομένων διὰ τουτουσὶ τοὺς λόγους· οὐ γὰρ ἐσχατιὰν
(660) ἀνάγκη καταλαβεῖν οὐδ' ἄήθη τινὰ προσέσθαι τροφὴν οὐδ' |
ἀμεῖψαι θοἰμάτιον οὐδ' ὑγείαν διαφθεῖραι οὐδ' ἄλλο τι
τολμῆσαι τόλμημα· ἀλλ' ἔστιν οἴκοι μένοντα καὶ μηδὲν

ABCV MPW Gass Migne

41, 10-15 Καὶ τοίνυν — δυνηθῇ *om.* C ‖ 12 πονήσας Migne ‖ 18-19
Οὕτως — ἀσκεῖ *om.* A
42, 1-2 ABVP *mg.* ‖ 3 οὐδείς : οὐδέν C ‖ 4 ἡμῖν *post* γένοιτ' ἂν
add. AB

comme les amoureux fervents, il nous montre sa sagesse et
sa bonté et son art, afin de pouvoir nous inspirer l'amour
de lui. Il fait un si grand cas de cette affaire et l'estime à si
haut prix que, non content de faire pour cela tout ce qui
convient à la nature divine, il a tourné les yeux vers une
autre nature au point de l'utiliser elle aussi dans ce but,
afin que, devenu homme, il pût user d'arguments qu'il ne
possédait pas en tant qu'il était Dieu, et que par les deux
natures, celle qu'il possédait déjà en venant et celle qu'il
avait assumée de l'extérieur, il pût s'attacher celui qu'il
aimait.

Ainsi la loi de l'Esprit[a] est une douce loi d'amitié, et elle
nous exerce d'elle-même à la bienveillance. C'est pourquoi
nous devons y appliquer notre esprit.

42. *Méditer les choses du Christ ne réclame aucune peine et
ne s'oppose à aucune de nos activités temporelles.*

Tout d'abord, cette activité ne réclame ici nulle fatigue,
il n'y faut ni peiner ni dépenser de l'argent, il n'en saurait
résulter ni déshonneur ni honte, et nous n'en serons
diminués d'aucune autre façon ; et même, on peut
pratiquer son métier tout autant, et elle ne fait nul
obstacle à quelque genre de vie que ce soit : le général
commandera, le cultivateur cultivera, l'artisan s'appliquera à ses travaux et personne ne sera, à cause de cela, privé
d'aucun de ses biens ; car il n'est pas nécessaire de se
retirer au bout du monde, de manger une nourriture
bizarre, de changer son vêtement, d'altérer sa santé ni de
se livrer à quelque autre excentricité ; au contraire, on

41. a. cf. Rom. 8, 2

ἀπολλύντα τῶν ὑπαρχόντων, τούτοις ἀεὶ συνεῖναι τοῖς
15 λογισμοῖς.

43. Τί οὖν κωλύει γενέσθαι τὰ τοιαῦτα χρηστὸν ὑπὲρ
ὧν καὶ πόνους εἰκὸς ἦν ἐνέγκαι δεῆσαν ; Εἰ γὰρ ἀνθρώπους
ὄντας καὶ λογίζεσθαι δυναμένους ὁτιοῦν ἀνάγκη λογίζεσθαι,
πῶς οὐ τὰ βέλτιστα χρὴ λογίζεσθαι ; Καὶ εἰ μάταια καὶ
5 φαῦλα καὶ ὧν ὄφελος οὐδὲν τοῖς λογιζομένοις, οὐδὲ πώποτε
ἐνομίσθη τύχην ἢ τέχνην ἢ τὴν οὐσίαν ἢ ὁτιοῦν τῶν κατὰ
τὸν βίον οὐδενὶ χεῖρω ποιήσειν, ἥκιστα δὴ πάντων ταῖς
ἀγαθαῖς ἐννοίαις ταῦτα μεμψόμεθα καὶ τἀγαθὸν διώξομεν
πονηρίας.

44. *Ὅτι τὸ τὰ Χριστοῦ μελετᾶν πάσης διατριβῆς ἴδιον.*

Καὶ μὴν οὕτω μὲν οὐδενὶ λυσιτελεῖ πολεμοῦσι, σύνεστι
δέ τις αὐταῖς ἀηδία ; σχολῇ γε, οὐ μᾶλλον ἢ αὐτὴν ταῦτα
ἂν εἴποι τις τὴν χαράν. Εἴτε γὰρ τοῖς ἀρίστοις χαίρομεν,
5 βέλτιον γένοιτ' ἂν οὐδὲν τῶν ἐννοιῶν αἳ τὸν Χριστὸν ἔχουσι
καὶ τὴν ἐκείνου φιλανθρωπίαν, ὅτι μηδὲ αὐτῶν τῶν
πραγμάτων ἐν οἷς αὐτός ἐστιν ὁ τελευταῖος τῆς χρηστότητος
ὅρος · εἴτε τὸ οἰκεῖον ἡδὺ καὶ φίλον, τούτων ἡμῖν ὃ προσήκει μᾶλλον οὐδ' ἂν εἷς εὕροι πολλὰ καμων · οὐ γὰρ τῶν
10 γιγνομένων καθ' αἷμα μόνον ἁπλῶς, οὐ τῶν γεγεννηκότων
αὐτῶν, ἀλλ' ἤδη καὶ ἡμῶν αὐτῶν συγγενέστερος ὁ Χριστὸς
ἀπὸ τῶν προτέρων δέδεικται λόγων. Ὅθεν συμβαίνει, καὶ

ABCV   MPW   Gass   Migne

43, 2 ὧν : οὖ P
44, 1 ABVP *mg.* ‖ 5 οὐδὲν *om.* A ‖ 11 ἡμῖν *post* συγγενέστερος *add.*
ACV

21. Ce passage, capital pour l'hésychasme laïc, où Cabasilas
enrichit de son expérience personnelle l'enseignement reçu dans sa
jeunesse, s'accompagne d'une pointe moqueuse contre les excès des
moines. N'oublions pas cependant que nul ne fut plus acerbe contre
les défauts des moines que le très dévot higoumène Sym. N.T., et que
l'ouverture de la vie contemplative aux laïcs plonge ses racines dans
le monachisme byzantin : cf. Syméon le Nouveau Théologien, *Cat.* V

peut en demeurant chez soi et sans perdre aucun de ses biens se consacrer toujours à ces pensées[21].

43. Qu'est-ce qui empêche donc de telles choses, pour lesquelles il serait normal de supporter des peines au besoin, d'être un bien? Si, étant des hommes et capables de réfléchir, nous devons réfléchir à quelque chose, pourquoi ne pas réfléchir à des sujets excellents? Et si des pensées vaines et frivoles, qui ne sont d'aucune utilité à ceux qui y réfléchissent, n'ont jamais passé pour nuire le moins du monde à la condition, au métier, à la fortune ou à l'une quelconque des choses de la vie, encore moins le reprocherons-nous aux bonnes réflexions et accuserons-nous le bien d'être nuisible.

44. *Méditer les choses du Christ est propre à toutes les occupations.*

Sans doute, ces pensées ne s'opposent ainsi à rien de ce qui est utile, mais ont-elles un caractère désagréable? Pas le moins du monde : pas plus qu'on ne saurait le reprocher à la joie même. En effet, ou bien nous nous réjouissons de ce qu'il y a de meilleur : dans ce cas, il ne saurait y avoir rien de meilleur que les réflexions sur le Christ et sa philanthropie, parce que rien n'est meilleur que cette réalité où il se montre le terme ultime de la bonté ; ou bien c'est ce qui est nôtre qui nous est agréable et aimable : dans ce cas, nul ne saurait trouver, même en se fatiguant beaucoup, chose qui nous convienne mieux que ces pensées ; en effet, le Christ, ainsi que les précédents livres l'ont montré, nous est plus apparenté non seulement que ceux qui nous sont simplement unis par le sang, non seulement plus que ceux qui nous ont engendrés, mais plus que nous-mêmes. C'est pourquoi il se trouve que pour la

(*SC* 96, p. 386 s.) et les ascètes du désert de Gaza : parmi les lettres de Barsanuphe et Jean, un certain nombre est adressé à des laïcs qu'ils forment à la prière continuelle.

τῷ λογιζομένῳ τῆς ψυχῆς, τῶν περὶ αὐτοῦ λόγων μηδὲν
οἰκειότερον εἶναι. Ὥστε καὶ δι᾽ ὧν οἰκείως ἡμῖν καὶ
15 συγγενῶς ἔχει καὶ οἷς ἀρίστη πασῶν ἐστιν, ἡδίω χαρίεντος
ὅτου τις ἂν εἴποι τὴν διατριβὴν ταύτην εἶναι βεβαπτισμέναις
ψυχαῖς.

Λέγω γὰρ τοῖς μετὰ τὸ λουτρὸν μὴ λίαν αὐχμῶσιν,
ὥσπερ οὓς τῶν Ἑβραίων Στέφανος ὁ μακάριος ἀπεκάλει
20 «ἀπεριτμήτους τῇ καρδίᾳ καὶ τοῖς ὠσίν[a]».

45. Ὡς μὲν οὖν οὔτε βλάβη τῷ ἀνθρωπίνῳ βίῳ γένοιτ᾽
ἂν οὐδεμία παρὰ τούτους τοὺς λογισμούς, καὶ ἥδεσθαι καὶ
χαίρειν περιγίνεται τοῖς λογιζομένοις, φανερὸν ἐκ τῶν
εἰρημένων. Εἰ δὲ καὶ ὄφελός ἐστι καὶ βοηθεῖ τῷ λυσιτελεῖ
5 καὶ περὶ αὐτὰ τὰ κάλλιστα καὶ καιριώτατα πάντων, ἐδείχθη
μὲν ἤδη, φανεῖται δ᾽ ἐν τοῖς ἑξῆς ἐναργέστερον, ἀκριβέστερον
περὶ αὐτῶν σκεψαμένοις.

46. Ὅτι καὶ σφόδρα λυσιτελὴς ἡ τοιαύτη μελέτη, καὶ
ὅτι τὰ παρὰ τοῦ Χριστοῦ μακαριζόμενα ποιεῖ κατορθοῦν.

Πρῶτον μὲν γὰρ τὸ ταῖς ἀγαθαῖς ἐννοίαις τὴν ψυχὴν
κατασχεθῆναι συμβαίνει μὲν τῶν πονηρῶν σχολὴν ἄγειν,
5 τούτῳ δὲ ἀκόλουθον καθαρὰν ἀρρωστίας τὴν ἀπὸ τῶν
μυστηρίων φέρειν ἀκτῖνα, τὸ δὲ ἡμῖν τῶν ἀγαθῶν ἁπάντων
ἔχει σωρὸν μηδὲν πραγματευσαμένοις· ἔπειτα καὶ αὐτοὺς
ἀνάγκη τοὺς λογισμοὺς τοῖς παρ᾽ ἑαυτῶν φαρμάκοις τὰ
ἑαυτῶν ποιεῖν καὶ τὰ κάλλιστα πάντων ἐργάζεσθαι τὴν
10 καρδίαν· καθάπερ ἀπὸ τῶν πονηρῶν ἐννοιῶν τὰ πονηρὰ
πάθη φύεται, τὸν γὰρ ἴσον τρόπον καὶ τὴν ἀρετὴν τῶν
ἀγαθῶν ἀνίσχειν εἰκός ἐστιν.

ABCV   MPW   Gass   Migne

44, 19 μακάριος : θαυμάσιος ABCVW Gass
45, 3 τὰ τοιαῦτα *post* τοῖς add. AB
46, 1-2 ABVMPW *mg.* ‖ 3 τὸ : τῷ Gass ‖ 6 τὸν *post* ἡμῖν *add.*
ABCVMW Gass ‖ 9 ἐργάζεσθαι : ἔργα C

partie intellective de l'âme rien n'est plus approprié que
ces pensées sur le Christ ; en sorte que cette occupation,
parce qu'elle nous est propre et apparentée, et du fait que
c'est la meilleure de toutes les occupations, est plus
agréable pour les âmes baptisées que tout autre sujet de
joie qu'on puisse citer.

Je veux dire pour ceux qui après le bain ne sont plus
trop sales, comme l'étaient ceux des Hébreux que le
bienheureux Étienne appelait «incirconcis de cœur et
d'oreilles[a]».

45. Donc, ce qui précède le montre à l'évidence, ces
pensées ne sauraient causer aucun tort à la vie humaine, et
elles apportent à ceux qui les cultivent le bonheur et la
joie. Maintenant, savoir si elles sont également utiles, si
elles favorisent ce qui nous est avantageux, par rapport à
l'essentiel et à ce qui compte par-dessus tout, je l'ai déjà
montré, mais cela apparaîtra plus clairement dans la suite,
si nous les examinons plus rigoureusement.

46. *Une telle méditation est extrêmement utile et réalise les
béatitudes énoncées par le Christ.*

Tout d'abord, quand l'âme est occupée par les bonnes
réflexions, elle donne congé aux mauvaises, et par suite elle
garde pur de toute infirmité le rayonnement issu des
mystères, ce qui nous procure une masse de toute sorte de
biens, sans que nous ayons eu à nous donner de la peine ;
ensuite, il est forcé que ces pensées elles-mêmes, par les
remèdes qu'elles apportent, produisent leurs fruits et
opèrent dans le cœur les meilleurs effets ; de même que des
mauvaises réflexions naissent les mauvaises passions, de la
même façon il est normal que la vertu surgisse des bonnes
réflexions.

44. a. Actes 7, 51

47. Ὅλως γὰρ ταύτην ἢ ἐκείνην τὴν γνώμην καί τι λέγειν ἢ πράττειν ἢ πάσχοντα φέρειν ἢ ὁτιοῦν τῶν πάντων αἱρεῖσθαι, λογισμοὶ καὶ λόγοι τὸ πεῖθόν εἰσι πανταχοῦ. Καὶ τοῦτον τὸν τρόπον οἱ διδάσκαλοι τῆς ἀρε|τῆς ἐν καιρῷ 5 τοῖς συνοῦσιν ὅτι τοὺς ἀρίστους ἐντίθενται λογισμούς, καὶ αὖ τοὐναντίον οἱ πονηροὶ δαίμονες πονηροὺς εἰσάγοντες τύπους, ὡς οἱ μὲν ταύτῃ τῶν ἀτοπωτάτων τεχνίτας, οἱ δὲ τῶν δεόντων ἀπεργασόμενοι πρακτικούς.

48. Ἔστι μὲν οὖν ἁπάσης ἐπαινουμένης μελέτης πρὸς ἀρετὴν ἀπόνασθαι τὰ γιγνόμενα · Χριστοῦ δὲ πέρι καὶ ὧν αὐτὸς φιλανθρώπως περὶ τῆς ἐμῆς ἐμηχανήσατο σωτηρίας, διεξιέναι τοῖς λογισμοῖς, αὐτὴν ἡμῖν ἄντικρυς ἔχει τὴν 5 ζητουμένην ζωὴν καὶ διὰ πάντων ἀποδείκνυσι μακαρίους.

49. Καὶ ὡσὰν ἐναργῶς εἰδῶμεν, θεωρήσωμεν ἃ τοὺς κατορθοῦντας ὁ Χριστὸς αὐτὸς ἐκάλεσε μακαρίους, εἰ μὴ πάντα τῶν λογισμῶν ἐξήρτηται τούτων.

Τίνας οὖν τούτους ὁ μόνος ὡς ἀληθῶς μακάριος 5 εὐδαιμονίζει; τοὺς πτωχοὺς τῷ πνεύματι, τοὺς πενθοῦντας, τοὺς πράους, τοὺς πεινῶντας καὶ διψῶντας τὴν δικαιοσύνην, τοὺς ἐλεήμονας, τοὺς καθαροὺς τῇ καρδίᾳ, τοὺς εἰρηνοποιούς, τοὺς διωγμῶν καὶ παντὸς ὀνείδους περὶ δικαιοσύνης καὶ τῆς περὶ Χριστὸν προθυμίας ἀνεχομένους[a]. Οὗτοι μὲν 10 οὖν οἱ τῆς μακαρίας ἐπειλημμένοι ζωῆς.

50. Εἰ τοίνυν ἀπὸ τῶν λογισμῶν τούτων τὴν καλὴν πλαττόμενον πλάσιν τοῦτο σκοποῦντες εὑρήσομεν τὸν χορὸν καὶ τοὺς στεφάνους ἐκεῖθεν πλεκομένους, ἅπασι δῆλον ἂν γένοιτο πάντως τὴν περὶ τουτουσὶ τοὺς λόγους διατριβὴν καὶ

ABCV   MPW   Gass   Migne

47, 3 εἰσι om. ABCV

49. a. cf. Matth. 5,3-11

47. En effet, ce sont les pensées et les raisonnements qui en toutes circonstances nous convainquent de prendre telle ou telle décision, de dire ou faire telle chose, de supporter telle épreuve ou toute autre chose. C'est de cette façon que les maîtres de vertu instillent en leurs disciples, en temps voulu, les meilleures pensées possibles, alors qu'au contraire les mauvais démons introduisent de mauvaises images : ces derniers visent à produire ainsi des artisans des pires infamies, et les premiers, des hommes qui accomplissent leur devoir.

48. Le propre de toute méditation louable est de tirer parti des circonstances en faveur de la vertu ; mais le fait de parcourir par les pensées le Christ et tout ce qu'il a inventé dans sa philanthropie pour mon salut, nous donne directement la vie que nous cherchons et nous fait apparaître bienheureux à tous égards.

LES BÉATITUDES, FRUITS DE LA MÉDITATION

49. Pour voir cela clairement, examinons si ce qu'il faut accomplir pour être appelé bienheureux par le Christ lui-même ne dépend pas entièrement de ces pensées.

Quels sont donc ceux que le seul véritablement bienheureux proclame heureux ? Les pauvres en esprit, les affligés, les doux, les affamés et assoiffés de la justice, les miséricordieux, les cœurs purs, les artisans de paix, ceux qui supportent des persécutions et toute sorte d'affronts pour la justice et pour leur empressement envers le Christ[a]. Voilà donc ceux qui ont obtenu la vie bienheureu-se.

50. Si donc, au cours de notre examen, nous découvrons que c'est grâce à ces bonnes pensées que ce chœur des bienheureux reçoit ce beau modelage et que sont tressées les couronnes, il apparaîtra de toute évidence aux yeux de tous que la réflexion soutenue et la méditation sur ces

5 μελέτην ὁδὸν ἀσφαλῆ καὶ διάβασιν καὶ κλίμακα καὶ ὅ τί
τις ἂν εἴποι πρὸς τὴν μακαρίαν εἶναι ζωήν.

51. *Περὶ τοῦ πρώτου μακαρισμοῦ · ὅτι ἡ ἐν πνεύματι
πτωχεία διὰ τῆς εἰρημένης κατορθοῦται μελέτης.*

Αὐτίκα γὰρ ἡ ἐν πνεύματι πτωχεία καὶ «τὸ μὴ φρονεῖν,
ᾗ φησι Παῦλος, ὑπὲρ ὃ δεῖ φρονεῖν ἀλλὰ φρονεῖν εἰς τὸ
5 σωφρονεῖν[a]», τίνων γένοιτ' ἂν ἢ τῶν τὴν Ἰησοῦ πτωχείαν
ἐπισταμένων; ὃς καὶ φύσεως καὶ διατριβῶν μετέσχε τοῖς
δούλοις[b], Δεσπότης ὤν, καὶ «σὰρξ ἐγένετο[c]», Θεὸς ὤν·
καὶ πενίαν ὁ πλουτίζων εἵλετο[d] καὶ ἤνεγκεν ἀτιμίαν ὁ τῆς
δόξης βασιλεύς[e]· καὶ περιήγετο μὲν δεδεμένος ὁ λύσας τὸ
10 γένος, γραφὴν δὲ ἐδέξατο παρανόμων ὃς ἦλθεν ἐπὶ τῷ
πληρῶσαι τὸν νόμον[f]· καὶ κριτῶν ἠνέσχετο δήμῳ μαινο-
μένῳ καὶ φονῶντι χαριζομένων «ᾧ τὴν κρίσιν πᾶσαν ἔδωκεν
ὁ Πατήρ[g]». Ταῦτα τίνα οὐκ ἂν κατενέγκοι τῦφον;

52. Ἄλλως τε τῆς ὑπερηφανίας ἀπὸ τῶν κατορθωμάτων
ὅταν ὑπερβάλλειν δοκῶσιν ἐγειρομένης, ὁ τὰ Χριστοῦ
μελετήσας εἴσεται μὴ ὅτι μηδὲν μέγα κατωρθωκώς, ἀλλ'
οὐδ' ὑπὲρ τοῦ λυθῆναι τῆς αἰχμαλωσίας αὐτὸς εἰσενεγκεῖν
5 οὐδὲν δυνηθείς, ὅς γε οὐδὲ μετὰ τὸ λυθῆναι σῶσαι καθαρὰν
τὴν ἐλευθερίαν.

ABCV MPW Gass Migne

51, 1-2 ABVMPW *mg.* ‖ 10 τῷ MP : τὸ *cett*
52, 3 μελετῶν A

51. a. Rom. 13, 3 ‖ b. cf. Phil. 2, 6 ‖ c. cf. Jn 1, 14 ‖ d. cf. II Cor.
8, 9 ‖ e. cf. Ps. 23, 8 ‖ f. cf. Matth. 5, 17 ‖ g. cf. Jn 5, 22

22. Le commentaire des béatitudes que Cabasilas commence ici est
proche de celui de Grégoire de Nysse. (*PG* 44, 1193-1301) : même
lecture christocentrique des béatitudes, même réflexion sur la
condition humaine. Cabasilas, par son insistance sur les pensées, est
peut-être moins théologique, plus immédiatement spirituel.

sujets sont une route sûre, un gué, une échelle ou tout ce qu'on voudra, vers la vie bienheureuse[22].

51. *Première béatitude : la pauvreté en esprit s'acquiert par la méditation susdite.*

Par exemple, la pauvreté en esprit, «ne pas s'estimer plus qu'il ne convient mais avoir une sage estime de soi», comme dit Paul[a], à qui cela appartient-il sinon à ceux qui ont connu la pauvreté de Jésus? lui qui, étant Maître, a partagé la nature et le genre de vie des esclaves[b] et qui, étant Dieu, «s'est fait chair[c]»; le riche a pris notre dénuement[d] et le roi de gloire[e] a supporté l'infamie; celui qui a libéré notre race s'est laissé mener lié et celui qui est venu pour accomplir la loi[f] a subi la condamnation des violateurs de la loi[23]; celui à qui «le Père a remis tout le jugement[g]» a supporté des juges qui flattaient un peuple furieux et assassin. Quelle vanité ne sera pas rabattue par tout cela[24]?

52. Au reste, comme l'orgueil s'éveille à partir des exploits réalisés, quand ils paraissent dépasser la moyenne, celui qui a médité les choses du Christ verra que, loin d'avoir rien accompli de grand, il n'a pas même été capable de contribuer à se libérer de sa captivité, lui qui même après sa libération n'est pas capable de garder intacte sa liberté[25].

---

23. Antithèses issues de la liturgie : cf. Office de la Passion du vendredi-saint, tropaire de la sixième péricope évangélique : «des sans-loi ont acheté à un disciple le créateur de la loi, comme un violateur de la loi».

24. Cf. *Liturgie*, I, 12.

25. La gratuité totale du salut apporté par le Christ est une constante de la pensée de Cabasilas : cf. *Liturgie* XXVI, 4 ; XLVI, 10 ; XLIX, 27 ; LIII, 6.

53. Ὁ μὲν γὰρ τοῦ αἵματος ἡμᾶς ἐπρίατο, καὶ παρέσχεν ἡμῖν οὕτω μεγάλου κτησάμενος τὴν ἐλευθερίαν[a] · τίς δὲ τῶν λυθέντων ἐφ᾽ οἷς εἴληφεν ἔμεινε καὶ τὸν πνευματικὸν πλοῦτον διὰ τέλους ἄσυλον ἔσχεν ; ἀλλὰ μὴ τοῦτο μέγα
5 κατωρθωκὼς ἐνομίσθη, τὸ μικρὰ πρὸς τὴν χάριν ἐξαμαρτεῖν ;

54. Τί τοίνυν ἡμῖν αὐτοῖς συνειδόσιν ὑπάρξει μέγα φρονεῖν, οἷς ἡ μὲν οἴκοθεν ἀρετὴ δι᾽ ἑαυτὴν αὐτὴ πρὸς οὐδὲν φέρει λυσιτελές, εἴ τι δ᾽ ἔνεστιν ἀληθινὸν ἀγαθόν, ὁ Θεὸς ἐνέθηκε μηδὲν πραγματευσαμένοις ; καὶ οὐδὲ αὐτὸν γοῦν
5 τὸν ἔξωθεν ἐντεθέντα πλοῦτον, ἀψύχου θησαυροῦ δίκην,
(664) | ἀσφαλῶς ἐξεγένετο διασῶσαι, οὕτω φαύλως ἔχομεν. Μετὰ γὰρ τὴν καινὴν κτίσιν καὶ τὴν ἐν ὕδατι χωνείαν καὶ τὴν πυρὸς γέμουσαν τράπεζαν, οὕτω πρὸς ἀρετὴν ἀσθενῶς ἔχουσιν οἵ γε φιλοσοφώτατοι τῶν ἀνθρώπων, ὥστε συνεχοῦς
10 χρεία τῆς ἱερᾶς τραπέζης καὶ τῶν καθαρσίων αἱμάτων καὶ τῆς ἄνωθεν χειρός, εἰ μὴ μέλλοιεν εἰς τὴν ἐσχάτην ἐξενεχθήσεσθαι πονηρίαν. Καὶ τούτων μάρτυρες σαφεῖς οἱ πρὸς πάντα μὲν ὑπὲρ τοῦ καλοῦ καὶ τῆς ἀρετῆς ἀποδυσάμενοι πόνον, πάντων δὲ κακῶν ἔπειτα γενόμενοι τολμηταί ·
15 οἳ τὰ ὄρη κατειληφότες καὶ πάντα θόρυβον καὶ τὴν κοινὴν ζωὴν ὥσπερ κῆρας διαφυγόντες ὥστε Θεῷ μόνῳ προσέχειν, καὶ πάντα κάλλιστα ὡς ἐξῆν ἀνθρώποις κατωρθωκότες ὡς καὶ τὰ πάντων μέγιστα παρὰ τῷ Θεῷ δυνηθῆναι, ὅτι τῆς πρὸς αὐτὸν ἐλπίδος μικρὸν ὑφῆκαν καὶ τοῦ πάντα ἐκείνῳ
20 πιστεύειν, εὐθὺς τὰ ἔσχατα πάντων ἐτόλμησαν καὶ μοχθηρίας ἐνέλιπον οὐδὲ ἕν.

ABCV   MPW   Gass   Migne

53, 5 τὸ : τὰ Gass
54, 1 αὐτοῖς om. C ‖ 11 μέλλειεν CV ‖ 17 τὰ post πάντα add. ABCV Gass ‖ 18 τῷ om. AB ‖ 19 ἐφῆκαν P ‖ τοῦ : τῷ. W ‖ 20 ἔσχατα : αἴσχιστα ABCVWᵖᶜ Gass

53. a. cf. I Pierre 1, 18 s.

53. En effet, le Christ nous a rachetés au prix de son sang[a] et nous a donné la liberté après l'avoir acquise à si grand prix ; et qui, parmi ceux qui ont été libérés, est demeuré en l'état qu'il a reçu et a tenu inviolé jusqu'à la fin le trésor spirituel ? Ne l'a-t-on pas considéré au contraire comme un héros pour n'avoir failli à la grâce qu'en de petites choses ?

La connaissance de soi engendre l'humilité

54. Quelle haute opinion pourrons-nous avoir de nous-mêmes si nous nous connaissons nous-mêmes, nous dont la vertu personnelle ne mène à rien de bon par elle-même et en qui, s'il est quelque chose de vraiment bon, c'est Dieu qui l'a mis sans que nous y travaillions le moins du monde ? Et le trésor déposé en nous par un autre, nous n'avons pas su le conserver en sûreté, tel un coffret sans âme, tant nous sommes piètres. En effet, après la nouvelle création, le creuset de l'eau baptismale et la table pleine de feu[26], même les plus sages des hommes sont à ce point pauvres en vertu qu'ils ont besoin de recourir continuellement à la sainte Table, au sang purificateur et à la main d'en-haut, sinon ils seraient entraînés vers la pire déchéance. En témoignent clairement ceux qui, après s'être dévêtus pour soutenir toutes sortes de peines en vue du bien et de la vertu, se sont ensuite livrés aux pires excès ; eux qui avaient gagné les montagnes et avaient fui comme la peste le tumulte et la vie commune afin d'être attentifs à Dieu seul, qui avaient accompli, autant qu'il est possible à des hommes, toutes sortes d'exploits magnifiques en sorte qu'ils pouvaient obtenir de Dieu les plus grandes choses, parce qu'ils ont relâché un peu leur espérance et leur totale confiance en lui, aussitôt ils sont tombés dans les pires excès et n'ont reculé devant aucune perversité[27].

---

26. Cf. CHRYS., *In Matth.*, *hom.* 82, 5 (*PG* 58, 743).

27. La vaine gloire est le danger qui guette les ascètes et peut réduire à néant tous les efforts : *topos* de la littérature ascétique.

55. Ἀντὶ τίνος τοίνυν ὑπάρξει μέγα φρονεῖν; ὑπὲρ
κατωρθωμένων; ἀλλ' οὐδὲν μέγα. Ἀλλ' ὑπὲρ τῶν ἐν ἡμῖν
μεγάλων; ἀλλ' οὐχ ἡμέτερα. Ἀλλ' ὅτι σεσώκαμεν ἅπερ
ἐλάβομεν; ἀλλὰ προδεδώκαμεν. Ἀλλὰ τοῦ Χριστοῦ τὴν
5 σφραγίδα φέρομεν; ἀλλὰ τοῦτ' αὐτὸ τεκμήριον ὡς οὐ
φέρομεν· τοῖς γὰρ ὑπερηφάνοις οὐδὲν κοινὸν πρὸς ἐκεῖνον
ὃς «πρᾷός ἐστι καὶ ταπεινὸς τῇ καρδίᾳ[a]». Καὶ συμβαίνει
παρὰ τοὺς λογισμοὺς τούτους τὴν ὑπερηφανίαν αὐτὴν ἑαυτῇ
περιπίπτειν καὶ φροῦδον ἑκατέρωθεν εἶναι τὸ πάθος. Εἴτε
10 γὰρ ἃ δεῖ φρονοῦμεν[b], οὐ μέγα φρονοῦμεν· εἴτε μέγα
φρονοῦμεν, τούτῳ δὴ τῷ μέγα φρονεῖν ἡμῶν αὐτῶν
ᾐσθημένοι Χριστοῦ πόρρω φέροντες καὶ ὄντες μηδὲν ὑγιές,
ὡς ἐπὶ φαύλοις ἡμῖν αὐτοῖς οὐ μέγα φρονήσομεν.

56. Περὶ τοῦ δευτέρου μακαρισμοῦ· ὅτι τὸ κατὰ Θεὸν
πενθεῖν διὰ τῆς εἰρημένης κατορθοῦται μελέτης.

Καὶ μὴν καὶ πενθεῖν ἀκόλουθον καὶ δακρύειν τοῖς τὰ
Χριστοῦ μελετῶσιν, εἴ τις λογίζοιτο τίνα μὲν περὶ τῆς σωτη-
5 ρίας ἡμῶν ἐκαινοτομήθη, τίς δὲ ἡ ῥαθυμία καὶ ὁ κατέχων
ἡμᾶς ὕπνος. Εἴτε γὰρ ἡ ζημία τῶν τιμιωτάτων ἡμᾶς λυπεῖ
καὶ ὧν ἀπολωλέκαμεν ἀγαθῶν ἡ μνήμη παρασκευάζει
δακρύειν, ἐνταῦθα τὸν πλοῦτον μανθάνομεν ὅσος ὃν ἐν χεροῖν
ἔχοντες, κατέχειν ἐξόν, ἔπειτα ῥίπτομεν· εἴτε τὸ συνειδέναι
10 πολλὴν ἡμῖν αὐτοῖς ἀγνωμοσύνην περὶ οὕτω φιλότιμον
εὐεργέτην δάκνει καὶ τήκει τὴν ψυχήν, ἐντεῦθεν ἂν μάλιστα
γένοιτο δῆλον, ὅση μὲν πρὸς ἡμᾶς ἐκεῖνος ἡμερότητι κέχρη-
ται καὶ φιλανθρωπίᾳ, ὅσην δὲ πρὸς αὐτὸν ἡμεῖς ἐπιδεικνύμεθα ῥαθυμίαν.

ABCV MPW Gass Migne

55, 10 φρονοῦμεν[1] : φρονεῖν μὲν C ‖ 10 οὐ μέγα φρονοῦμεν *om.*
Migne
56, 1-2 CMPW *mg.* ‖ τὸ — πενθεῖν : τὸ μακαριζόμενον ὑπὸ τοῦ
Χριστοῦ πένθος ABV *mg*

55. a. cf. Matth. 11, 29 ‖ b. cf. Rom. 12, 3

55. De quoi pourrons-nous donc nous enorgueillir ? De nos exploits ? mais ils n'ont rien de grand. Alors, de ce qui est grand en nous ? mais cela n'est pas de nous. Alors, d'avoir conservé de ce que nous avions reçu ? mais nous l'avons livré. Alors, de ce que nous portons le sceau du Christ ? mais cela même est la preuve que nous ne le portons pas : car les orgueilleux n'ont rien de commun avec lui qui «est doux et humble de cœur[a]». Et ces pensées ont pour résultat que l'orgueil se contredit lui-même et que cette passion, des deux côtés, s'évanouit. En effet, ou bien nous avons de nous une juste opinion[b], et ce n'est pas une haute opinion ; ou bien nous avons de nous une haute opinion, mais une fois que nous avons pris conscience que le fait même d'avoir une haute opinion nous entraîne loin du Christ et que nous ne sommes rien de sain, nous n'aurons pas, de nous-mêmes qui sommes mauvais, une haute opinion.

56. *Deuxième béatitude : s'affliger selon Dieu s'acquiert par la méditation susdite.*

En outre, il est normal que ceux qui méditent les choses du Christ s'affligent et pleurent, si l'on considère ce qui a été inventé pour notre salut et quelle indifférence et quelle torpeur nous tiennent ! En effet, ou bien ce qui nous attriste c'est la perte des biens les plus précieux, et le souvenir des biens que nous avons perdus nous dispose à pleurer ; or ici nous apprenons à évaluer la grandeur du trésor que nous tenions dans nos mains et que nous pouvions garder, mais qu'ensuite nous laissons échapper. Ou bien ce qui point et perce notre âme, c'est la conscience d'une grande ingratitude envers un si généreux bienfaiteur ; or là nous pouvons voir avec le plus d'évidence de quelle mansuétude et de quelle philanthropie il a usé à notre égard, et quelle indifférence nous lui témoignons.

57. Πρῶτον μὲν γὰρ ἐξ οὐρανοῦ κατῆλθε ζητῶν καὶ ὅπως συγγενῆ πρὸς ἡμᾶς ἀφήσῃ φωνὴν καὶ ὄψιν δείξῃ πεποίηκεν, ὡσὰν εἴτε τὸν ὁμόφυλον στέργομεν εἴτε τὸν ἄριστον, ἀμφότερον αὐτὸς ᾖ, καὶ δυοῖν τούτων ἃ πανταχοῦ
5 ποιεῖ φιλεῖν ἐπ' αὐτοῦ συνελθόντων, τὰ μέγιστα πρὸς ἔρωτα δυνηθῇ.

58. Ἔπειτα τὴν φιλίαν αὔξων, κἀκεῖνο προσέθηκεν· ἐπεὶ γὰρ φιλεῖ μὲν ἑαυτὸν ἕκαστος, φιλεῖ δὲ τὸν ὁμόφυλον, ἀλλ' ὅσον ἑαυτῷ τις προσήκει μᾶλλον ἢ τοῖς ὁμοφύλοις, ἑαυτὸν στέργει μᾶλλον ἢ τὸν ὁμόφυλον, ὡσὰν καὶ ταύτῃ τὸν βελτίω
5 τοῦ φιλεῖσθαι κατάσχῃ τόπον τὸ τῶν ἐφετῶν ἔσχατον, καὶ
(665) μὴ καθάπερ τοῖς ὁμοφύλοις χαίρομεν, | ἀλλ' ὥσπερ ὑφ' ἡμῶν αὐτῶν φιλούμεθα, τοῦτον τὸν τρόπον αὐτὸς ὑπὸ πάντων ἔχῃ φιλεῖσθαι, οὐκ ἠγάπησεν ἡμῖν ὁμόφυλος ὢν τῷ φύσεως μεταλαβεῖν τῆς αὐτῆς, ἀλλὰ καὶ ταυτοῦ σώματος
10 καὶ αἵματος καὶ πνεύματος ἡμῖν κοινωνήσας, ὃ περὶ τῶν φίλων ἡ παροιμία φησὶν ὑπερβολῇ χρωμένη, τοῦτο πρὸς ἀλήθειαν αὐτὸς ἑκάστῳ γένηται τῶν προσκειμένων ἄλλος αὐτός.

59. Εἰ δ' ἐκεῖνος μὲν οὕτως ἡμᾶς ἐζήτησε, καὶ φιλίας οὐδένα παρῆκε τόπον ἀργὸν ἑαυτοῦ, ἀλλὰ καὶ τὸν εὐεργέτην ἔδειξε καὶ τὸν ἀδελφόν, καὶ ἡμῖν ὑπῆρξεν ἀντὶ ἡμῶν αὐτῶν, καὶ ταῦτα οὐ θελήσας οὐδὲ νεύματι μόνον ᾖ τὸν οὐρανὸν
5 ἐποίησε τοῦτον, ἀλλ' ἱδρῶσι καὶ πόνοις οὐδαμόθεν αὐτῷ προσῆκον, καὶ ἀγωνίᾳ[a] καὶ ἀτιμίᾳ καὶ πληγαῖς καὶ τελευταῖον θανάτῳ· ἡμεῖς δὲ οὐ μόνον οὐδ' ἡστινοσοῦν μεμνήμεθα χάριτος πρὸς τὸν οὕτω παντοδαπῶς ἡμῖν

ABCV   MPW   Gass   Migne

58, 3-4 τοῖς ὁμοφύλοις, ἑαυτὸν στέργει μᾶλλον ἢ *om.* P ‖ 10 ἵνα *post* κοινωνήσας *add.* Gass ‖ 11 ἢ : καὶ W
59, 7 τὸ τελευταῖον ABCV Gass ‖ οὐδ' *om.* BP

59. a. cf. Lc 22, 44

28. Cf. Aʀ., *Eth. Nic.*, IX, 4, 1166 a.

Notre ingratitude envers les bienfaits du Christ

57. Tout d'abord en effet, il est descendu du ciel pour nous chercher et il a fait en sorte que la parole qu'il nous adressait et la vue qu'il offrait de lui nous fussent parentes ; ainsi, que notre affection se porte vers notre frère de race ou vers le Bien, il est lui-même l'un et l'autre, et en faisant converger vers lui ces deux motifs universels d'amour, il a les plus grandes chances de gagner notre amour.

58. Ensuite, pour accroître cette amitié, il a encore ajouté ceci : puisque chacun s'aime soi-même et aime son frère de race, avec cette réserve qu'on est plus proche de soi-même que de son frère de race, comme il voulait qu'en cela aussi la meilleure place dans notre amour revînt à l'ultime désirable, et comme il voulait obtenir d'être aimé de tous non de la façon dont nous mettons notre joie dans nos frères de race, mais de celle dont nous sommes aimés de nous-mêmes, il ne s'est pas contenté de partager notre nature puisqu'il était notre frère de race, mais en partageant avec nous le même corps, le même sang et le même esprit, il a réalisé en vérité, pour chacun de ceux qui s'attachent à lui, ce que le proverbe dit des amis en usant d'une hyperbole : un autre lui-même[28].

59. S'il nous a ainsi recherchés, s'il n'a laissé aucun recoin de notre amour vide de lui, mais qu'au contraire il s'est montré notre bienfaiteur et notre frère, s'il a pris en nous la place de nous-mêmes, et cela non en le voulant simplement ni d'un geste, à la façon dont il créa le ciel que nous voyons, mais au prix de fatigues et de peines qui ne lui revenaient à aucun titre, au prix de son agonie[a], de son humiliation, de ses plaies et pour finir de sa mort ; et si nous, de notre côté, non seulement nous oublions de lui

ἀγαθὸν οὐδὲ ζητοῦμεν οἷς ἀμειψόμεθα, ἀλλ᾽ οὕτω σκαίως
10 ἔχομεν ὥστε οἷς ἀπεχθάνεται προσκείμεθα καὶ ὧν ἀπάγει
τούτων ἐχόμεθα καὶ πρὸς ἃ προτρέπεται ταῦτα φεύγομεν
καὶ οὕτως ἄτοπον ἐπιδεικνύμεθα πονηρίαν, τίνων οὐ θρήνων
ἄξιοι καὶ δακρύων οἳ τἄλλα μὲν λόγου τινὸς ἐνομίσαμεν,
τὸν Σωτῆρα δὲ καὶ τἀκείνου περιορῶμεν, ὥσπερ ἄλλοις
15 προσῆκον ζητεῖν ἢ μὴ περὶ ἡμᾶς τῆς ἀφάτου γενομένης
ἐκείνου προνοίας.

60. Καὶ τοῖς μὲν ἐπιτηδείοις ἃ δεῖ χρῆσθαι, πρὸς ἡμῶν
ἡγούμεθα, καὶ μὴν καὶ λόγοις καὶ ἔργοις καὶ τέχναις
ἁπάσαις καὶ πᾶσι τοῖς παρὰ τὸν βίον· κἂν γεωργῆσαι κἂν
στρατηγῆσαι δέῃ κἂν ὁτιοῦν εἰς τὸ κοινὸν πολιτεῦσαι κἂν
5 αὐτόν τινα πράττειν ἐφ᾽ ἑαυτοῦ, τὸ εἰκὸς ζητοῦμεν
ἑκασταχοῦ καὶ τοῦ χρόνου τὸν καιρὸν ἐπαινοῦμεν, καὶ ὅλως
τὸ γιγνόμενον καὶ τὸ εἰκὸς καὶ τὸ δίκαιον καὶ τοῦτο δὴ
τοὔνομα πανταχοῦ πολὺ παρ᾽ ἡμῖν. Μόνων δὲ περὶ τῶν ὡς
ἀληθῶς ἡμετέρων, ὅπως ᾖ προσῆκε φυλάξομεν καὶ δι᾽ ὧν
10 ἂν ἡμῖν αὐτοῖς τὸ δίκαιον ἀποδοῖμεν, ἥκιστα δὴ πάντων
σκοποῦμεν, ὥσπερ τῶν ἄλλων ἁπάντων χείρους ἡμᾶς αὐτοὺς
ἡγούμενοι.

61. Εἰ μή τι ἄλλο, πρὸς γοῦν τὴν καινοτομίαν ἐπιστρα-
φέντες ἐν ᾗ πάντα ἔσεισε καὶ μετήγαγεν, ἐν ᾗ τὰ μὲν ὑπὲρ
τὸν οὐρανὸν οἱ πυθμένες τῆς γῆς εἶδον, γῇ δὲ αὐτὸν ὑπερέβη
τὸν οὐρανόν, καὶ δεσμώτης μὲν ὁ κοινὸς τοῦ κόσμου
5 τύραννος, οἱ δεδεμένοι δὲ τοῦ τυράννου πατοῦσι τὴν
κεφαλήν, καὶ σῶμα Θεὸς ἑωρᾶτο φέρων καὶ τοῦτο πληγαῖς
εἶκον καὶ αἷμα καὶ τοῦτο χέων ἐπὶ σταυροῦ, καὶ αὖ νεκρὸς
ἀνθρώπου σείων τὴν γῆν καὶ νεκροῖς ζωὴν ἐπανάγων, ὧν

ABCV MPW Gass Migne

59, 13 ἐσμὲν post δακρύων add. A ‖ vac. 1 litt. post δακρύων B
60, 8 ἡμῶν Gass ‖ περιττῶν C ‖ 9 vac. 1 litt. post ἡμετέρων B
61, 2 ἐν ᾗ P : ᾗ cett.

29. Cf. Ar., Eth. Nic., X, 7, 1178.

témoigner une quelconque gratitude pour le bien dont il nous a gratifiés d'une façon aussi universelle, non seulement nous ne cherchons pas que lui rendre en échange, mais nous sommes grossiers au point de nous complaire dans ce qui lui est odieux, de nous attacher à ce dont il nous écarte, de fuir ce à quoi il nous exhorte, et de faire ainsi preuve d'une incroyable méchanceté ; alors, quelles ne devraient pas être nos lamentations et nos larmes, nous qui, ayant prisé tout le reste, ne méprisons que le Sauveur et ses bienfaits, comme si c'était à d'autres qu'il revenait de le chercher, ou comme si ce n'était pas envers nous que s'exerçait son ineffable providence.

60. Ce dont nous avons à faire usage dans notre vie quotidienne, nous l'estimons de notre ressort : paroles, actions, tous les arts, tout ce que réclame l'existence ; qu'il faille cultiver la terre, commander une armée, exercer une quelconque fonction publique ou gérer ses propres affaires, nous recherchons de tout côté ce qui convient, nous évaluons le moment opportun, bref en toutes circonstances le réel, le raisonnable, le juste, ou du moins ce qui en porte le nom, comptent beaucoup pour nous. Ce n'est qu'à propos de ce qui est véritablement nôtre que nous nous préoccupons le moins de la façon de le conserver comme il faut et des moyens de nous rendre justice à nous-mêmes, comme si nous nous estimions moins précieux que tout le reste[29].

61. A défaut d'autre chose, tournons-nous du moins vers cette innovation par laquelle tout a été ébranlé et bouleversé — en laquelle les racines de la terre ont vu ce qui est au-dessus des cieux et la terre est montée au-dessus du ciel même, en laquelle le tyran commun du monde est enchaîné et les captifs foulent aux pieds la tête du tyran ; on a vu Dieu porter un corps, un corps couvert de plaies, et du sang, le sang qu'il versa sur la croix ; on a vu le cadavre d'un homme ébranler la terre et redonner vie aux

ἔργον οὐδὲν ἢ τὸν Δεσπότην ἐπιγνῶναι καὶ τῆς γῆς
10 ἀναστῆναι καὶ πρὸς οὐρανὸν βλέψαι τὸν ἄνθρωπον, οἱ
δὴ τούτων συνενεχθέντων ἔτι καθεύδοντες, καὶ καθάπερ
ἀνδριάντες πρὸς βροντὰς παθόντες οὐδέν, τίνων οὐκ
ἀθλιώτεροι; πῶς δὲ οὐ δίκαιοι τὸν ἅπαντα τοῦ βίου χρόνον
πένθους ἡγεῖσθαι καιρόν;

62. Τίνα γὰρ ἃ δακρύομεν; Νόσος; ἡμῖν δὲ οὐ νοσεῖ τῶν
ἐν ἡμῖν τὸ βέλτιον; Ἀλλὰ πενία; καὶ μὴν πολὺ χείρω ταύτῃ
τῶν πενήτων πράττομεν, ὅσον ἀναγκαιότερος ἐνταῦθα καὶ
(668)   πολὺ βελτίων ὁ πλοῦτος · καὶ πενίαν μὲν ἐπὶ τοῦ | παρόντος
5 ἀνάγκη πεπαῦσθαι, τουτὶ δὲ τὸ δεινὸν οὐ δύναται λύειν ἡ
τελευτή, ἀλλ᾽ ἀνάγκη καὶ πολλῷ μείζω ποιεῖν ἡμῖν ἐπὶ τοῦ
μέλλοντος τὴν αἰσχύνην. Ἀλλὰ μανία ἐλεεινόν; τί οὖν; οὐ
πονηρὸς ἡμῶν ἐλαύνει δαίμων τὴν γνώμην, ἧς τοσαύτην
κατέχεεν ἄνοιαν; εἰ γὰρ ἐπὶ ξίφους χωρεῖν καὶ κατὰ
10 κρημνῶν ἵεσθαι καὶ τοὺς φίλους ἀγνοεῖν καὶ τοῖς δυσμε-
νεστάτοις προσπίπτειν, ταῦτα μαινομένων, οὐ τὸν φιλοῦντα
φεύγομεν; οὐ τὸν ἐχθρὸν οἷς ποιοῦμεν ζητοῦμεν; οὐκ ἐπὶ
τὴν γέενναν σπεύδομεν, πάντα ποιοῦντες ἃ πρὸς ἐκείνην
ὠθεῖ;

63. Οὕτω μὲν τοίνυν ἡμῖν αὐτοῖς τὰ πάνδεινα συνειδόσι
δακρύειν ἀκόλουθον καὶ πενθεῖν. Ταῦτα δὲ γένοιτ᾽ ἂν ἡμῖν
αὐτοῖς συνεγνωκέναι καὶ τὰ ὄντα δοξάζειν, καὶ μὴ καὶ τοῦτο
δυστυχεῖν, ἢ κακῶν ἐσμὲν ἀγνοοῦσιν, ἐὰν τὴν εὐεξίαν καὶ
5 τὸν πλοῦτον εἰδῶμεν καὶ τὸ σωφρονεῖν, ὧν ἡμῖν ὑπὸ τοῦ

ABCV   MPW   Gass   Migne

61, 13 δίκαιον AMW
62, 2 βέλτιστον ABCVW Gass ‖ χείρω P : χεῖρον *cett.* ‖ 9 ξίφους P :
ξίφη *cett.* ‖ 12 ζητοῦμεν *om.* C

30. Toute cette description de la Résurrection est très influencée
par la liturgie. Cf. les odes de l'orthros du dimanche.

cadavres[30] ; et tout cela à cette seule fin, que l'homme
reconnût le Maître, se relevât de la terre et regardât vers
les cieux —, ceux qui restent assoupis devant cette foison
de merveilles, et comme des statues que les coups de
tonnerre n'affectent nullement, est-il rien de plus misérable qu'eux ? ne méritent-ils pas de regarder tout le temps
de leur vie comme un temps d'affliction ?

Prendre conscience de sa misère

62. En effet, de quoi nous affligeons-nous ? De la
maladie ? mais n'est-elle pas malade, la meilleure part de
nous-mêmes ? Alors, de la pauvreté ? mais notre situation
est bien pire que celle des pauvres, dans la mesure où la
richesse qui nous manque est plus nécessaire et bien plus
précieuse : car la pauvreté d'ici-bas a nécessairement une
fin, tandis que ce malheur-là, la mort ne peut le
supprimer ; au contraire, dans le futur, il nous rendra
forcément la honte bien plus cuisante. Alors, est-ce la folie
qui est digne de pitié ? eh quoi ! n'est-ce pas un esprit
mauvais qui entraîne notre volonté, qu'il a emplie d'une si
grande déraison ? Se jeter sur une épée, sauter du haut
d'une falaise, ignorer ses amis et se précipiter dans les bras
de ses pires ennemis, si tout cela est le fait des insensés, ne
fuyons-nous pas celui qui nous aime ? ne recherchons-nous
pas notre ennemi par tous nos actes ? ne nous hâtons-nous
pas vers la géhenne, nous qui faisons tout ce qui y mène ?

63. Ainsi donc, connaissant nos misères, nous devrions
logiquement pleurer et nous lamenter. Or, il nous est
possible de prendre conscience de notre condition, de
reconnaître la réalité et de ne pas avoir encore cette
disgrâce d'ignorer les maux dans lesquels nous nous
trouvons, si nous reconnaissons que la santé, la richesse, la

Χριστοῦ μηδὲν πονήσασι κατεσκευασμένων, τυγχάνειν
ἔξεστιν εἰσάγοντας οὐδὲν πλέον ἢ βουλομένους.

64. Τοῦτο γὰρ ἂν καὶ δάκοι μᾶλλον καρδίαν, ἐξὸν
εὐδαιμονεῖν, αἱρεῖσθαι δυστυχεῖν, καὶ ζῆν ἐν φωτὶ δυναμένους, ἐν σκότει καθημένους[a] ἀνέχεσθαι. Ταῦτα δὲ οὐ τοῖς
ῥαθύμως ἔχουσι μόνον ἐμβαλεῖ δάκρυον, ἀλλὰ καὶ τοῖς
5 σπουδαιοτάτοις, καὶ μάλιστα τούτοις, ὅσῳ καὶ μείζονος
αἰσθάνονται τῆς ζημίας. Καὶ γὰρ καὶ ταῦτα καὶ τὰ τούτων
ἔτι χείρω καταψηφίζονται σφῶν αὐτῶν, ἐπειδὰν ἐνθυμηθῶσι
Θεὸν ἐπὶ σταυροῦ γυμνόν, σφαττόμενον, ᾧ πάντα δουλεύει,
καὶ τὴν ἀντίστροφον παρ᾽ ἡμῶν εἰσπραττόμενον ἀμοιβήν ·
10 ἀνθ᾽ ὧν ἄνθρωπου Θεὸς ὢν αὐτὸς ἐδέξατο φύσιν, γενέσθαι
θεοὺς ἡμᾶς ἐξ ἀνθρώπων, καὶ τῆς μὲν γῆς τὸν οὐρανόν,
τῆς δὲ δουλείας τὴν βασιλείαν, τῆς δὲ συνούσης ἀδοξίας
τὴν ἀληθινὴν ἀλλάξασθαι δόξαν · ὑπὲρ ὧν ὁ τῶν οὐρανῶν
τεχνίτης ἐνεδύσατο γῆν, καὶ ὁ μὲν φύσει Δεσπότης «ἐν
15 δούλου μορφῇ[b]», ὁ δὲ τῆς δόξης βασιλεὺς[c] «ὑπέμεινε
σταυρὸν αἰσχύνης καταφρονήσας[d]».

65. *Περὶ τοῦ τρίτου μακαρισμοῦ · ὅτι τὸ πρᾷους εἶναι
διὰ τῆς εἰρημένης κατορθοῦται μελέτης.*

Πραότητος δὲ πέρι καὶ τοῦ θυμοῦ κρατεῖν, καὶ μὴ πρὸς
τοὺς λελυπηκότας χαλεπῶς ἔχειν, πολλῶν ὄντων δι᾽ ὧν τὴν
5 ἀληθῆ φιλοσοφίαν ὁ Σωτὴρ εἰσήνεγκεν εἰς τὸν κόσμον, τὰ
πλεῖστα πάντων καὶ μέγιστα προτέθεικε παραδείγματα, καὶ
οἷς εἶπε καὶ οἷς ἐποίησε καὶ ὧν ἠνέσχετο πάσχων.

ABCV　MPW　Gass　Migne

64, 1 καὶ *om.* Gass ‖ 4 ἐμβαλεῖν C ἐμβάλλει V Migne ‖ 5 ὅσο ABV ‖ 7
καὶ τιμῶσιν αὐτοῖς τῶν ἐσχάτων *post* αὐτῶν *add.* ABCV Gass
65, 1-2 ABVMPW *mg.* C ‖ 1 τὸ πράους εἶναι : ἡ πραότης ABV ‖ καὶ
θυμοῦ κρατεῖν *post* εἶναι *add.* C ‖ 2 διὰ : ἀπὸ ABCV ‖ 3 πέρι *om.*
ABCVW Gass ‖ 6 προστέθεικε ACVᵖᶜ Gass ‖ 6-7 καὶ οἷς εἶπε *om.* Gass

sagesse qui ont été disposées en notre faveur par le Christ, sans que nous nous soyons fatigués en rien, nous pouvons les gagner sans rien fournir de plus que notre vouloir.

64. Voici qui mordrait davantage encore notre cœur : alors qu'on peut être heureux, choisir d'être malheureux ; quand on a la possibilité de vivre dans la lumière, tolérer d'être assis dans les ténèbres[a]. Et ce n'est pas chez les seuls insouciants que cette pensée fera jaillir des larmes, mais aussi chez les fervents, et surtout chez eux, dans la mesure où ils perçoivent plus fortement le dommage. En effet ils se condamnent eux-mêmes plus sévèrement encore pour cette perte et ses conséquences, car ils se représentent un Dieu nu sur une croix, immolé, lui à qui toute chose est soumise, et réclamant de nous le retour : puisqu'il a, étant Dieu, pris la nature humaine, il attend qu'en échange nous devenions dieux, d'hommes que nous sommes, et que nous échangions la terre contre le ciel, la servitude contre la royauté, notre infamie congénitale contre la gloire véritable ; c'est dans ce but que le créateur des cieux revêtit la terre, que celui qui est Maître par nature fut «en forme d'esclave[b]», et que le roi de gloire[c] «accepta une croix dont il méprisa l'infamie[d]».

65. *Troisième béatitude : la douceur s'acquiert par la méditation susdite.*

Au sujet de la douceur et de la faculté de maîtriser son emportement et de ne pas s'irriter contre ceux qui nous ont contristé, parmi les nombreux moyens utilisés par le Sauveur pour introduire dans le monde la vraie sagesse, les plus nombreux et les plus grands sont les exemples qu'il nous a donnés par ses paroles, par ses actes et par les souffrances qu'il a supportées.

64. a. cf. Lc 1, 79 ‖ b. cf. Phil. 2, 7 ‖ c. cf. Ps. 23, 7 ‖ d. Hébr. 12, 2

66. Αὐτίκα γὰρ ὑπὲρ τῶν λελυπηκότων, αἵματος ἠνέσχετο καὶ σαρκός· καὶ τούτους ἦλθε λῦσαι ζητῶν, οἷς τὰ
δεινότατα πάντων εἶχεν ἐγκαλεῖν· καὶ παρ' ὧν ἔπειτα ταῖς
εὐεργεσίαις αἷς τὴν φύσιν ἐπηνώρθου, τῶν βασκάνων
5 ἐπιθεμένων οὐκ ἀνῆκεν εὐεργετῶν· ἀλλ' ὅτι τοὺς δαίμονας
ἐξέβαλλε τῶν ἀνθρώπων, Βεελζεβοὺλ καὶ δαιμονίων ἄρχων[a]
καὶ δεινότατα πάντων ἀκούων, οὐδὲν ἧττον ἤλαυνε· καὶ
τῶν μαθητῶν ἕνα πρὸς αὐτὸν διαφθαρέντα, τοσοῦτον
ἀπέσχεν ἐκβαλεῖν τοῦ χοροῦ, ὥστε καὶ συνῆν ἃ συνεῖναι
10 φίλοις εἰκός, καὶ ἅλῶν ἐκοινώνει τῷ φονευτῇ καὶ τῶν
ἀπορρήτων τῷ προδότῃ καὶ τῶν αἱμάτων αὐτῶν[b], καὶ
τελευταῖον παρέσχε περιβαλεῖν καὶ φιλῆσαι[c].

67. Καὶ τὰ μὲν πάντων καινότατα ἐτολμᾶτο· ὑπὲρ ὧν
(669) εὖ πεποίηκεν ἀπέ|θνησκεν· αὐτοὶ τὸ ξίφος ὤθησαν οἱ
παθόντες εὖ· ὁ φίλος τοῦ φόνου τοῖς φονευταῖς ἡγήσατο·
τὸ φίλημα ἦν τοῦ φόνου σύνθημα. Καὶ ὁ ταῦτα πάσχων
5 οὕτως ἡμέρως εἶχε καὶ φιλανθρώπως, ὥστε ὑπό του τῶν
μαθητῶν πληγέντος τῶν κυνῶν ἐκείνων ἑνός, αὐτὸν τὴν
πληγὴν μὴ παραδραμεῖν, ἀλλ' εὐθὺς ἰάσασθαι, τοῦ μέλους
ἁψάμενον[a]. Καὶ οὕτω σημεῖον ἐξενεγκόντος τῆς τε ὑπερφυοῦς
ἰσχύος καὶ ἡμερότητος τῆς ἐσχάτης, οὔτε ταύτην φοβη-
10 θέντας οὔτ' ἐκείνην αἰδεσθέντας, οὐκ ἀπώλεσεν οὐδὲ πῦρ
ὗσε τοῖς μιαροῖς[b] οὐδὲ κεραυνοῖς ἔβαλε, δικαίους ὄντας καὶ
τούτων καὶ εἴ τι χεῖρον.

Ἀλλ' ὁ μὲν τῶν ἀγγέλων χορὸς ἀδεῶς οὐδὲ προσβλέπειν
εἶχον αὐτῷ, τοῖς δὲ ἕλκουσιν ἠκολούθει καὶ παρεῖχε

ABCV   MPW   Gass   Migne

66, 3 χαλεπώτατα *post* ἐγκαλεῖν *add.* V ǁ 6 ἐξέβαλε A
67, 8 ἐξενέγκων Gass ǁ 10-11 οὐδὲ¹ — μιαροῖς *om.* C ǁ 11 ὗσαι
W ǁ 14 εἶχεν Gass

---

66. a. cf. Matth. 10, 25 ǁ b. cf. Matth. 26, 23 s. et parallèles ǁ c. cf.
Matth. 26, 49 et parallèles
67. a. cf. Lc 22, 51 ǁ b. cf. Gen. 19, 24; Lc 9, 54

Douceur du Christ

66. Par exemple, c'est pour ceux qui l'avaient contristé qu'il a assumé chair et sang ; et il est venu chercher, pour les délivrer, des êtres à qui il était en droit de faire les plus graves reproches ; et comme par la suite ils dénigraient les bienfaits par lesquels il redressait notre nature, il ne mit pas un terme à ces bienfaits. Au contraire : parce qu'il expulsait des hommes les démons, il s'entendait traiter de «Béelzéboul» et de «prince des démons[a]» et des pires dénominations, mais il n'en continuait pas moins ; un de ses disciples ayant été corrompu et retourné contre lui, non seulement il s'abstint de le chasser du chœur des disciples, mais il se comportait avec lui comme avec un ami, il partageait le sel avec le meurtrier, il confiait au traître ses secrets et jusqu'à son propre sang[b], et pour finir il lui permit de l'étreindre et de lui donner un baiser[c].

67. Il a eu les audaces les plus inouïes : il est mort pour des êtres qu'il avait couverts de bienfaits ; et ceux qui ont brandi l'épée contre lui, ce sont ceux qui avaient reçu ces bienfaits ; l'ami conduisit les meurtriers pour le meurtre ; le baiser était le signal du meurtre. Et celui qui souffrait tout cela se montra doux et ami des hommes au point que, l'un de ces chiens ayant été blessé par un des disciples, lui ne négligea pas la blessure mais aussitôt la guérit en touchant le membre blessé[a]. Ayant ainsi montré un signe de sa puissance extraordinaire en même temps que de son extrême douceur, il ne fit pas périr ceux qui ne craignaient la première ni ne respectaient la seconde ; il ne fit pas pleuvoir le feu sur les infâmes[b] et ne foudroya pas ces hommes qui le méritaient bien, et même pire encore.

Le chœur des anges ne pouvait pas même le regarder sans crainte[31], et lui suivait ceux qui le traînaient et

---

31. Cf. Chrys., *In Matth.*, hom. 82, 5 : «celui devant qui les anges tremblent en le regardant».

15 συνδῆσαι χεῖρας, αἷς ὑπεχώρει δεσμὰ νόσου καὶ δαιμόνων
ἐλύετο τυραννίς · καὶ παίσαντα κατὰ κόρρης αὐτὸν τὸν
κάκιστ' ἀπολούμενον δοῦλον ἐξόν, οὐ διέφθειρεν, ἀλλ' ἠπίως
μάλα καὶ φιλανθρώπως λόγων ἠξίου καὶ διωρθοῦτο τὴν
γνώμην τό γ' ἐπ' αὐτῷ[c].

68. Εἶτα θανάτου τιμησάντων αὐτῷ τῶν μιαρῶν δικασ-
τῶν σιωπῇ φέρει τὴν ψῆφον[a] · καὶ δεξάμενος τὸ τίμημα
καὶ προσηλωθεὶς ἤδη τῷ ξύλῳ, τὸ πρὸς τοὺς φονευτὰς
οὕτως οὐ διέλυσε φίλτρον, ὥστε τοῦ γεγεννηκότος ἐδεῖτο
5 τοῦ πρὸς τὸν Μονογενῆ τολμήματος μηδεμίαν παρ' αὐτῶν
εἰσπράξασθαι δίκην · καὶ οὐ παρῃτεῖτο περὶ αὐτῶν μόνον,
ἀλλ' ἤδη καὶ ἀπελογεῖτο, καὶ ἦν ἡ φωνὴ τῆς ἀπολογίας,
σφόδρα περικαιομένου καὶ ἐλεοῦντος · «Ἄφες γὰρ αὐτοῖς,
φησί, Πάτερ · οὐ γὰρ οἴδασι τί ποιοῦσι[b]». Καὶ καθάπερ
10 πατὴρ φιλόστοργος ἀφραίνοντας διὰ τὴν ἡλικίαν παῖδας
οἰκτείρων, ἥμερον αὐτοῖς εἰργάζετο τὸν σωφρονιστήν · καὶ
τότε μὲν μετὰ τούτων ἀπέθνησκε τῶν φωνῶν.

69. Ἐπεὶ δὲ ἀνεβίω καὶ τῆς ἑορτῆς ἔδει κοινωνοὺς λαβεῖν
τῶν ἐπιτηδείων οἷς ἐνέμεινεν ἡ γνώμη, μὴ μνησικακήσας
ὑπὲρ ὧν ἔλιπον αὐτὸν φυγόντες ἐν μεσημβρίᾳ κινδύνων,
τοὺς μαθητὰς συνεκάλει · καὶ μηνύσας οἷ δεῖ γενομένους
5 αὐτῷ συνελθεῖν[a], ἐπεὶ συνῆλθε φανείς, οὐ προφέρει τὴν
φυγήν, οὐδὲ φαίνεταί που πρὸς αὐτοὺς τοσούτου δή τινος
μεμνημένος, καὶ ὡς ἰσχυρίσαντο μὲν αὐτῷ θανάτου πάντες
κοινωνήσειν καὶ τῶν ἐσχάτων[b], οἱ δ' οὐδὲ τὴν θέαν ἤνεγκαν,
καὶ ταῦτα οὐδὲ παρόντων ἀλλ' ἔτι μελλόντων τῶν δεινῶν[c].
10 Ἀλλ' εἰρήνης καὶ Πνεύματος Ἁγίου καὶ τῶν τοιούτων

ABCV MPW Gass Migne

67, 17 ἀπολλύμενον ABCVMW Gass
68, 5 Μονογεννῆ ACW ‖ 8 αὐτοῖς *om.* C ‖ 12 μὲν : μὴν C

---

67. c. cf. Jean 18, 22-23
68. a. cf. Matth. 26, 63 ; 27, 14 et parallèles ‖ b. Lc 23, 34

présentait ses mains pour qu'on les liât, ses mains par
lesquelles étaient dénouées les entraves de la maladie et
déliée la tyrannie des démons ; il ne fit pas périr, bien qu'il
en eût le pouvoir, le serviteur pendable qui l'avait frappé à
la joue ; au contraire, avec beaucoup de calme et de
philanthropie, il ne dédaigna pas de lui adresser la parole
et redressa sa volonté autant qu'il dépendait de lui[c].

68. Ensuite, quand les juges iniques l'ont condamné à
mort, il supporte en silence la sentence[a] ; ayant subi la
peine, une fois cloué sur le bois, il renonça si peu à son
amour pour ses meurtriers qu'il supplia son Père de ne leur
infliger aucun châtiment pour avoir condamné son Fils
unique ; non seulement il intercéda pour eux, mais il prit
leur défense, et la voix de son plaidoyer était celle d'un
avocat enflammé et miséricordieux : « Père, dit-il, pardon-
ne-leur car ils ne savent pas ce qu'ils font[b] ». Et tel un père
affectueux qui a pitié de ses enfants irréfléchis à cause de
leur âge, il rendit clément envers eux le précepteur. C'est
sur ces paroles qu'il mourut.

69. Après avoir repris vie, quand il s'agissait de faire
participer à la fête les amis dont la volonté lui était restée
fidèle, il convoqua ses disciples sans leur garder rancune
d'avoir fui en l'abandonnant au plus fort des dangers ; il
leur fait connaître où ils doivent aller pour le rencontrer[a],
et quand il les rencontre en leur apparaissant, il ne
rappelle pas leur fuite, il semble même n'avoir nul souvenir
d'une si grave faute : qu'après s'être faits forts de partager
tous avec lui la mort et les pires supplices[b], ils n'en aient
seulement pas supporté la vue, alors que ces supplices
n'étaient pas même présents mais encore à venir[c]. Au
contraire, il leur communique la paix et l'Esprit Saint et

69. a. cf. Matth. 28,7 et parallèles ‖ b. cf. Matth. 26,35 et
parallèles ‖ c. cf. Matth. 26,56

αὐτοῖς μεταδούς[d], τὴν τῆς οἰκουμένης ἔπειτα πάσης
ἐπιτρέπει κηδεμονίαν[e], καταστήσας αὐτοὺς ἄρχοντας ἐπὶ
πᾶσαν τὴν γῆν[f].

70. Καὶ ταῦτα μὲν εἴργαστο κοινῇ τὸν χορόν· τὸν δὲ
κορυφαῖον αὐτόν, πολλάκις ἤδη τὸ πρὸς αὐτὸν προδεδωκότα
φίλτρον καὶ τὴν στοργὴν ἠρνημένον[a], ὁποῖα ; Οὐ γὰρ ὅσον
τὴν ἄρνησιν οὐκ εἰς μέσον ἤγαγεν, οὐδ' ἀνέμνησε τῶν
5 συνθηκῶν ἐν αἷς ἀπώμοτον ἦν αὐτῷ τὸ μὴ μετασχεῖν τοῦ
θανάτου τῷ διδασκάλῳ, ὧν αὐτίκα παραβάτης ἦν[b] οὐδὲ
μικρὸν διαλιπὼν χρόνον, ἀλλὰ καὶ τοὺς ἀγγελοῦντας τὴν
(672) ἀνάστασιν πέμψας χωρὶς | τῶν ἄλλων αὐτῷ[c] καὶ ταύτῃ
τιμήσας, ὁ δὲ καὶ συνελθὼν τὰ φιλικὰ διελέχθη, καὶ
10 πυνθάνεται τὸν ἑαυτοῦ πόθον εἰ μείζων ἢ παρὰ τοῖς ἄλλοις
τῶν ἑταίρων ἐστὶν ἐν αὐτῷ· καὶ τοῦ Πέτρου φιλεῖν εἰπόντος,
ἔτι ταὐτὸ πυνθάνεται, καὶ τὸ· «Φιλῶ σε» πάλιν ἀκούσας,
ἀνείρετ' αὖθις εἰ φιλοῖτο· καὶ οὐκ ἂν ἐμοὶ δοκεῖν ἐρωτῶν
ἀνῆκεν πολλάκις εἰ μὴ Πέτρος ἀπεῖπεν ἀνιαθείς, εἰ πρὸς
15 τὸ μαθεῖν ὅτι φιλοῖτο πολλῶν δέοιτο λόγων, πάντα εἰδώς[d].
Καίτοι ταῦτα ἦν, οὔτε τὸν φίλον ἀγνοοῦντος, οὔτε τὸν
ἀγνοοῦντα πλαττομένου· τὸ μὲν γὰρ ἦν πλανᾶσθαι, τὸ δ'
ἀπατᾶν, ὧν οὐδέτερον τῆς εἰλικρινοῦς ἀληθείας. Ἀλλὰ τοῦτο
μὲν ἐκεῖνο δεικνύντος, ὡς οὐ μνησικακῶν εἴη, τῶν προτέρων
20 ὁμολογιῶν πεπατημένων· οὐ γὰρ ἂν ἐζήτει δευτέρας· τοῦτο
δὲ τὸ φίλτρον ἀνάπτων τῷ Πέτρῳ, κινδυνεῦσαν ἤδη
σβεσθῆναι μικροῦ. Τὸ γὰρ τοιαύτας μὲν πεύσεις προσάγειν,

ABCV   MPW   Gass   Migne

70, 3 ὅσον : μόνον Gass ‖ 16 ἦν *om.* A ‖ 21 τὸ φίλτρον ἀνάπτοντος *post*
τῷ Πέτρῳ *transp.* AB ‖ ἀνάπτων P : ἀνάπτοντος *cett.*

69. d. cf. Jn 20, 19.21-23 ‖ e. cf. Mc 16, 15 ‖ f. cf. Ps. 44, 17
70. a. cf. Matth. 26, 70-74 et parallèles ‖ b. cf. Matth. 26, 33-35 ‖ c.
cf. Mc 16, 7 ‖ d. cf. Jn 21, 15-17

autres biens semblables[d], et leur confie ensuite la charge de toute la terre habitée[e], en les établissant princes sur toute la terre[f][32].

Douceur du Christ envers Pierre

70. Voilà ce qu'il fit pour tout le chœur des apôtres. Mais envers le coryphée lui-même, qui avait à plusieurs reprises trahi la tendresse qu'il lui devait et renié son amour[a], quelle fut son attitude? Non seulement il ne mentionna pas l'étendue de son reniement, non seulement il ne lui rappela pas les serments par lesquels il s'était voué à partager la mort de son maître[b], serments qu'il avait aussitôt violés, sans le moindre délai; mais c'est à lui, à l'exclusion de tout autre, qu'il envoya annoncer sa Résurrection[c]; et après l'avoir ainsi distingué, quand il le rencontra, il s'entretint amicalement avec lui. Il s'enquiert de savoir si son amour pour lui est plus grand que celui de ses autres compagnons. Pierre lui répond qu'il l'aime; il lui pose encore la même question; il s'entend répondre à nouveau : «Je t'aime»; il lui demande une troisième fois s'il l'aime; et à mon avis, il l'aurait encore interrogé longtemps, si Pierre ne s'était lassé, affligé de ce qu'il eût besoin de beaucoup de paroles pour apprendre qu'il était aimé, lui qui savait tout[d]. Et pourtant ces questions ne venaient pas de quelqu'un qui ne connaît pas son ami, ni de quelqu'un qui fait semblant de ne pas le connaître : la première attitude aurait en effet signifié qu'il se trompait, la seconde qu'il trompait Pierre, et ni l'un ni l'autre n'est le fait de la vérité pure. Mais il voulait d'abord montrer par là qu'il ne lui gardait pas rancune d'avoir renié ses précédentes protestations, sinon il n'en réclamerait pas de nouvelles; en second lieu, il voulait enflammer chez Pierre l'amour qui pour un peu avait failli s'éteindre. Poser de

---

32. L'assimilation des apôtres aux «princes» du Ps. 44, 17 est traditionnelle dans l'exégèse patristique : Chrys., *In Ps.* 44 (*PG* 55, 202).

πρὸς τοιαύτας δὲ παρακαλεῖν ἀποκρίσεις, πρὸς ἑταιρίαν
παντὸς δύναται μᾶλλον· καὶ μνήμη τῶν φιλικῶν, καὶ τὸ
25 περὶ τούτων τι λέγειν, οὐχ ὅσον μείζω πεποίηκεν οὖσαν,
ἀλλὰ καὶ μήπω φῦσαν ἐδυνήθη τεκεῖν. Εἶεν.

Οὕτω μὲν οὖν ὁ Σωτὴρ ἐπὶ τῶν ἔργων ἐκβάλλων φαίνεται
τὴν ὀργήν· διδάσκοντι δὲ καὶ νομοθετοῦντι, ἆρ' ἔστιν ὁ πρὸ
τῆς πραότητός ἐστιν αὐτῷ ;

71. Καὶ γὰρ καὶ προσευχὴν αὐτὴν καὶ θυσίαν, μὴ ἂν
προσέσθαι φησίν, ἣν ὀργίλως ἔχοντες ἢ θύωμεν ἢ προσευ-
χώμεθα[a]· καὶ ἄφεσιν ἁμαρτιῶν τὸ κοινὸν ἅπασι δῶρον,
τοῖς ὑπὲρ ἑαυτῶν ὀργιζομένοις οὔποτε δώσειν[b], κἂν ὑπὲρ
5 τούτου πάντα ποιῶμεν, κἂν ποταμοὺς ἱδρώτων καὶ δακρύων
χέωμεν, κἂν αὐτὸ ξίφει καὶ πυρὶ προδῶμεν τὸ σῶμα[c]·
τοσούτου τινὸς ἄγων φαίνεται πραότητα.

72. Καὶ οὕτως ἀκόλουθον τοὺς τὰ ἐκείνου λογιζομένους,
τὴν καρδίαν πρὸς τοὺς ἀνιῶντας ἥμερον ἔχειν. Ὃ καὶ
δεικνύς, ἂν ἐμὲ γνῶτε, φησίν, ὅπως ἡμερότητος ἔχω, καὶ
ὑμῖν κατασταίη ἂν ἡ καρδία· «Μάθετε γάρ, φησίν, ἀπ'
5 ἐμοῦ ὅτι πρᾷός εἰμι καὶ ταπεινὸς τῇ καρδίᾳ, καὶ εὑρήσετε
ἀνάπαυσιν ταῖς ψυχαῖς ὑμῶν[a].»

73. Ἔτι δὲ καὶ τόνδε τὸν τρόπον τῆς περὶ τοῦ Χριστοῦ
μελέτης ἡ πραότης γένοιτ' ἂν ἔργον. Τῆς μὲν γὰρ ἱερᾶς
τραπέζης ἀνάγκη λαβεῖν ἔρωτα, τὸν ἐν τούτοις ζῶντα τοῖς
λογισμοῖς· ταύτης δὲ οὐκ ἐξὸν τυγχάνειν μνησικακοῦντα,
5 πρὸς πᾶσαν ὀργὴν οὗτος στήσεται, καὶ μίσους τηρήσει
καθαρὰν τὴν ψυχήν. Τὸ γὰρ αἷμα τοῦτο πρὸς διαλλαγὰς
χεθὲν ἐξ ἀρχῆς, οὐκ ἀνάσχοιτ' ἂν δικαίως τῶν ὀργῇ καὶ

ABCV MPW Gass Migne

71, 3 ὁ κομίζων ἧκεν ἐξ οὐρανοῦ *post* δῶρον *add.* ABCV Gass
72, 4 ἂν *om.* Gass

71. a. cf. Matth. 5, 23-24 ‖ b. cf. Matth. 5, 25-26 ‖ c. cf. I Cor. 13, 3
72. a. cf. Matth. 11, 29

telles questions, en effet, et appeler de telles réponses
contribue plus que tout à l'amitié ; le souvenir des marques
d'amitié et le fait d'en parler ne font pas seulement grandir
celle qui existe, mais seraient capables de la faire naître si
elle n'existait pas encore. Soit.

C'est ainsi qu'en tout ce qu'il fait, le Sauveur se montre
exempt de toute colère ; mais quand il enseigne et qu'il
légifère, met-il quelque chose au-dessus de la douceur ?

Le Christ nous enseigne la douceur

71. En effet, même la prière et l'offrande, dit-il, il ne les
acceptera pas si nous offrons ou si nous prions avec de la
colère[a] ; et cette rémission des péchés, don commun promis
à tous, il ne la donnera jamais à ceux qui sont en colère
pour une offense reçue[b], et ce, même si nous faisons tout
pour cela, même si nous versons des flots de sueur et de
larmes, même si nous livrons notre corps au glaive et aux
flammes[c] : voilà quel grand cas on le voit faire de la
douceur.

72. Il est donc naturel que ceux qui réfléchissent sur le
Christ aient un cœur doux envers ceux qui les affligent.
C'est ce qu'il montre en disant : Si vous saviez combien je
suis doux, votre cœur aussi serait dans le calme ; « apprenez
de moi que je suis doux et humble de cœur, et vous
trouverez le repos pour vos âmes[a] ».

73. Voici encore de quelle façon la douceur peut être
l'œuvre de la méditation sur le Christ. Celui qui vit dans
ces pensées reçoit nécessairement l'amour de la sainte
Table ; or il n'est pas possible à qui garde rancune de
s'approcher d'elle ; celui-ci résistera donc à tout mouvement de colère et gardera son âme pure de toute haine. Car
ce sang-là, qui fut versé au commencement pour la
réconciliation, ne saurait en toute justice tolérer ceux qui
sont esclaves de la colère et de l'emportement. Si ce sang a

θυμῷ δουλευόντων. Εἰ γὰρ καὶ φωνὴν πρὸς τὸν Πατέρα
περὶ τῶν μιαιφόνων ἀφῆκε[a], καθάπερ τὸ Ἅβελ αἷμα
10 χεθέν,[b] ἀλλ᾽ οὐκ ἐγράψατο παρ᾽ αὐτῷ τοὺς ἠδικηκότας,
οὐδὲ δίκας ἀπήτησεν ὥσπερ ἐκεῖνο τὸν ἀδελφόν· ἀλλὰ
τοὐναντίον, καὶ γὰρ ἀπελύετο, καὶ ἡ τοῦ σφαγέντος φωνὴ
συγγνώμην εἶχε τοῖς φονευταῖς[c].

74. *Περὶ τοῦ τετάρτου μακαρισμοῦ· ὅτι ἡ δικαιοσύνη*
διὰ τούτων τῶν λογισμῶν κατορθοῦται.

Ἔτι δὲ καὶ δικαιοσύνης ἐργάται[a] διαφερόντως ἁπάντων,
οἱ μετὰ τούτων ζῶντες τῶν λογισμῶν, ἐν οἷς ὁ τοῦ κόσμου
(673) 5 Δεσπότης οὕτω φαίνεται τιμήσας | δικαιοσύνην ὥστε μετὰ
τῶν δούλων ἦν, μετὰ τῶν σφαττομένων, μετὰ τῶν νεκρῶν,
ἵνα πᾶσι τὸ δίκαιον ἀποδῷ· καὶ τῷ μὲν Πατρὶ τὴν δόξαν
καὶ τὴν ὑπακοὴν ἣν πόρρωθεν προσῆκον οὐδεὶς εἰσενεγκεῖν
εἶχε· τῷ τυράννῳ δὲ τὰ δεσμὰ καὶ τὸ περιορᾶσθαι καὶ τὴν
10 αἰσχύνην, ᾧ λύει τὴν ἄδικον ἀρχήν, καὶ νόθον ἁψάμενον
τῶν ἡμετέρων ἐξήλασε κρίσει κατενεγκὼν καὶ δικαιοσύνῃ[b].

75. *Περὶ τοῦ πέμπτου μακαρισμοῦ· ὅτι ἡ ἐλεημοσύνη*
διὰ τούτων τῶν λογισμῶν κατορθοῦται.

Ἔλεον δὲ καὶ τὸ κοινωνεῖν ὀδύνης ἀλγοῦσι καὶ τὰ δυσχερῆ
τοῖς ἄλλοις αὐτοῦ νομίζειν κακά, πόθεν ἑτέρωθεν εἰ μὴ
5 τούτων ἄν τις λάβοι τῶν λογισμῶν, ἐν οἷς ἡμᾶς αὐτοὺς
ὁρῶμεν ἥκιστα δικαίους ὄντας ἐλέου, παρὰ πᾶσαν προσδο-
κίαν ἐλεουμένους; τὴν αἰχμαλωσίαν ἐκείνην, τὴν δουλείαν,
τὰ δεσμά, τὴν τοῦ δουλωσαμένου μανίαν· καὶ ὡς τῷ μὲν
ὅρος τῶν εἰς ἡμᾶς κακῶν οὐδεὶς ἦν, ἀλλ᾽ ἀεὶ χαλεπωτέρου
10 καὶ χείρονος ἐπειρώμεθα τοῦ τυράννου· ἡμῖν δὲ πανταχόθεν

73, 10 ἀδικηκότας C ‖ 11 ἐκεῖνος C Migne ‖ 11-12 ἀλλὰ τοὐναντίον
om. Gass
74, 1-2 ABVMPW *mg.* ‖ 6 μετὰ τῶν κατακρίτων *post* ἦν *add.* ABCV
Gass ‖ 11 δικαιοσύνης C

crié vers le Père à propos des meurtriers[a], comme celui d'Abel[b], ce n'était pas pour accuser devant lui les auteurs du crime, ni pour réclamer justice comme fit celui-ci contre son frère ; au contraire, c'était pour disculper, et la voix de l'immolé obtint le pardon des meurtriers[c].

74. *Quatrième béatitude : la justice s'acquiert par ces pensées.*

Ils seront aussi mieux que tout autre des artisans de la justice[a], ceux qui vivent avec ces pensées par lesquelles le Maître du monde a montré son estime de la justice au point d'être avec les esclaves, avec les égorgés, avec les morts, dans le but de rendre à tous ce qui était juste : à son Père la gloire et l'obéissance qui lui revenaient depuis longtemps mais que nul n'était en mesure de lui apporter ; au tyran les chaînes, le mépris, la honte, puisqu'il supprime son pouvoir injuste, et que ce bâtard qui s'était emparé de nous, il l'a chassé en le renversant par un jugement et une justice[b].

75. *Cinquième béatitude : la miséricorde s'acquiert par ces pensées.*

Être compatissant, partager la douleur de ceux qui souffrent, regarder comme ses propres maux les malheurs des autres, d'où pouvons-nous tenir cela sinon de ces pensées, par lesquelles nous nous voyons nous-mêmes pris en pitié contre toute attente, nous qui ne méritons aucune pitié ? nous voyons notre captivité, notre servitude, nos liens, la fureur de celui qui nous retenait captifs : lui ne mettait aucune limite à nos maux, au contraire nous endurions un tyran toujours plus dur et plus cruel ; nous,

---

75, 1-2 ABVMPW *mg.* C ‖ 4 εἰ *post* πόθεν *add.* Migne ‖ 5 ἐν *om.* Migne ‖ 10 ἐν *post* πανταχόθεν *add.* P

---

73. a. cf. Lc 23,46 ‖ b. cf. Gen. 4,10 ‖ c. cf. Hébr. 12,24
74. a. cf. Actes 10,35 ; Hébr. 11,33 ‖ b. cf. Ps. 96,2

ἀμηχανία καὶ ἐρημία τοῦ δοῦναι χεῖρά τινα δυναμένου· καὶ
τῷ μὲν χρῆσθαι τῇ γνώμῃ καθ' ἡμῶν ἐξῆν, καὶ ἠγόμεθα
καθάπερ ἐωνημένῳ πεπραμένοι· ἡμῖν δὲ παραμυθία τῶν
δεινῶν οὐδὲ φάρμακον οὐδὲν ἦν, οὐκ οἴκοθεν, οὐχ ἑτέρωθεν,
15 οὐ τῶν ὑπὲρ ἡμᾶς, οὐ τῶν ὁμοφύλων, ἀλλ' ἐπίσης ἅπασιν
ἐν καιρῷ γενέσθαι τῇ φύσει τῶν ἀνθρώπων ἄπορον ἦν. Καὶ
τί λέγω φάρμακον, οἷς οὐδὲ μνησθῆναι τοῦ ἰατροῦ καθαρῶς
ἐξῆν οὐδὲ δεηθῆναι.

76. Οὕτω τοίνυν ἀθλίως διακειμένους, «οὐ πρέσβυς οὐδὲ
ἄγγελος ἀλλ' αὐτὸς ὁ Κύριος[a]» ᾧ πολεμοῦντες ἦμεν, εἰς
ὃν ὑβρίζομεν παρανομοῦντες, αὐτὸς ἠλέησεν οἶκτον ἀήθη
καὶ λόγου μείζω καὶ παρὰ πᾶν τὸ ἐπὶ τούτοις εἰκός. Οὐ
5 γὰρ ἐβουλήθη τῶν κακῶν ἡμῖν τὴν ἀπαλλαγὴν μόνον, οὐδ'
οἰκεῖον ἐνόμισε τὸ ἄλγος, ἀλλ' ἐποιήσατο καὶ μετέστησεν
ἀφ' ἡμῶν εἰς ἑαυτὸν τὰς ὀδύνας δεξάμενος, αὐτὸς ἐλέου
φανῆναι πράττων ἀξίως ἵν' ἡμᾶς ἐργάσηται μακαρίους. Καὶ
γὰρ «ἐν ταῖς ἡμέραις τῆς σαρκὸς αὐτοῦ[b]», Παῦλος εἶπε,
10 τῶν ἐλεουμένων πολλοῖς ἔδοξεν εἶναι καὶ ἠλεήθη, τὸν ἄδικον
θάνατον ἀποθνήσκων. Καὶ «ἐκόπτοντο γάρ, φησί, καὶ
ἐθρήνουν[c]» ἐπ' αὐτῷ τὴν ἐπὶ θάνατον ἀγομένῳ.

Καὶ οὐ τοῖς ἐπ' ἐκείνου μόνον καὶ θεωμένοις τὸ πάθος,
ἀλλ' ἤδη καὶ Ἡσαΐας πόρρωθεν ἰδών, ἀδακρυτὶ τὴν θέαν
15 οὐκ ἤνεγκεν, ἀλλ' ὡς ἐπὶ νεκρῷ μονῳδῶν, ἐλέου γέμουσαν
ἀφῆκε φωνήν· «Εἴδομεν αὐτόν, φησί, καὶ οὐκ εἶχεν εἶδος
οὐδὲ κάλλος, ἀλλὰ τὸ εἶδος αὐτοῦ ἄτιμον, ἐκλεῖπον τὸ εἶδος
αὐτοῦ παρὰ τοὺς υἱοὺς τῶν ἀνθρώπων[d].»

ABCV MPW Gass Migne

75, 18 δεθῆναι P δεδεχθῆναι B
76, 3 ἀήδη Gass ‖ 10 γε *post* ἠλεήθη *add.* AB ‖ 16 Ἴδομεν CV

76. a. Is. 63, 9 ‖ b. Hébr. 5, 7 ‖ c. Lc 23, 27 ‖ d. cf. Is. 53, 2 s.

nous n'avions de tout côté qu'impuissance et isolement, sans personne qui puisse nous tendre la main. Lui pouvait faire contre nous ce qu'il voulait, et nous étions conduits comme des gens que l'on a vendus à un acheteur; pour nous, nulle consolation à nos terreurs, nul remède en nous ni en dehors de nous, ni de la part de ceux qui étaient au-dessus de nous, ni de la part de ceux de notre race, mais il n'y avait aucun moyen pour quiconque de venir en aide à la nature humaine. Que dis-je, nul remède! quand il était absolument impossible de seulement songer à un médecin ou d'y avoir recours!

Miséricorde du Christ à notre égard

76. Alors qu'ainsi misérablement nous gisions, ce n'est «ni un ambassadeur ni un ange mais le Seigneur lui-même[a]», lui contre qui nous étions en guerre, lui que nous offensions avec impudence, c'est lui qui eut pitié de nous, par une compassion extraordinaire, ineffable, qui défie l'imagination. Non content de vouloir la fin de nos maux, ou d'estimer sienne notre souffrance, il prit sur lui nos douleurs et les déplaça de nos épaules sur les siennes, acceptant d'apparaître lui-même comme digne de pitié, afin de nous rendre bienheureux. «Au jours de sa chair[b]», comme dit Paul, il apparut comme un objet de pitié aux yeux d'un grand nombre et on le plaignit de mourir d'une mort injuste. «On se frappait la poitrine, dit l'Écriture, et on se lamentait[c]» sur lui tandis qu'il était mené à la mort.

Cette pitié, il ne l'inspira pas seulement à ses contemporains, qui furent témoins de sa Passion : déjà Isaïe, le voyant bien longtemps à l'avance, ne pouvait supporter cette vue sans pleurer : entonnant une lamentation comme sur un mort, il poussa ce cri plein de compassion : «Nous l'avons vu, il n'avait ni figure ni beauté; sa figure était sans éclat, sa figure était effacée par rapport aux fils des hommes[d]».

77. Τί τῆς συμπαθείας ταύτης γένοιτ' ἂν ἴσον, εἰ μὴ λογισμοῖς καὶ θελήσει κοινωνεῖ τοῦ πάθους τοῖς δυστυχέσιν, ἀλλ' αὐτοῖς τοῖς πράγμασι, καὶ οὐδ' ἀνέχεται μερίτης εἶναι τῶν δυσχερῶν, ἀλλ' εἰς ἑαυτὸν τὸ πᾶν ἀναιρεῖται καὶ τὸν
5 ἡμέτερον θάνατον ἀποθνήσκει; Τούτων τῶν λόγων, εἰς τὸν τῶν ὁμοφύλων οἶκτον τί ἂν ἐπισπάσαιτο μᾶλλον;

78. Εἰ γὰρ τὸ φθάσαντας παθεῖν τῶν δυσχερῶν ὁτιοῦν, ἱλέως ἐργάζεται τοῖς ἄρτι τὰ ἴσα κακοπαθοῦσιν οἰκειουμέ-νους τὰς συμφοράς, τί τῶν δεινῶν οὐ πεπόνθαμεν; οὐκ
(676) ἀπόπτωσιν πα|τρίδος τῆς ὡς ἀληθῶς ἡμετέρας; οὐ πενίαν;
5 οὐ νόσον; οὐ τὴν ἐσχάτην μανίαν; καὶ τούτων ἀπηλλάξαμεν πάντων «διὰ σπλάγχνα ἐλέους Θεοῦ ἡμῶν[a]». Οὐκοῦν καὶ ἡμεῖς ἐλεοῖμεν ἂν εἴ τις καθ' ὁτιοῦν τούτων πράττει κακῶς, καὶ τὸν οἶκτον ἀποδοῖμεν τοῖς ὁμοδούλοις, οὗπερ ἡμῖν ὁ κοινὸς ὑπῆρξε Δεσπότης[b]. Καὶ τοῦτο δηλῶν ὁ Σωτήρ, ὡς
10 ἄρα δεῖ πρὸς τοὺς ὁμοφύλους ἡμέρως ἔχειν, εἰς παράδειγμα τὴν θείαν ἀφορῶντας φιλανθρωπείαν, «Γίνεσθε, φησίν, οἰκτίρμονες, καθὼς καὶ ὁ Πατὴρ ὑμῶν οἰκτίρμων ἐστί[c].»

79. Περὶ τοῦ ἕκτου μακαρισμοῦ· ὅτι ἡ τῆς καρδίας καθαρότης ἀπὸ τῆς εἰρημένης κατορθοῦται μελέτης.

Τό γε μὴν καθᾶραι καρδίαν καὶ πρὸς ἁγιασμὸν τὴν ψυχὴν ἀσκῆσαι, τίνος ἀγῶνος ἢ σπουδῆς ἢ τίνων ἱδρώτων μᾶλλον
5 ἢ τῶν ἐννοιῶν τούτων καὶ τῆς μελέτης γένοιτ' ἂν ἔργον; ὅ γε οὐδ' ἔργον ἄν τις εἴποι τῆς περὶ Χριστοῦ μελέτης, ἀλλ' αὐτὴν ἀντικρυς εἶναι τὴν μελέτην, σκοπῶν ἀκριβῶς.

77, 3 τοῖς *om.* Gass ‖ μεσίτης Migne ‖ 5 καὶ τοῦτον τὸν ἐπονείδιστον καὶ φευκτόν, τὸν τοῦ σταυροῦ λέγω *post* ἀποθνήσκει *add.* A
78, 5 οὐ τὴν χαλεπωτάτην δουλείαν *post* νόσον *add.* ABCV Gass ‖ ἀπηλλάγημεν AV
79, 1-2 ABVMPW *mg.* C

77. Quoi de comparable à une telle compassion, qui ne communie pas à la souffrance des malheureux par l'imagination ou le désir, mais réellement, et qui ne se contente pas de prendre une part de nos malheurs, mais qui attire la totalité sur lui et meurt notre propre mort ? Est-il chose qui puisse, mieux que ces pensées, pousser quelqu'un à prendre en pitié ses semblables ?

78. Si d'avoir déjà supporté quelque épreuve dispose favorablement envers ceux qui justement souffrent les mêmes maux, en faisant siens leurs malheurs, quelles misères n'avons-nous pas subies ? La perte de notre vraie patrie, la pénurie, la maladie, la folie extrême : et de tout cela nous sommes sortis «par les entrailles de miséricorde de notre Dieu[a]». Ainsi donc aurons-nous pitié à notre tour si quelqu'un éprouve un quelconque malheur, et rendrons-nous à nos compagnons d'esclavage la miséricorde que nous a montrée notre commun Maître[b]. C'est pour montrer que nous devons, les yeux fixés sur le modèle de la divine philanthropie, montrer de la douceur envers nos semblables, que le Sauveur dit : «Soyez miséricordieux comme votre Père est miséricordieux[c]».

79. *Sixième béatitude : la pureté du cœur s'obtient par la méditation susdite.*

Purifier son cœur et exercer son âme à la sanctification : de quel combat, de quel effort, de quelles fatigues cela peut-il être le fruit, sinon de ces pensées et de cette méditation ? Si l'on y regarde de près, on ne peut même pas dire que ce soit un fruit de la méditation sur le Christ, mais c'est en cela que consiste précisément la méditation elle-même.

---

78. a. Lc 1, 78 ‖ b. cf. Matth. 18, 23-35 ‖ c. Lc 6, 36

80. Πρῶτον μὲν γὰρ τὸ συνεῖναι τῶν λογισμῶν τοῖς ἀρίστοις, τῶν φαύλων ἐστὶν ἀφεστάναι · τοῦτο δέ ἐστι, τὴν καρδίαν καθαρὸν εἶναι.

Διττῆς γὰρ ἡμῖν τῆς ζωῆς καὶ τῆς γεννήσεως οὔσης,
5 τῆς μὲν πνευματικῆς, τῆς δὲ σαρκικῆς, καὶ τῷ μὲν σώματι τοῦ πνεύματος οἷς ἐπιθυμεῖ πολεμοῦντος, τοῦ σώματος δὲ κατὰ τοῦ πνεύματος ἱσταμένου[a], τἀναντία σπείσασθαι καὶ συνελθεῖν ἀμήχανον ὄν, ὁποτέρα τῶν ἐπιθυμιῶν τῇ μνήμῃ κρατήσει τῶν λογισμῶν, ὡς ἐκβαλεῖ τὴν ἑτέραν παντί που
10 δῆλον.

81. Ἔπειτα καθάπερ τῆς σαρκικῆς ζωῆς καὶ τῆς γεννήσεως ἡ μνήμη καὶ τὸ τοιοῖσδε τὸν νοῦν προσέχειν τὴν κάκιστ' ἀπολουμένην ἐπιθυμίαν καὶ τὸν ἐκεῖθεν ἐντίθησι μολυσμόν, τὸν ἴσον τρόπον καὶ τὴν τοῦ λουτροῦ γέννησιν
5 καὶ τὴν κατάλληλον τῇ γεννήσει τροφήν, καὶ τἄλλα δὴ τὰ τῆς καινῆς ζωῆς, τῇ συνεχεῖ μνήμῃ τὴν ψυχὴν κατασχόντα, τὴν ἐπιθυμίαν εἰκός ἐστιν ἀπὸ τῆς γῆς ἐπ' αὐτὸν ἄγειν τὸν οὐρανόν.

82. *Περὶ τοῦ ἑβδόμου μακαρισμοῦ · ὅτι τὸ εἰρηνοποιεῖν ἀπὸ τῆς εἰρημένης κατορθοῦται μελέτης.*

Ἐπεὶ δὲ Χριστός ἐστιν «ἡ εἰρήνη ἡμῶν, ὁ ποιήσας τὰ ἀμφότερα ἕν, καὶ τὸ μεσότοιχον τοῦ φραγμοῦ λύσας, τὴν
5 ἔχθραν ἐν τῇ σαρκί[a]», ᾧ τῆς εἰρήνης ἕνεκα τὰ πάντα ἐπενοήθη, τί πρὸ τῆς εἰρήνης ἂν εἴη, τοῖς μελέτην ψυχῆς καὶ νοῦ σπουδὴν τἀκείνου ποιησαμένοις; Αὐτοί τε γὰρ διώξουσι τὴν εἰρήνην, ᾗ κελεύει Παῦλος[b], ὡς οὐδὲν ἄλλο, καὶ τοῖς ἄλλοις ἡγήσονται τοῦ πράγματος καὶ λύσουσι μῖσος

ABCV   MPW   Gass   Migne

80, 1 τὸ : τι C ‖ 3 καθαρὰν MP
81, 4 καὶ om. ABCVW Gass
82, 1-2 ABVMPW mg C ‖ 2 κατορθοῦται : ἐγγίνεται V ‖ 5 τὰ om. A ‖
7 νοῦ : τοῦ Migne

La méditation est la pureté du cœur

80. Tout d'abord, s'adonner aux pensées excellentes, c'est s'abstenir des mauvaises : or en cela consiste la pureté du cœur.

En effet, s'il est vrai que double est notre vie et double notre naissance, l'une spirituelle et l'autre charnelle ; si l'esprit dans ses désirs s'oppose au corps et si le corps se dresse contre l'esprit[a], comme il est impossible que des choses contraires s'associent et se réconcilient, il est évident que celui des deux désirs qui par le souvenir dominera les pensées chassera forcément l'autre.

81. Ensuite, de même que le souvenir de notre vie charnelle et de notre naissance charnelle et le fait d'y appliquer notre esprit y introduisent le plus misérable des désirs et la souillure qui s'y rattache, de même quand notre naissance baptismale, quand la nourriture appropriée à cette naissance, quand tous les autres mystères de la vie nouvelle occupent notre âme par un souvenir continu, forcément notre désir émigre de cette terre vers le ciel même.

82. *Septième béatitude : être artisan de paix s'acquiert par la méditation susdite.*

Puisque le Christ est «notre paix, lui qui des deux a fait un seul et a supprimé le mur de séparation et la haine en sa chair[a]», lui par qui tout a été conçu en vue de la paix, que peut-il y avoir au-dessus de la paix, pour ceux qui ont fait de ce qui le concerne la méditation de leur âme et l'effort de leur esprit ? Ils poursuivront la paix, comme nous y exhorte Paul[b] plus que toute autre chose ; ils donneront aux autres l'exemple de cette paix ; ils supprimeront la

80. a. cf. Gal. 5, 17
82. a. Éphés. 2, 14 ‖ b. cf. Rom. 14, 19 ; Hébr. 12, 14

10 ἀνόνητον καὶ παύσουσιν εἰκῇ πολεμοῦντας, εἰδότες εἰρήνην
οὕτω τίμιον ὥστε τὸν Θεὸν αὐτὸν ἐπὶ τῷ ταύτην ἀνθρώποις
ὠνήσασθαι καταλαβόντα τὴν γῆν, καὶ πλούσιον ὄντα καὶ
πάντων Κύριον, μηδὲν εὑρεῖν ἄξιον τοῦ χρήματος, ἀλλ' αὐτὸ
τὸ αἷμα καταβαλεῖν.

83. Ἐπεὶ γὰρ τῶν ἤδη γεγενημένων καὶ ὄντων οὐδὲν
ἑώρα τῆς ζητουμένης εἰρήνης καὶ τῶν διαλλαγῶν ὅπερ ἂν
ἀντίρροπον ἦν, ἄλλην καινὴν ἔκτισε κτίσιν[a], αἷμα ἑαυτῷ,
καὶ τοῦτο δοὺς διαλλακτὴς ἦν εὐθὺς καὶ ἄρχων εἰρήνης[b].
5 Οἱ τοίνυν τὸ αἷμα ἐκεῖνο προσκυνοῦντες, τί ποτ' ἂν
κατορθοῦν ἄλλο ζητοῦντες τὰ ἑαυτῶν ἡγήσονται πράττειν,
(677) ἢ διαλλαγῶν καὶ εἰρή|νης ἀνθρώποις ὄντες τεχνῖται ;

84. *Περὶ τοῦ ὀγδόου καὶ ἐνάτου μακαρισμοῦ· ὅτι τὸ
ὑπομένειν διωκομένους καὶ ὑβριζομένους ἕνεκεν δικαιοσύνης
καὶ τοῦ Χριστοῦ διὰ τῆς μελέτης ταύτης κατορθοῦται.*

Εἰ δὲ τὴν καθόλου δικαιοσύνην, λέγω τὴν ἀρετήν, ἡλίκον
5 ἐστὶν ἀγαθόν, καὶ οἷον αὐτῇ σύνεστι κάλλος, ἐπὶ τοῦ ἤθους
μόνου πάρεστιν ἰδεῖν τοῦ Σωτῆρος, ἅτε μόνου τῶν ἐναντίων
αὐτὸ καθαρὸν παντελῶς ἐπιδειξαμένου — καὶ γὰρ ἁμαρτίαν
οὐκ ἐποίησεν[a], οὐδὲ ὁ τοῦ κόσμου ἄρχων ἐλθὼν εὗρεν[b] οὗ
διῶξαι δυνήσεται τὴν θείαν ἐκείνην ψυχήν, οὐδ' ἐν ᾧ
10 μέμψαιτο τὴν ὥραν, βασκάνοις περισκοπῶν ὀφθαλμοῖς —
τὸν μὲν εἰς τὸν Χριστὸν καὶ τὴν ἀρετὴν ἔρωτα, δῆλον ὡς
οὐδὲν ἄλλο ποιοῦντας ἢ μηχανωμένους ἢ τὰ Χριστοῦ
μελετῶντας, ἔστι λαβεῖν· οὕτω γὰρ περιέσται καὶ τὸ τῆς

ABCV MPW Gass Migne

83, 1 γεγεννημένων AV Gass
84, 1-3 ABVMPW *mg.* C ‖ 2 διωκομένους καὶ ὑβριζομένους : τὰ
δυσχερῆ V ‖ 6 μόνου² : μόνον P ‖ 7 αὐτὸν C ‖ 9 οὐδὲν ὃ A ‖ 10 ἐκείνην
post ὥραν *add.* ABV ‖ 11 τὸν¹ : τὸ W ‖ τὴν *om.* Migne ‖ 12 τὰ τοῦ
Χριστοῦ ABCV Gass

83. a. cf. II Cor. 5, 17 ‖ b. cf. Is. 9, 2

haine inutile ; ils cesseront de se combattre en vain,
sachant que la paix est une chose si précieuse que Dieu lui-
même, venu sur la terre afin de l'acquérir pour les hommes,
lui qui était riche et Seigneur de l'univers, n'a rien trouvé
qui pût égaler son prix, sinon de verser son propre sang.

83. Puis donc que, parmi les choses qui avaient déjà été
créées et qui existaient, il ne voyait rien qui pût valoir
autant que la paix recherchée et la réconciliation, il créa
une autre créature, nouvelle[a], à savoir un sang pour lui-
même. Dès qu'il l'eut versé, il fut le réconciliateur et le
prince de la paix[b]. Ceux donc qui vénèrent ce sang
précieux, que chercheraient-ils à accomplir d'autre, pour
servir leurs propres intérêts, que d'être artisans de
réconciliation et de paix entre les hommes ?

84. *Huitième et neuvième béatitudes : supporter d'être
persécutés et outragés à cause de la justice et du Christ
s'acquiert par cette méditation.*

Si la grandeur de la justice plénière, c'est-à-dire de la
vertu, si la beauté qui est en elle ne se peuvent voir que
dans la seule conduite du Sauveur, car lui seul l'a montrée
exempte absolument de ce qui lui est contraire — en effet
il n'a pas commis de péché[a] et le prince de ce monde lui-
même, en venant, n'a pu trouver[b] moyen de s'en prendre à
son âme divine[33] et n'a su que reprocher à sa beauté, bien
qu'il l'épiât avec un œil mauvais — alors, de toute
évidence, pour obtenir l'amour du Christ et de la vertu, il
n'y a rien à faire ni à imaginer d'autre que de méditer les
choses du Christ ; car de cette façon on gagnera de

---

84. a. cf. I Pierre 2, 22 ; II Cor. 5, 21 ‖ b. cf. Jn 12, 31 ; 16, 11

---

33. Expression risquée. Si Cabasilas ne donnait par ailleurs des
preuves manifestes de son orthodoxie, des esprits chagrins pourraient
le soupçonner d'apollinarisme.

ἀρετῆς καὶ τὸ τοῦ Σωτῆρος κάλλος καταμαθεῖν, καταμα-
15 θοῦσι δὲ καὶ φιλεῖν, ὡς αἴτιον ὂν πανταχοῦ τοῦ φιλεῖν τὸ
καταμαθεῖν· ἐπεὶ καὶ τὴν Εὗαν ὁ τοῦ ξύλου καρπὸς καὶ
ταῦτα ἀπειρημένου, τοῦτον εἷλε τὸν τρόπον· «Κατενόησε
γάρ, φησίν, ὡς ὡραῖος ἦν εἰς ὅρασιν καὶ καλὸς εἰς βρῶσιν[c]».

85. *Περὶ τοῦ δεκάτου μακαρισμοῦ· ὅτι τὸ χαίρειν ὑπὲρ
ἀρετῆς καὶ τοῦ Χριστοῦ διωκομένους καὶ ὑβριζομένους, ἀπὸ
τῆς εἰρημένης περιγίνεται μελέτης.*

Ἔρωτα δὲ Χριστοῦ καὶ τῆς ἀρετῆς οὕτω λαβόντας, καὶ
5 διωγμῶν ὑπὲρ αὐτῶν εἰκὸς ἀνασχέσθαι καὶ φυγεῖν ἑλέσθαι
δεῆσαν καὶ τὰ δεινότατα πάντων ἀκοῦσαι καὶ τοῦτο
χαίροντας, ὡς δὴ μεγίστων καὶ καλλίστων αὐτοῖς γερῶν
ἀποκειμένων ἐν οὐρανοῖς[a].

86. Ὁ γὰρ περὶ τὸν ἀθλοθέτην τῶν ἀγωνιζομένων ἔρως,
καὶ τοῦτο δύναται καὶ περὶ τῶν μήπω φαινομένων ἄθλων
ποιεῖ πιστεύειν αὐτῷ, καὶ βεβαίας εἰς τὸ μέλλον ἐπὶ τοῦ
παρόντος ἔχειν ἐλπίδας[a]. Οὕτω τὰ Χριστοῦ τοὺς ἑκάστοτε
5 λογιζομένους καὶ μελετῶντας καὶ μετρίους εἶναι ποιεῖ καὶ
τῆς ἀνθρωπείας ἐπιγνώμονας ἀσθενείας ὥστε πενθεῖν, καὶ
πράους ἀποδείκνυσι καὶ δικαίους καὶ φιλανθρώπους καὶ
σώφρονας καὶ διαλλαγῶν ἀνθρώποις ἐργάτας, καὶ οὕτω
Χριστοῦ καὶ τῆς ἀρετῆς περιεχομένους ὥστε ὑπὲρ αὐτῶν
10 οὐκ ἀνέχεσθαι μόνον, ἀλλὰ καὶ χαίρειν ὑβριζομένους καὶ
ἥδεσθαι διωκομένους[b].

87. Καὶ ὅλως τὰ μέγιστα τῶν ἀγαθῶν καὶ ὅθεν ἐστὶ
μακαρίους γενέσθαι τῶν ἐννοιῶν ἀπολαύειν ἔξεστι τούτων,

ABCV   MPW   Gass   Migne

85, 1-3 ABVMPW *mg.* C ‖ 5 ὑπὲρ : περὶ ABCV
86, 8 καὶ εἰρήνης *post* σώφρονας *add.* ABCVMW Gass

connaître la beauté de la vertu et celle du Sauveur, et, une fois connues, de les aimer, puisque la cause de l'amour, en toutes circonstances, c'est la connaissance : c'est ainsi que le fruit de l'arbre, d'un arbre défendu, séduisit Ève : « Elle comprit, dit l'Écriture, qu'il était beau à voir et bon à manger[c] ».

85. *Dixième béatitude : se réjouir d'être persécutés et outragés à cause de la vertu et du Christ, advient par la méditation susdite.*

Quand on a ainsi obtenu l'amour du Christ et de la vertu, il est naturel de supporter avec constance des persécutions pour l'un et l'autre, de choisir l'exil s'il le faut, d'entendre les pires injures, et de s'en réjouir, car les récompenses les plus grandes et les plus belles vous sont réservées dans les cieux[a].

86. L'amour des athlètes envers le président des jeux a ce pouvoir, et leur donne confiance en lui au sujet des prix qu'ils ne voient pas encore, et il leur inspire dans le temps présent de solides espérances quant à ce qui est à venir[a]. De même les choses du Christ rendent ceux qui les méditent et les ruminent à tout moment humbles et instruits de la faiblesse humaine au point de s'affliger, ils les font apparaître doux, justes, amis des hommes, chastes, artisans de réconciliation entre les hommes, et tellement épris du Christ et de la vertu que, non contents d'accepter d'être outragés pour l'un et l'autre, ils s'en réjouissent et trouvent leur joie dans la persécution[b].

87. Bref, de ces réflexions nous pouvons retirer les plus grands biens, ceux qui ont le pouvoir de nous rendre

84. c. Gen. 3, 6
85. a. cf. Matth. 5, 10-12
86. a. cf. Hébr. 11, 1 ‖ b. cf. Actes 5, 41

καὶ οὕτω τηρῆσαι μὲν ἐν τῷ ἀγαθῷ τὴν γνώμην, τὴν δὲ
γιγνομένην ὥραν καλὴν ἐργάσασθαι τὴν ψυχήν, καὶ τὸν ἀπὸ
5 τῶν μυστηρίων φυλάξαι πλοῦτον καὶ τὸν βασιλικὸν μὴ ῥῆξαι
μηδὲ ῥυπᾶναι χιτῶνα.

88. Διὰ τοῦτο καθάπερ τὸ νοῦν ἔχειν καὶ λόγῳ χρῆσθαι,
τῆς τῶν ἀνθρώπων φύσεως ἴδιον, οὕτω τὰ Χριστοῦ θεωρεῖν
ἔργον εἶναι χρὴ νομίζειν τοῦ λογισμοῦ· μάλιστα μὲν ὅτι
τὸ παράδειγμα πρὸς ὃ δεῖ βλέπειν ἀνθρώπους, ἄν τέ τι δέῃ
5 πράττειν ἐφ' ἑαυτῶν αὐτούς, ἄν τε τοῖς ἄλλοις τῶν δεόντων
ἡγεῖσθαι, μόνος ἐστὶν Ἰησοῦς, ὃς καὶ τῶν ἰδίων ἕνεκα καὶ
τῆς πολιτείας, πρῶτος καὶ μέσος καὶ τελευταῖος τὴν
ἀληθινὴν ὑπέδειξεν ἀνθρώποις δικαιοσύνην.

89. Ἔπειτα καὶ γέρας ἐστὶν ὁ αὐτὸς καὶ στέφανος, ὃν
δεῖ λαβεῖν ἀγωνισαμένους. Οὐκοῦν εἰς ἐκεῖνον ὁρᾶν δεῖ, καὶ
τἀκείνου σκοπεῖν ἀκριβῶς καὶ ὡς ἔνεστι πειρᾶσθαι κατα-
μανθάνειν, ἵν' εἰδῶμεν ὡς δεῖ πονεῖν. Τὰ γὰρ ἆθλα τοῖς
5 ἀθληταῖς μετρεῖ τοὺς ἀγῶνας, καὶ ταῦτα ἀποσκοποῦντες
(680) τοὺς | πόνους φέρουσι, τοσοῦτον εἰσάγοντες καρτερίας ὅσον
ἐκεῖνα κάλλους ἔγνωσαν ἔχειν.

90. Παρὰ πάντα δὲ ταῦτα, τίς οὐκ οἶδεν ἀνθ' ὧν ἡμᾶς
αὐτὸς ἐκτήσατο μόνος, τοῦ αἵματος πριάμενος, ὡς οὐκ
ἔστιν ἄλλος ᾧ χρὴ δουλεύειν καὶ πρὸς ὃν δεῖ χρήσασθαι
ἡμῖν αὐτοῖς, καὶ σώμασι καὶ ψυχαῖς, καὶ ἔρωτι καὶ μνήμῃ,

ABCV   MPW   Gass   Migne

88, 1-2 καθάπερ — ἴδιον W *mg.* ‖ 4 δεῖ *om.* A

---

34. Le thème de l'imitation du Christ, plus diffus peut-être qu'en
Occident, n'est pas absent de la spiritualité byzantine. Cf. CHRYS.,
Cat. Bapt. I, 29 et 31 (*SC* 50 *bis*, p. 123-124), mais aussi les œuvres
spirituelles de Grégoire de Nysse.

35. Cette expression issue d'*Apoc.* 22, 13 est employée traditionnellement pour désigner Dieu ou le Christ : DENYS, *d.n.*, V, 8 (*PG* 3,

bienheureux, et ainsi nous pouvons maintenir notre
volonté dans le bien, rendre notre âme belle de sa beauté
native, garder la richesse reçue des mystères et ne pas
déchirer ni salir notre tunique royale.

JÉSUS, SEUL MODÈLE

88. De même que le propre de la nature humaine, c'est
d'avoir un esprit et d'être doué de raison, de même devons-
nous penser que contempler les choses du Christ est l'office
de l'imagination ; d'autant plus que le seul modèle vers
lequel les hommes doivent regarder, que ce soit pour leur
propre conduite ou pour guider les autres, c'est Jésus[34], lui
le principe, le moyen et la fin[35], qui pour leur vie privée
comme pour leur vie publique a montré aux hommes la
vraie justice.

89. De plus, il est aussi le prix et la couronne que
doivent recevoir les concurrents. C'est donc vers lui que
nous devons regarder, c'est ce qui le concerne qu'il faut
considérer avec attention et nous efforcer de pénétrer
autant que possible pour savoir comment peiner. Car ce
sont les prix qui pour les athlètes sont la mesure des
combats et c'est en les observant de loin qu'ils supportent
les peines, et ils apportent d'autant plus de constance dans
la lutte qu'ils connaissent la beauté de la récompense.

90. En outre, qui ne sait à quel prix lui et lui seul nous a
rachetés : au prix de son sang, de sorte qu'il n'est personne
d'autre que nous devions servir, personne d'autre à qui
nous devions nous consacrer nous-mêmes, consacrer nos
corps et nos âmes, notre amour et notre mémoire, toute

824 A) ; Max. Conf., *Cap. th. et éc.*, I, 7 (*PG* 90, 1085) ; Sym. N.T.,
Chapitres ... (*SC* 51 *bis*, p. 120).

5 καὶ τῇ κατὰ νοῦν ἐνεργείᾳ. Διὰ τοῦτο καὶ Παῦλος «Οὐκ ἐστέ, φησίν, ἑαυτῶν· τιμῆς γὰρ ἠγοράσθητε[a].»

91. Καὶ γὰρ διὰ τὸν καινὸν ἄνθρωπον ἀνθρώπου φύσις συνέστη τὸ ἐξ ἀρχῆς, καὶ νοῦς καὶ ἐπιθυμία πρὸς ἐκεῖνον κατεσκευάσθη· καὶ λογισμὸν ἐλάβομεν ἵνα τὸν Χριστὸν γινώσκωμεν, ἐπιθυμίαν ἵνα πρὸς ἐκεῖνον τρέχωμεν· μνήμην 5 ἔσχομεν ἵνα ἐκεῖνον φέρωμεν· ἐπεὶ καὶ δημιουργουμένοις, αὐτὸς ἀρχέτυπον ἦν.

92. Οὐ γὰρ ὁ παλαιὸς τοῦ καινοῦ, ἀλλ' ὁ νέος Ἀδὰμ τοῦ παλαιοῦ παράδειγμα. Εἰ γὰρ καὶ καθ' ὁμοιότητα τοῦ παλαιοῦ τὸν νέον λέγεται γεγενῆσθαι, ἀλλὰ διὰ τὴν φθορὰν ἧς ἀπήρξατο μὲν ἐκεῖνος, ἐκληρονόμησε δὲ οὗτος, ὡς ἂν 5 τὴν τῆς φύσεως ἀρρωστίαν τοῖς παρ' ἑαυτῷ φαρμάκοις ἀνέλῃ, καί, ᾗ φησι Παῦλος, «καταποθῇ τὸ θνητὸν ὑπὸ τῆς ζωῆς[a]».

93. Ὡς ἕνεκά γε τῆς φύσεως αὐτῆς ἀρχέτυπον ὁ παλαιὸς Ἀδὰμ ἡμῖν ἂν εἴη, τοῖς πρότερον ἐκεῖνον ἐπισταμένοις· ᾧ δὲ πάντα πρὶν εἶναι πρὸ τῶν ὀφθαλμῶν[a], ὁ πρεσβύτερος τοῦ δευτέρου μίμημα, καὶ κατὰ τὴν ἰδέαν ἐκείνου καὶ τὴν 5 εἰκόνα πέπλασται μέν, οὐκ ἔμεινε δέ· μᾶλλον δὲ ὡρμήθη μὲν πρὸς ἐκείνην, οὐ κατείληφε δέ. Ὅθεν καὶ τὸν νόμον ἐδέξατο μὲν ἐκεῖνος, ἔσωσε δὲ οὗτος· καὶ τὴν ὑπακοὴν ἀπῃτήθη μὲν ὁ παλαιός, ἀπέδωκε δὲ ὁ νέος «μέχρι θανάτου, θανάτου δὲ σταυροῦ[b]», φησὶ Παῦλος· καὶ ὁ μὲν παρανομῶν 10 δῆλος ἦν, ὧν δέον ἄνθρωπον ἔχειν ἀτελῶς ἔχων· οὐ γὰρ

ABCV MPW Gass Migne

90, 5 ὁ μακάριος Παῦλος C ‖ 6 vac. 1 litt. post ἠγοράσθητε B
93, 6 νόμον : κόσμον P

---

90. a. I Cor. 6, 19-20
92. a. II Cor. 5, 4
93. a. cf. Dan. 13, 42 (= Suzanne 42) ‖ b. Phil. 2, 8

l'activité de notre intelligence. C'est pourquoi Paul écrit :
«Vous ne vous appartenez pas, car vous avez été rachetés à
grand prix[a].»

91. En effet, c'est en fonction de l'homme nouveau que
fut créée la nature humaine au commencement : l'intelligence et le désir ont été édifiés en vue de lui ; nous avons
reçu une imagination afin de connaître le Christ, un désir
afin de courir vers lui ; nous possédons une mémoire afin de
le porter en nous ; car même au moment où nous étions
créés, c'est lui qui était notre archétype.

Le Christ, nouvel Adam et modèle du premier

92. Car ce n'est pas le vieil Adam qui est le modèle du
nouveau, mais le nouveau qui est le modèle de l'ancien.
En effet, même si l'on dit que le nouvel Adam a été
fait à la ressemblance de l'ancien, c'est en fait au titre
de la corruption que l'ancien a inaugurée et dont le
nouveau a hérité en vue d'ôter l'infirmité de notre nature
par les remèdes qui lui appartiennent, et afin que, selon le
mot de Paul, «ce qui est mortel soit absorbé par la vie[a].»

93. Du point de vue de la nature, certes, le vieil Adam
peut être considéré comme un modèle par nous qui le
regardons comme le premier d'entre nous ; mais pour celui
qui a toutes choses devant les yeux avant qu'elles
n'existent[a], le premier est l'imitation du second, il a été
modelé selon sa forme et son image, mais il n'est pas
demeuré tel ; ou plutôt il s'est élancé vers cette image,
mais il ne l'a pas atteinte. C'est pourquoi le premier a reçu
la Loi, mais c'est le second qui l'a observée ; du premier
était attendue l'obéissance, mais c'est le second qui l'a
accomplie, «jusqu'à la mort, et à la mort sur une croix[b]»,
dit Paul ; le premier, en transgressant la Loi, a montré
qu'il ne possédait pas en plénitude ce que l'homme doit

παρῄει τὴν φύσιν ὁ νόμος ὃν ὑπερβάντα κολάζειν δίκαιον
ἦν, ὁ δὲ τέλειος ἐν ἅπασιν ἦν, καί · «Τετήρηκα, φησί, τὰς
ἐντολὰς τοῦ Πατρός μου[c].»

94. Καὶ ὁ μὲν τὴν ἀτελῆ ζωὴν εἰσήνεγκεν, ἢ μυρίων
δεῖται βοηθημάτων · ὁ δὲ τῆς τελεωτάτης, λέγω δὴ τῆς
ἀθανάτου, πατὴρ ἐγένετο τοῖς ἀνθρώποις. Καὶ πρὸς τὴν
ἀθανασίαν ἡ φύσις ἠπείγετο μὲν ἐξ ἀρχῆς, ἀφίκετο δὲ
5 ὕστερον ἐπὶ τοῦ Σωτῆρος σώματος, ὅπερ αὐτὸς εἰς τὴν
ἀθάνατον ζωὴν ἀπὸ τῶν νεκρῶν ἀναστήσας, ἡγεμὼν ὑπῆρξε
τῆς ἀθανασίας τῷ γένει. Καὶ ἵνα τὸ πᾶν εἴπω · τὸν ἀληθινὸν
ἄνθρωπον καὶ τέλειον, καὶ τρόπων καὶ ζωῆς καὶ τῶν ἄλλων
ἕνεκα πάντων, πρῶτος καὶ μόνος ἔδειξεν ὁ Σωτήρ.

95. Εἴ γε τοῦτό ἐστιν ὡς ἀληθῶς ὅρος ἀνθρώπου πρὸς
ὃ βλέπων ἔσχατον ἔπλαττεν αὐτὸν ὁ Θεός, λέγω δὴ τὸν
βίον τὸν ἀκήρατον, ἐπειδὰν φθορᾶς μὲν ᾖ καθαρὸν αὐτῷ
τὸ σῶμα, γνώμη δὲ πάσης ἁμαρτίας ἀπηλλαγμένη · ἐνταῦθα
5 γὰρ τέλειον ἂν εἴη τὸ κατ᾽ αὐτόν, ὅταν ὁ δημιουργὸς αὐτὸν
ἃ δεῖν ᾠήθη πάντα ἐργάσηται, ἐπεὶ καὶ ἀγάλματος
ἀποκαθίσταται κάλλος τῇ τελευταίᾳ τοῦ τεχνίτου χειρί · εἰ
τοίνυν ὁ μὲν πολλοῦ τινος ἐδέησεν εἶναι τέλειος, ὁ δ᾽ ἦν ἐν
ἅπασι, καὶ τῆς τελειότητος τοῖς ἀνθρώποις μετέδωκε καὶ
(681)   10 | τὸ γένος ἅπαν εἰς ἑαυτὸν ἥρμοσεν, πῶς οὐ τὰ δεύτερα
τῶν προτέρων παραδείγματα, καὶ τὸν μὲν ἀρχέτυπον εἶναι
χρὴ νομίζειν, τὸν δὲ ἐκεῖθεν εἰλῆφθαι ; Τῶν γὰρ ἀτοπωτά-
των πρὸς τὰ ἀτελῆ τὰ τελεώτατα πάντων ἐπείγεσθαι
νομίζειν, καὶ τοῖς βελτίοσι παραδείγματα προκεῖσθαι τὰ
15 χείρω, καὶ τοὺς τυφλοὺς ἡγεῖσθαι τοῖς βλέπουσιν.

ABCV MPW Gass Migne

94, 2 τῆς[1] — δὴ *om.* Migne ‖ 3 πρὸς τὴν : εἰς τὴν Gass *om.* Migne

---

93. c. Jn 15, 10

avoir — car la Loi dont la transgression entraînait une juste sanction ne dépassait pas la nature humaine — ; mais le second fut parfait en tout et il dit : «J'ai gardé les commandements de mon Père[c].»

94. Le premier nous a apporté la vie imparfaite, qui a besoin de mille secours ; le second fut pour les hommes le père de la vie parfaite, je veux dire la vie immortelle. La nature humaine, depuis le commencement, était tendue vers l'immortalité, mais c'est plus tard qu'elle l'atteignit, dans le corps du Sauveur, ce corps que lui-même a ressuscité des morts pour la vie immortelle, devenant pour notre race l'initiateur de l'immortalité. Pour tout dire : le premier et le seul qui montra l'homme véritable et parfait, dans son comportement, dans sa vie et dans tout le reste, c'est le Sauveur.

95. Si telle est la véritable définition de l'homme que Dieu avait en vue, en fin de compte, en le modelant, je veux dire l'existence dans son intégrité, avec un corps pur de toute corruption et une volonté affranchie de tout péché — car c'est là que peut être accompli son être, quand le Créateur réalisera en lui tout ce qu'il avait jugé nécessaire, de même que la beauté de la statue est rétablie quand l'artiste y met la dernière main —, si donc le premier était loin d'être parfait, mais que le second l'était en tout, s'il a donné aux hommes part à sa perfection et s'est adjoint à lui-même notre race tout entière, — alors, comment le second état ne serait-il pas le modèle du premier, comment ne pas penser que le second fut l'archétype et que le premier fut conçu d'après lui ? Il serait suprêmement absurde de penser que ce qui est plus parfait que tout tend vers ce qui est imparfait, que le pire est un modèle pour le meilleur et que les aveugles doivent guider ceux qui voient.

96. Οὐ γὰρ ὅτι τὸν χρόνον πρότερα ἐκεῖνα δίκαιον ἂν
εἴη θαυμάζειν, ἀλλ᾽ ὅτι τέλεια ταῦτα, τῶν ἀτελῶν ἀρχὰς
εἶναι προσῆκε πιστεύειν, ἐκεῖνο ἐνθυμουμένους ὅτι καὶ πρὸς
τὴν ἀνθρώπου χρείαν, πολλὰ κατεσκεύασται μέν, πρότερα
5 δέ, καὶ ὁ πάντων τούτων κανὼν ἄνθρωπος ὕστατος ἁπάντων
τῆς γῆς ἐξελήλυθεν[a].

97. Εἶεν. Ὑπὲρ τούτων τοίνυν ἁπάντων καὶ φύσει καὶ
γνώμῃ καὶ λογισμοῖς ἄνθρωπος πρὸς τὸν Χριστὸν ἵεται, οὐ
διὰ τὴν θεότητα μόνον, ἢ πάντων οὖσα τυγχάνει τέλος,
ἀλλὰ καὶ τῆς φύσεως ἕνεκα τῆς ἑτέρας · καὶ οὗτος μὲν τὸ
5 κατάλυμα τῶν ἀνθρωπίνων ἐρώτων, οὗτος δὲ τρυφὴ
λογισμῶν, καὶ τὸ παρὰ τοῦτον ὁτιοῦν ἢ φιλεῖν ἢ λογίζεσθαι
περιφανὴς τοῦ δέοντος ἁμαρτία καὶ τῶν ἐξ ἀρχῆς ὑποτε-
θέντων τῇ φύσει παρατροπή.

98. Ὡς ἂν δὲ πρὸς αὐτὸν ἔχειν ἀεὶ δυνώμεθα τὴν μελέτην
καὶ ταύτης ὦμεν ἑκάστοτε τῆς σπουδῆς, αὐτὸν καλῶμεν
ὅσαι ὧραι τῶν λογισμῶν τὴν ὑπόθεσιν. Πάντως δὲ οὐ
παρασκευῆς πρὸς τὰς εὐχὰς δεῖ τόπων οὐδὲ βοῆς ἐκεῖνον
5 καλοῦσιν. Οὐ γὰρ ἔστιν οὗ μὴ πάρεστιν, οὐδ᾽ ἔστιν ὅπως
μὴ σύνεστιν ἡμῖν, ὅς γε τοῖς ζητοῦσι καὶ αὐτῆς ἔγγιόν ἐστι
τῆς καρδίας[a].

99. Ἀκόλουθον δὲ καὶ τὰ παρὰ τῶν εὐχῶν ἡμῖν ὡς
ἀπαντήσει μάλα πιστεύειν, καὶ μὴ ἐνδοιάζειν ὅτι πονηροὶ
τὸν τρόπον ἡμεῖς, ἀλλὰ θαρρεῖν ὅτι «χρηστὸς» ὁ καλούμενος

ABCV   MPW   Gass   Migne

97, 3 οὖσα τυγχάνει : ἐστι ABCV
98, 1 αὐτὴν ABCVMW ‖ 4 καὶ post δεῖ add. ABCV Gass ‖ ἐκεῖνο C
99, 3 χριστὸς CW[ac]

───────

96. a. cf. Gen. 1, 26-31
98. a. cf. Ps. 144, 18

───────

36. Thème classique, hérité du stoïcisme et christianisé par les
Pères en fonction de l'ordre de la création : cf. tout le chapitre II du
traité *(de hom. op.)* de Grégoire de Nysse.

96. On aurait tort de s'étonner que ce soit le moins bon qui vienne en premier dans le temps ; au contraire, parce que l'autre est parfait, il est légitime de croire que c'est lui le principe de l'imparfait, si l'on réfléchit à ceci : beaucoup de choses qui ont été disposées pour servir à l'homme ont été créées avant lui, et l'homme qui est leur raison d'être a été tiré de la terre le dernier de tout[a][36].

97. Eh bien donc ! Pour toutes ces raisons, l'homme, par sa nature, par sa volonté et par ses pensées, tend vers le Christ, non seulement en vertu de sa divinité qui est la fin de toutes choses, mais aussi à cause de son autre nature : en lui vient reposer tout l'amour de l'homme, il fait les délices de ses pensées ; aimer ou considérer quoi que ce soit en-dehors de lui, c'est manifestement manquer le but à atteindre et s'écarter des fondements originels de notre nature.

INVOQUER LE SAUVEUR EN TOUS TEMPS

98. Afin de pouvoir toujours garder notre méditation en lui et d'être sans cesse occupés à cet effort, appelons-le à toute heure pour être le sujet de nos pensées. Pour l'invoquer il n'est assurément besoin ni de lieux spécialement disposés pour la prière ni d'éclats de voix. Car il n'est pas de lieu où il ne se trouve, il n'y a pas moyen qu'il ne soit pas avec nous, lui qui, pour ceux qui le cherchent, est plus proche que leur propre cœur[a][37].

99. En conséquence, nous devons croire fermement que ce que nous demandons dans nos prières arrivera, et ne pas douter parce que notre conduite est mauvaise ; au contraire nous devons avoir confiance, parce qu'« il est bon », celui que nous invoquons, « envers les ingrats et les

37. Cf. Aug., *Conf.*, III, 11 : «interior intimo meo».

«ἐπὶ τοὺς ἀχαρίστους καὶ πονηρούς[a]», ὅς γε τοσοῦτον
5 ἀπέχει τοὺς προσκεκρουκότας τῶν δούλων δεομένους
περιορᾶν, ὥστε μήπω καλέσαντας μηδὲ λόγον ὁντινοῦν
ἐκείνου ποιησαμένους, αὐτὸς τὴν γῆν καταλαβὼν ἐκάλεσε
πρῶτος · «Ἦλθον γάρ, φησί, καλέσαι ἁμαρτωλούς[b].»

100. Ὁ δὲ μηδὲ βουλομένους οὕτω ζητήσας[a], τίς ἂν εἴη
καλούμενος ; καὶ εἰ μισούμενος ἐφίλησε, πῶς ἀπώσεται
φιλούμενος ; Ὁ καὶ δηλῶν ὁ Παῦλος, «Εἰ ἐχθροὶ ὄντες
κατηλλάγημεν τῷ Θεῷ διὰ τοῦ θανάτου τοῦ Υἱοῦ αὐτοῦ,
5 φησί, πολλῷ μᾶλλον καταλλαγέντες σωθησόμεθα ἐν τῇ ζωῇ
αὐτοῦ[b].»

101. Καὶ μήν, καὶ τὸ σχῆμα τῆς ἱκεσίας ἐνθυμηθῶμεν ·
οὐ γὰρ ἃ φίλους εἰκὸς αἰτεῖσθαι καὶ λαμβάνειν τούτων
ἀξιοῦμεν τυγχάνειν, ἀλλ' ὧν καὶ τοῖς ὑπευθύνοις καὶ
προσκεκρουκόσιν ἐφεῖται δούλοις, καὶ μάλιστα τούτοις. Οὐ
5 γὰρ ἵνα στεφανώσῃ τὸν Δεσπότην καλοῦμεν, οὐδ' ἵνα ἄλλην
τοιαύτην τινὰ κατάθηται χάριν, ἀλλ' ἵν' ἐλεήσῃ · ἔλεον δὲ
καὶ συγγνώμην καὶ χρέους διάλυσιν καὶ τὰ τοιαῦτα, τοῦ
φιλανθρώπου δεηθῆναι καὶ δεηθέντας μὴ κεναῖς ἀπελθεῖν,
εἰ μὴ τοὺς ὑπευθύνους, τίνας εἰκός, εἴ γε «μὴ χρείαν ἔχουσιν
10 οἱ ἰσχύοντες ἰατροῦ[a]» ; Εἰ γὰρ ὅλως ἀνθρώπους νενόμισται
πρὸς τὸν Θεόν, ἔλεον ἐκκαλουμένην ἀφεῖναι φωνήν, τῶν
ἀξίως ἐλέου πραττόντων, τῶν ἡμαρτηκότων ἐστὶν ἡ φωνή.
(684)   Καλῶμεν δὲ τὸν Θεὸν καὶ γλώττῃ καὶ γνώ|μῃ καὶ
λογισμοῖς, ἵνα πᾶσι δι' ὧν ἁμαρτάνομεν τὸ φάρμακον τὸ

ABCV   MPW   Gass   Migne

99, 5 δούλων : φαύλων A ǁ
100, 1 μηδὲ : μὴ A ǁ ἡμῖν *post* ἂν *add* AB ǁ *3* ὁ μακάριος Παῦλος C
101, 8 χερσὶν *post* κεναῖς *add.* ABCVW Gass

99. a. cf. Lc 6, 35 ǁ b. Matth. 9, 13
100. a. cf. Is. 65, 1 ǁ b. Rom. 5, 10
101. a. Matth. 9, 12

méchants[a]», lui qui, bien loin de mépriser les prières de ses
serviteurs qui l'avaient offensé, avant même qu'ils ne
l'aient invoqué, et alors qu'ils ne faisaient aucun cas de lui,
est lui-même descendu sur terre et les a appelés le premier;
il dit en effet : «Je suis venu appeler les pécheurs[b].»

100. S'il a ainsi recherché ceux qui ne voulaient pas de
lui[a], que fera-t-il si on l'invoque? S'il a aimé ceux qui le
haïssaient, comment repoussera-t-il ceux qui l'aiment?
C'est ce que montre Paul quand il dit : «Si quand nous
étions ennemis nous avons été réconciliés avec Dieu par la
mort de son Fils, combien plus, une fois réconciliés, serons-
nous sauvés en sa vie[b].»

Nous invoquons le Maître pour qu'il ait pitié de nous

101. Et de fait, considérons aussi la forme de notre
supplication : nous ne prétendons pas obtenir ce que des
amis peuvent légitimement demander et recevoir, mais ce
que peuvent désirer des débiteurs et des esclaves rebelles,
et surtout ceux-là. Car nous invoquons notre Maître non
pour qu'il nous couronne ni pour qu'il nous accorde
quelque autre grâce semblable, mais pour qu'il ait pitié de
nous; à qui revient-il de demander à l'ami des hommes sa
pitié, son pardon, l'acquittement de nos dettes et des
grâces de ce genre, et de ne pas repartir les mains vides
après cette demande, sinon à des débiteurs, s'il est vrai que
«ce ne sont pas les gens bien-portants qui ont besoin du
médecin[a]»? Bref, si l'on admet que des hommes doivent
élever vers Dieu une voix implorant sa pitié, cette voix est
celle des êtres dont les actions ont besoin de pitié, c'est-à-
dire des pécheurs.

Invoquons Dieu par notre langue, par notre volonté et
par nos pensées, afin qu'à tout ce par quoi nous péchons
nous appliquions l'unique remède salutaire : «car il n'est

15 μόνον σωτήριον ἐπιθῶμεν· «Οὐ γὰρ ἔστι, φησίν, ἕτερον
ὄνομα ἐν ᾧ δεῖ σωθῆναι ἡμᾶς[b].»

102. Ἀρκέσει δὲ πρὸς ταῦτα πάντα καὶ τόνον παρέξει
πρὸς τὴν σπουδὴν καὶ τὴν ἐπιφυομένην ἐξελεῖ τῆς ψυχῆς
ῥαθυμίαν, ὁ τὴν ἀνθρώπου καρδίαν στηρίζων ἀληθῶς
ἄρτος[a], ὃς τὴν ζωὴν ἡμῖν οὐρανόθεν ἦκε κομίζων[b], ὃν
5 σιτεῖσθαι δεῖ ζητεῖν ἐκ παντὸς τρόπου· καὶ τὸ δεῖπνον τοῦτο
συνεχὲς ποιουμένους ἔργον, φυλάττεσθαι τὸν λιμόν· καὶ μὴ
τῷ μὴ σφόδρα προσήκειν τοῖς μυστηρίοις, πλέον ἢ προσῆκε
τῆς τραπέζης ἀπεχομένους, ἀσθενεστέραν καὶ χείρω τοῖς
ὅλοις ἐργάσασθαι τὴν ψυχήν, ἀλλὰ περὶ τῶν ἁμαρτημάτων
10 προσιόντας τοῖς ἱερεῦσι, τῶν καθαρσίων πίνειν αἱμάτων.

103. Πάντως δὲ οὐχ οὕτω μεγάλων ὑπεύθυνοι γενοίμεθ'
ἂν ὥστε τῆς ἱερᾶς ἀποκεκλεῖσθαι τραπέζης, ἂν τούτοις
ὦμεν συντραφέντες τοῖς λογισμοῖς. Καθάπερ γὰρ τῶν
ἀθεμίτων εἴ τις τὰ πρὸς θάνατον ἁμαρτάνων[a] ἔπειτα
5 κατατολμώῃ τῶν ἱερῶν, οὕτω τοῖς μὴ τὰ τοιαῦτα νοσοῦσι
τὸν ἄρτον φεύγειν οὐκ ἐν καιρῷ· τοὺς μὲν γὰρ ἔτι τῇ
γνώμῃ τοῖς ἄνθραξι πολεμοῦντας εὐλαβεῖσθαι προσήκει τὸ
πῦρ καὶ μὴ σύνοικον αὐτοῖς λαμβάνειν πρὶν διηλλάχθαι·
τοῖς δὲ τὴν μὲν γνώμην ὀρθῶς ἔχουσιν, ἑτέρως δὲ
10 ἀρρωστοῦσι, τοῦ ῥωννύντος χρεία φαρμάκου, καὶ δεῖ
βαδίζειν παρὰ τὸν τῆς ὑγείας τεχνίτην, ὃς «τὰς ἀσθενείας
ἡμῶν ἔλαβε καὶ τὰς νόσους ἐβάστασε[b]», καὶ μὴ τὸ νοσεῖν

ABCV MPW Gass Migne

102, 7 μὴ *om.* A
103, 5 κατατολμῶν C ‖ 6-7 τῇ γνώμῃ *om.* C

---

101. b. Actes 4, 12
102. a. cf. Ps. 103, 15 ‖ b. cf. Jn 6, 33
103. a. cf. I Jn 5, 16 ‖ b. Matth. 8, 17. Cf. Is. 53, 4

---

38. La «forme» ou la formule de la supplication est facile à
retrouver : demande de pitié, allusion au nom de Jésus, sont les

pas d'autre nom, dit l'Écriture, par lequel nous devions être sauvés[b]»[38].

L'Eucharistie, nourriture pour la prière

102. Ce qui suffira pour tout cela, ce qui donnera vigueur à notre effort, ce qui arrachera de notre âme sa nonchalance parasite, c'est le pain qui fortifie en vérité le cœur de l'homme[a], lui qui est venu du ciel pour nous apporter la vie[b], lui que nous devons de toutes nos forces chercher à manger ; c'est en faisant de ce repas notre office constant que nous devons nous garder de la famine ; et nous ne devons pas, sous prétexte de ne pas abuser des mystères, nous tenir plus qu'il ne convient éloignés de la sainte Table, et rendre ainsi notre âme faible et misérable au plus haut point, mais au contraire, après nous être approchés des prêtres à propos de nos péchés, nous devons boire le sang qui purifie.

103. Du reste, si nous nous sommes nourris de ces pensées, nous ne nous rendrons pas coupables de fautes si grandes que nous devions être écartés de la sainte Table. Alors qu'il serait criminel qu'un homme ayant commis des péchés qui conduisent à la mort[a] ose ensuite s'approcher des saints mystères[39], en revanche il ne serait pas opportun pour ceux qui ne sont pas aussi malades de fuir le pain. Car ceux dont la volonté est encore en guerre contre les braises doivent prendre garde au feu et ne pas l'accueillir chez eux avant d'être réconciliés ; mais ceux qui ont une volonté droite, tout en souffrant par ailleurs d'une maladie, ont besoin du remède qui fortifie ; ils doivent aller trouver l'artisan de la santé, celui qui «a pris sur lui nos faiblesses et s'est chargé de nos maladies[b]», et ne pas alléguer pour

éléments principaux de la Prière de Jésus, prière hésychaste par excellence. C'est d'ailleurs cette prière qui plus que toute autre peut être pratiquée en tous temps.

39. Cf. *Liturgie*, XXXVI, 4.

προϊσχομένους, ὑπὲρ οὗ ζητεῖν ἔδει, φεύγειν ἰασόμενον. Τὸ γὰρ αἷμα τοῦτο ταῖς αἰσθήσεσιν ἡμῶν ἐπιτίθησι θύρας[c] καὶ
15 διαβαίνειν οὐδὲν ἐᾷ τῶν λυμαίνεσθαι δυναμένων · μᾶλλον δὲ τὰς θύρας ἀποσημαινόμενον, τὸν ὀλοθρευτὴν ἀπωθεῖται[d] · καὶ Θεοῦ νεὼν ἀπεργαζόμενον εἰς ἣν ἐχέθη καρδίαν, ἄμεινον ἢ τοὺς Σολομῶντος τοίχους τὸ αἷμα τὸ τυπικόν[e], συστῆναι παρ' αὐτῇ πονηρὸν οὐ συγχωρεῖ, «τὸ βδέλυγμα τῆς
20 ἐρημώσεως, φησίν, ἐν τόπῳ ἁγίῳ[f]», ἀλλὰ «τῷ ἡγεμονικῷ Πνεύματι στηρίζων» τὸν λογισμόν[g], ὥσπερ ηὔξατο Δαβίδ, «τῆς σαρκὸς» ὑπ' αὐτὸν ἄγει «τὸ φρόνημα[h]», καὶ ὁ ἄνθρωπος βαθείας ἀπολαύει γαλήνης[i].

104. Καὶ τί ταῦτα περὶ τοῦ μυστηρίου μηκύνω, διὰ πολλῶν πρότερον εἰρημένων οἷα ποιεῖ τοὺς τελουμένους ; Ἀλλ' ἂν οὕτω Χριστῷ συνῶμεν τῇ τελετῇ, ταῖς εὐχαῖς, τῇ μελέτῃ, τοῖς λογισμοῖς, πρὸς πᾶσαν μὲν ἀρετὴν ἀσκήσομεν
5 τὴν ψυχήν, «φυλάξομεν δὲ τὴν παρακαταθήκην[a]», ᾗ κελεύει Παῦλος, καὶ τὴν ἀπὸ τῶν μυστηρίων ἡμῖν ἐντεθεῖσαν σώσομεν χάριν. Ὥσπερ γὰρ αὐτὸς μέν ἐστιν ὁ τελῶν, αὐτὸς δὲ τὰ μυστήρια, τὸν ἴσον τρόπον ὁ φυλάττων ἐν ἡμῖν ἃ δίδωσι, καὶ μένειν ἐφ' οἷς ἐλάβομεν παρασκευάζων μόνος
10 ἐστίν · «Ὅτι χωρὶς ἐμοῦ, φησίν, οὐ δύνασθε ποιεῖν οὐδέν[b]».

ABCV MPW Gass Migne

103, 17 ἐπεργαζόμενον C
104, 2 εἰρημένων PW εἰρημένον cett. ‖ τελουμένους P τελεσμένους W τετελεσμένους cett. ‖ 10 ἐστίν om. V

103. c. cf. Ps. 140,3 ‖ d. cf. Ex. 12,13.22-23 ‖ e. cf. III Rois 8,63-64 ‖ f. Matth. 24,15. Cf. Dan. 11,31 ; 12,11 ‖ g. cf. Ps. 50,14 ‖ h. cf. Rom. 8,6 ‖ i. cf. Matth. 8, 26 et par.

fuir le médecin la maladie pour laquelle ils le devraient chercher. Car ce sang pose des portes à nos sens[c], et ne laisse rien entrer de ce qui peut nous faire du mal ; ou plutôt, apposé comme un signe sur les portes, il repousse l'exterminateur[d][40] ; il transforme en temple de Dieu le cœur dans lequel il a été versé, mieux que le sang qui en était le type ne le fit des murs de Salomon[e], il ne laisse subsister en lui aucune idole mauvaise, « abomination de la désolation dans le lieu saint » comme dit l'Écriture[f]. Au contraire, « fortifiant » la pensée « par l'Esprit souverain[g] », comme priait David, il lui soumet « le désir de la chair[h] », et l'homme jouit d'une profonde sérénité[i].

104. Pourquoi m'étendre ainsi sur ce mystère, alors que j'ai déjà longuement exposé auparavant ce qu'il accomplit chez ceux qui le reçoivent ? Si nous sommes ainsi unis au Christ par la célébration, par les prières, par la méditation et par les pensées, nous exercerons notre âme à toute vertu, « nous garderons le dépôt[a] », comme nous le demande Paul, et nous conserverons la grâce déposée en nous par les mystères. De même qu'il est à la fois celui qui célèbre et le mystère lui-même, de même lui seul garde en nous ce qu'il nous donne et nous dispose à demeurer dans la grâce que nous avons reçue : « Sans moi, dit-il en effet, vous ne pouvez rien faire[b]. »

---

104. a. I Tim. 6,20 ; II Tim. 1.12.14 ‖ b. Jn 15,5

---

40. Cf. Chrys., *In Ioh.*, hom. 46 (*PG* 59, 261).

LIVRE VII

Λόγος ἕβδομος · ὁποῖος γίνεται ὁ μεμυημένος τὴν ἀπὸ
τῶν μυστηρίων χάριν φυλάξας τῇ παρ' ἑαυτοῦ σπουδῇ.

1. Ἐπεὶ δὲ εἴρηται τίς γενόμενος ὁ μυηθεὶς καὶ τίνα τὴν
ὁδὸν ἐλθὼν ἃ παρὰ τῶν μυστηρίων ἔλαβε σώσοι, σκοπεῖν
ἀκόλουθον τίς γένοιτο σεσωκὼς καὶ ποταπὸς ἂν ἀποβαίη
τοὺς τρόπους, τοῖς τοῦ Θεοῦ τὰ παρ' ἑαυτοῦ προσθείς.
5 Ἐκεῖνα μὲν γὰρ συνάγει τὴν ζωήν, ἃ τῶν προτέρων λόγων
ἡμῖν χωρὶς ἑκάτερον ὑπόθεσις ἦν, τοῦτο μὲν ἡ παρὰ τῶν
τελετῶν χάρις, τοῦτο δὲ ἡ πρὸς τὸ συντηρῆσαι τὸ δῶρον
παρὰ τῶν δεξαμένων σπουδή.

Νῦν δὲ συστᾶσαν αὐτὴν ὑπόλοιπόν ἐστιν ὁλόκληρον
10 θεωρῆσαι, καὶ τί τὸ συναμφότερον δεῖξαι, καὶ οἷόν ἐστι τὴν
ἀνθρωπίνην ἀρετὴν ἅπασαν τῇ χάριτι συνελθεῖν.

2. Τοῦτο δὲ γένοιτ' ἄν, ἐὰν αὐτὸν τὸν ἐξ ἀμφοτέρων
συγκεκροτημένον σκεψώμεθα · καθάπερ οἶμαι καὶ ὑγείαν ὅ
τί ἐστι καὶ ὅσον αὐτῆς ὄφελος εἴ τις δεικνύναι ἐθέλοι, τὸν
μάλιστα αὐτῆς ἀπολαύοντα ἀγαγὼν εἰς μέσον, μάλιστ' ἂν
5 ποιῆσαι καταφανές. Καὶ δὴ τὸν οὕτω ζήσαντα πρὸ τῶν
ὀφθαλμῶν στήσαντες, μανθάνωμεν αὐτοῦ τὴν εὐεξίαν καὶ
τὴν ὥραν, πανταχόθεν περισκοποῦντες · σκεψόμεθα δὲ τῶν

B P Gass Migne

1, 10 οἶον : οἱ Gass
2, 7 σκεψώμεθα B

LIVRE VII

Livre VII : Ce que devient l'homme qui a été initié et qui garde par sa propre ferveur la grâce qu'il a reçue des mystères.

1. Puisque nous avons dit ce que devient l'homme qui a été initié et quelle route il doit suivre pour conserver ce qu'il en a reçu, il convient d'examiner à présent ce qu'il peut devenir lorsqu'il l'a conservé, et à quelle conduite il peut aboutir quand il ajoute à ce qui est de Dieu ce qui vient de lui-même. Les deux éléments qui ont fait l'objet de nos précédents livres, chacun traité séparément — à savoir la grâce reçue des mystères et la ferveur pour conserver le don de la part de ceux qui l'ont reçu — ont amassé la vie en nous.

Il nous reste maintenant à contempler, dans son intégrité, cette vie qui a pris consistance, à montrer quel est le résultat de cette action commune et de quelle façon la vertu humaine tout entière peut collaborer avec la grâce.

2. C'est ce que nous pouvons voir si nous examinons l'être même qui a été forgé par ces deux influences : de même, je pense, si l'on voulait montrer ce qu'est la santé, et combien elle est utile, amènerait-on devant tout le monde celui qui en jouit au plus haut point, et ce serait le meilleur exemple. Plaçant donc devant les yeux l'homme qui vit de cette vie, apprenons à connaître sa bonne constitution et sa beauté, en le scrutant de tous côtés ;

μὲν ἄλλως αὐτὸν κοσμούντων οὐδέν, οὐδ' εἰ θαύμασι λάμπει
καὶ τοιαύτην εἴληφε χάριν · ἀλλ' αὐτὸν τοῦτον καθαρῶς καὶ
10 τὸν οἴκοι κόσμον τὴν τῆς ψυχῆς ἀρετήν. Ἐκείνως μὲν γὰρ
εἰκάσαι τις ἂν τὸν σπουδαῖον, καὶ τοῦτ' αὐτὸ μόνον ἀρετῆς
ἂν εἴη τεκμήριον · τὸ δ' αὐτῶν πειρᾶσθαι τῶν τρόπων, αὐτόν
ἐστι γινώσκειν τὸν ἄνθρωπον.

3. Τί οὖν δεῖ, παρὸν αὐτόθεν μανθάνειν, τεκμαίρεσθαι
καὶ σημεῖα ζητεῖν[a], ὅταν αὐτῶν ἐξῇ τῶν πραγμάτων
ἅπτεσθαι ; καίτοι οὐδὲ σημεῖον τοῦτο γένοιτ' ἂν ἀποχρῶν
ἀρετῆς. Οὔτε γὰρ πᾶσι ταῦτα τοῖς σπουδαίοις ἀκολουθεῖ,
5 οὔθ' οἷς ὑπῆρξεν, ἐργάται πάντες εἰσὶν ἀρετῆς. Καὶ γὰρ
πολλοὶ τῶν μεγάλα παρὰ Θεῷ δυνηθέντων οὐδὲν ἐπεδεί-
ξαντο τοιοῦτον, καὶ αὖθις τῶν πονηρῶν ἐνίους ἐδέησε
τοιαῦτά ποτε δυνηθῆναι · καὶ τὸν Χριστὸν καλοῦσιν οὐδὲν
ἀμήχανον ἦν[b], οὗ τῶν τρόπων τοῦτο διδόντων ἀλλ' ἵν' ὁ
10 καλούμενος φανῇ.

4. Καὶ διὰ τοῦτο τῆς μὲν ἀρετῆς ἕνεκα καὶ τελεταὶ καὶ
πᾶς πόνος, πρὸς δὲ τὴν δύναμιν ἐκείνην οὐδεὶς οὐδὲν
ἐμηχανήσατο τῶν ἐπισταμένων ὡς δεῖ πονεῖν. Καὶ τί λέγω ;
(688)   Μὴ παρ|όντων οὐδένα πόθον ἔλαβον οὐδ' ἐζήτησαν ὧν
5 παρόντων οὐδὲ χαίρειν ἔξεστι. «Μὴ χαίρετε γάρ, φησίν,

B P Gass Migne

2, 10 Ἐκείνοις Gass

3. a. cf. Matth. 12, 39 ‖ b. cf. Matth. 7, 21-23

nous n'examinerons aucun des dons qui l'embellissent par ailleurs, ni s'il brille par des miracles ou s'il a reçu quelque grâce de ce genre ; non, nous l'examinerons lui-même exclusivement, et la parure qui lui est propre, c'est-à-dire la vertu de son âme. De la première façon en effet, on peut conjecturer l'homme fervent, et ce ne peut être qu'un indice de sa vertu, tandis que passer au crible sa conduite même, c'est cela connaître l'homme en lui-même.

LA PERFECTION RÉSIDE DANS LA VOLONTÉ

3. Alors qu'on peut connaître une chose directement, pourquoi se contenter d'indices, et chercher des signes[a] si l'on peut atteindre la réalité même ? d'autant plus que (le charisme) n'est même pas un signe suffisant de vertu. En effet, ces dons ne sont pas accordés à tous les hommes fervents, et ceux à qui ils sont donnés ne sont pas tous des êtres qui pratiquent la vertu. Car beaucoup de ceux qui ont eu un grand pouvoir auprès de Dieu n'ont rien manifesté de tel, et en revanche il est arrivé que des méchants soient capables de tels prodiges. Rien ne leur est impossible quand ils invoquent le Christ[b], non que leur conduite produise ces prodiges, mais c'est afin que soit manifesté celui qu'ils invoquent.

La perfection ne réside pas dans les charismes

4. Voilà pourquoi à la vertu sont ordonnés les rites et toute ascèse ; tandis que cette puissance-là, aucun des maîtres de l'ascèse n'a rien inventé pour l'obtenir. Que dis-je ? Quand ils ne possédaient pas ces dons, ils n'en ont conçu aucun désir et ils n'ont pas recherché ce dont il n'est pas même permis de se réjouir quand on le possède ; car il est écrit : « Ne vous réjouissez pas de ce que les esprits vous

ὅτι τὰ πνεύματα ὑμῖν ὑποτάσσεται, χαίρετε δὲ ὅτι τὰ
ὀνόματα ὑμῶν ἐγράφη ἐν τοῖς οὐρανοῖς[a].»

Ὁ τοίνυν μήτε ποιεῖ τὴν ἀρετὴν μήτε γοῦν δύναται
μηνῦσαι παροῦσαν, περίεργον εἴ τις ἐκείνην ζητῶν τοῦτο
10 πολυπραγμονεῖ. Ἀλλ' οὐδ' εἰ θεωριῶν τινων ἀπολαύοι καὶ
ἀποκαλύψεων τυγχάνει καὶ τὰ μυστήρια πάντα οἶδεν[b], ἀπὸ
τούτων αὐτὸν εἰσόμεθα καὶ θαυμάσομεν. Καὶ ταῦτα γὰρ
ἐνίοτε ἀκολουθεῖ τοῖς ἐν Χριστῷ ζῶσιν, οὐ συνίστησιν οὐδ'
ἐργάζεται τὴν ζωήν· ὥστε μηδὲν πλέον εἰς ἀρετὴν εἶναι τῷ
15 πρὸς ταῦτα μόνον ὁρῶντι. Καὶ τοῦτο δείκνυσιν ὁ μακάριος
Παῦλος, ἐν οἷς Κορινθίοις γράφων· «Ἐὰν εἰδῶ, φησί, τὰ
μυστήρια πάντα καὶ ἔχω πᾶσαν τὴν γνῶσιν, ἀγάπην δὲ μὴ
ἔχω, οὐδέν εἰμι καὶ γέγονα χαλκὸς ἠχῶν ἢ κύμβαλον
ἀλαλάζον[c].»

5. Ὅθεν τἄλλα παραδραμόντες, εἰς αὐτὴν ἴδωμεν τὴν
θέλησιν τῆς ψυχῆς, ἐν ᾗ καὶ χρηστότης συνέστηκεν
ἀνθρώπου καὶ πονηρία, καὶ τὸ ἀληθῶς ὑγιαίνειν καὶ τὸ
νοσεῖν, καὶ καθόλου ζῆν ἢ τεθνάναι, ἣν τὸ ἀγαθὴν εἶναι καὶ
5 πρὸς Θεὸν μόνον ἔχειν, ἡ μακαρία ἐστὶ ζωή.

6. Τοῦτο γὰρ καὶ μυστηρίων καὶ μελέτης ἔργον ἀνθρώπου, τὴν γνώμην μόνου γενέσθαι τοῦ ὡς ἀληθῶς ἀγαθοῦ.
Καὶ γὰρ τῆς τοῦ Θεοῦ περὶ τὸ γένος ἐπιμελείας ἁπάσης,
ἐκεῖνο μόνον τέλος ἔστιν ἰδεῖν· καὶ πρὸς τοῦτο πᾶσα μὲν
5 ἀγαθῶν ἐπαγγελία φέρει, πᾶσα δὲ κακῶν ἀπειλή· καὶ
τούτου χάριν ὁ Θεὸς τὸν κόσμον ἡμῖν ᾠκοδόμησε τοῦτον
καὶ νόμους ἔθηκε· καὶ μυρίοις μὲν ᾖσεν ἀγαθοῖς, πολλοῖς
δὲ μετῆλθεν ἀνιαροῖς, ἵν' εἰς ἑαυτὸν ἐπιστρέψῃ καὶ πείσῃ
θέλειν αὐτὸν καὶ μόνον φιλεῖν.

B   P   Gass   Migne

4, 10 ἀπολαύει Gass

4. a. Lc 10, 20 ‖ b. cf. I Cor. 13, 2 ‖ c. 1 Cor. 13, 1

sont soumis, mais réjouissez-vous de ce que vos noms sont inscrits dans les cieux[a]».

Ainsi donc, ce qui ne produit pas la vertu et ne peut même pas en signaler la présence, il est superflu pour celui qui recherche la vertu de s'en préoccuper. Au contraire, même si quelqu'un jouit de quelque vision, reçoit des révélations et connaît tous les mystères[b], nous ne le jugerons ni ne l'admirerons d'après cela. En effet, ces prodiges s'ensuivent parfois chez ceux qui vivent en Christ, mais ils n'engendrent ni ne produisent cette vie ; de sorte que celui qui ne regarde qu'eux n'y gagne rien au regard de la vertu. C'est ce que montre le bienheureux Paul quand il écrit aux Corinthiens : «Si je connais tous les mystères, si j'ai toute la connaissance, mais que je n'aie pas la charité, je ne suis rien qu'airain qui sonne ou cymbale qui retentit[c]».

5. C'est pourquoi, laissant de côté tout le reste, ne regardons que la volonté de l'âme, car en elle consistent la bonté de l'homme et sa malice, la santé véritable et la maladie, en un mot la vie et la mort : qu'elle soit bonne et tournée vers Dieu seul, c'est cela la vie bienheureuse.

La grâce de Dieu et l'effort de l'homme n'ont en vue que la rectitude de la volonté

6. Car telle est l'œuvre des mystères et de la méditation de l'homme : que la volonté n'appartienne qu'au vrai bien. C'est cela seul que l'on peut regarder comme la fin de toute la sollicitude de Dieu envers notre race. C'est vers ce but que tendent tous les bienfaits qu'il nous promet et tous les maux dont il nous menace, c'est pour cela que Dieu nous a aménagé ce monde et nous a prescrit des lois ; il nous a réjouis de mille bienfaits, pressés d'innombrables fléaux, afin de nous retourner vers lui et de nous convaincre de ne vouloir et de n'aimer que lui.

138   LA VIE EN CHRIST

7. Τοῦτο δὲ δῆλον ἐξ ὧν ταύτην μόνην παρ' ἡμῶν ὑπὲρ
ὧν εὖ πεποίηκεν ἀπαιτεῖ τὴν φοράν, τὸ ἀγαθὸν βούλεσθαι
καὶ τὴν γνώμην εἶναι χρηστούς. Καὶ μαρτυροῦσι μὲν ἐντολαὶ
πᾶσαι, μαρτυροῦσι δὲ παραινέσεις, καὶ ἁπλῶς λόγος ἅπας
5 ἀνθρώποις ὄφελος ἔχων εἰς τοῦτο φέρων. Καὶ γὰρ πλεονε-
ξίαν ἀναιρῶν καὶ σωμάτων ἐπιθυμίαν κολάζων καὶ θυμὸν
ἄγχων καὶ μνησικακίαν ἐκβάλλων, οὐδὲν ἢ γνώμης χρηστότητα καὶ ἐπιείκειαν ἀπαιτεῖ. Καὶ αὖθις ἡ ἐν πνεύματι
πτωχεία καὶ τὸ πενθεῖν καὶ τὸ ἐλεεῖν καὶ τὸ πρᾶον εἶναι
10 καὶ τῶν ἄλλων ἕκαστον ἃ τοὺς κατορθοῦντας ὁ Χριστὸς
ἐκάλεσε μακαρίους[a], ἀτεχνῶς ἔργα θελήσεως.

8. Ἔτι δὲ τὸ συνθέσθαι τοῖς ὀρθοῖς τῶν δογμάτων καὶ
περὶ Θεοῦ τὰ ὄντα πιστεῦσαι, τῶν εὐγνωμόνων γίνεται·
καὶ καθόλου τῆς ἀγάπης ἕνεκα πάντα φησὶν ὁ Θεὸς τεθῆναι
τὸν νόμον[a], ἡ δὲ ἀγάπη τῆς γνώμης ἐστὶν ἀρετή. Ὅτε τοίνυν
5 μετὰ πᾶσαν παιδείαν καὶ πρόνοιαν, θελήσεως ἡμᾶς ὁ Θεὸς
εἰσπράττει καρπούς, δῆλός ἐστιν εἰς ἐκείνην ἅπαντα σπείρων
καὶ πᾶσαν ἐν αὐτῇ καταβαλλόμενος τὴν εἰς τἀγαθὸν δύναμιν
καὶ παρασκευήν.

Οὐκοῦν καὶ τὸ βάπτισμα διὰ τοῦτο δέδωκε καὶ τἄλλα
10 ἡμᾶς ἐτέλεσεν, ἵν' ἃ προσῆκεν ἀγαθὴν ποιήσῃ τὴν γνώμην,
καὶ πᾶσα τῶν μυστηρίων ἡ δύναμις καὶ ἡ καινὴ ζωὴ
παρ' αὐτῇ.

9. Ὅλως δὲ τί ποτε ἡμῖν αἱ τελεταὶ δύνανται; Πρὸς τὸν
μέλλοντα βίον παρασκευάζουσι · «Δυνάμεις γάρ εἰσι τοῦ
μέλλοντος αἰῶνος[a]», ᾗ φησι Παῦλος[a].

(689)   **10.** Τί δέ ἐστιν | ᾧ μόνῳ παρασκευαζόμεθα; Τὸ
τηρῆσαι τὰς ἐντολὰς τοῦ στεφανοῦν καὶ κολάζειν ἐπὶ τοῦ

B P Gass Migne

8, 1 Ἔτι δὲ καὶ B ‖ 10 ἵν' ἃ προσῆκεν : ἵνα πρὸς ἡμῖν Gass

7. a. cf. Matth. 5, 3-7
8. a. cf. Matth. 22, 36-40

7. Cela apparaît évident si l'on songe que la seule contribution qu'il réclame de notre part en échange de tout le bien qu'il nous a fait, c'est de vouloir le bien et d'avoir une volonté bonne. Témoins tous les commandements, témoins les exhortations, bref toute parole prononcée pour le bien des hommes et qui porte sur ce point. Quand il détruit l'avarice, quand il fustige le désir des corps, quand il étrangle l'emportement, quand il bannit la rancune, il ne réclame qu'une volonté bonne et bienveillante. Inversement, la pauvreté en esprit, l'affliction, la miséricorde, la douceur, et chacun des autres comportements dont le Christ a proclamé bienheureux[a] ceux qui les pratiquaient, sont tout simplement l'œuvre de la volonté.

8. En outre, acquiescer à la droite doctrine, croire aux vérités sur Dieu, c'est le fait des hommes de bonne volonté ; et d'une manière générale, Dieu dit que c'est en fonction de la charité que toute la loi a été établie[a], or la charité est une vertu de la volonté. Puis donc que Dieu, avec toute son éducation et sa providence, nous réclame des fruits de la volonté, il est évident que c'est en elle qu'il fait toute semence, que c'est en elle qu'il dépose les germes de toute faculté et disposition envers le bien.

C'est pour cela qu'il nous a donné le baptême et nous a initiés par les autres rites, afin de rendre notre volonté bonne ainsi qu'il convient, et toute la vertu des mystères ainsi que la vie nouvelle résident en elle.

9. Au total, quelle est l'action des rites en nous ? Ils nous disposent en vue de l'existence future : car « ils sont des facultés du monde à venir », comme dit Paul[a].

10. Qu'est-ce donc qui seul nous dispose ? Garder les commandements de celui qui a pouvoir de couronner et de

9. a. Hébr. 6, 15

μέλλοντος δυναμένου· τοῦτο γὰρ τὸν Θεὸν αὐτὸν ἡμῖν
εἰσοικίζει. «Ὁ γὰρ ἀγαπῶν με, φησί, τὰς ἐντολάς μου
5 τηρήσει καὶ ὁ Πατήρ μου ἀγαπήσει αὐτόν, καὶ πρὸς αὐτὸν
ἐλευσόμεθα καὶ μονὴν παρ' αὐτῷ ποιήσομεν[a].»

11. Τὸ δὲ σῶσαι τοὺς νόμους τῆς γνώμης ἅπαν ἐστί.
Καὶ γὰρ ἆθλα κεῖται τοῖς αἰδεσθεῖσι τὸν νομοθέτην, καθάπερ
τιμωρίαι τοῖς ὑπερόπταις· τὸ δὲ τοιοῦτον ἐθελούσιον, τοῦτο
γάρ ἐστι τῆς ψυχῆς τὸ μέρος τὸ τὰς εὐθύνας δεχόμενον
5 πανταχοῦ, καῖ τῶν παντάπασιν ἀκουσίων οὔτε στέφανον
οὔτε τιμωρίαν εὕροι τις ἄν. Οὐκοῦν εἰ τὴν γνώμην
ἀναπτύξομεν τοῦ κατὰ Θεὸν ζῶντος, ἐν αὐτῇ λάμπουσαν
εὑρήσομεν τὴν μακαρίαν ζωήν.

12. Ὡσὰν δὲ πᾶσαν αὐτῆς εἰδῶμεν τὴν δύναμιν, ἐπ'
αὐτῆς αὐτὴν σκεψόμεθα τῆς ὑπερβολῆς, καθάπερ καὶ
σώματος ἰσχὺν ἐπὶ τῆς ἀκμῆς.

13. Ὑπερβολὴ δὲ θελήσεως, ἡδονὴ καὶ λύπη, τὸ μὲν
προσιεμένης ὁτιοῦν, ἐκεῖνο δὲ ἐκτρεπομένης. Ὅθεν ἐν
τούτοις ὁ ἄνθρωπος ὅ τί ἐστι φαίνεται καὶ ταῦτα τὸν
ἑκάστου δείκνυσι τρόπον καὶ τοὺς πονηροὺς διίστησι τῶν
5 χρηστῶν. Καὶ οὕτω διττὸς ὁ τῶν ἀνθρώπων γίνεται βίος·
τῶν μὲν πονηρῶν αἰσχροῖς καὶ ματαίοις , τῶν δὲ ἀγαθῶν
χαιρόντων τοῖς ἀγαθοῖς· καὶ τῶν μὲν τοῖς δοκοῦσιν ἀηδέσι,

B   P   Gass   Migne

---

10. a. Jn 14, 23

10, 4 ἐνοικίζει Gass ‖ 5 πρὸς αὐτὸν *om.* Gass
11, 4 τὸ μέρος *om.* Gass

1. Ὑπερβολή : notion héritée de la *Rhétorique* d'Aristote, et
désignant le «plus haut degré» d'une vertu (on traduit alors par
«surabondance») ou d'un vice (mieux rendu par «excès») : cf. Ar.,
Rhet., I, 1374 a 21.

punir dans le monde à venir ; car c'est cela qui introduit en
nous Dieu lui-même : « Celui qui m'aime, dit l'Écriture,
gardera mes commandements, et mon Père l'aimera, et
nous viendrons à lui, et nous ferons chez lui notre
demeure[a] ».

11. Or, observer les lois dépend entièrement de la
volonté. En effet, des récompenses sont réservées à ceux
qui respectent le législateur, et de même des châtiments à
ceux qui le méprisent ; or un tel choix est un acte de la
volonté, car c'est cette partie de l'âme qui doit en tout état
de cause rendre des comptes, et il ne peut être question de
couronne ou de châtiment pour ce qui est totalement
involontaire. Ainsi donc, si nous déployons devant les yeux
la volonté de celui qui vit selon Dieu, nous y trouverons,
resplendissante, la vie bienheureuse.

Le plaisir et la tristesse, pierre de touche de la volonté

12. Afin d'en connaître toute la puissance, observons-la
en sa surabondance[1], comme on connaît la vigueur d'un
corps en sa pleine maturité.

13. La surabondance de la volonté réside dans le plaisir
et la tristesse[2], car elle se tourne vers le premier et se
détourne de la seconde. C'est pourquoi en l'un et l'autre
l'homme révèle ce qu'il est, tous deux montrent la manière
d'être de chacun et séparent les méchants des bons. C'est
ainsi que le genre de vie des hommes est double : les
méchants se réjouissent de ce qui est laid et vain, les bons
de ce qui est bon ; les méchants s'affligent de ce qui paraît

2. Lieu commun de l'anthropologie classique, aristotélicienne
(*Eth. Nic.*, II, 3) puis stoïcienne (*SVF.*, III, n. 391, p. 95), reprise par
les Pères : cf. la compilation de Némésios d'Émèse, *de nat. hom.*,
chap. 18 (« Des plaisirs ») et 20 (« de la tristesse ») (*PG* 40, 677-688).

τῶν δὲ τοῖς ὡς ἀληθῶς κακοῖς ἀχθομένων. Καὶ οὐ πονηρία
καὶ χρηστότης μόνον, ἀλλὰ καὶ ῥαστώνη βίου καὶ δυσκολία
10 καὶ τὸ δυστυχεῖν καὶ τὸ πράττειν εὖ, ἀπὸ τούτων κρίνεται.

14. Οἷς τοίνυν περὶ ζωῆς μακαρίας ὁ λόγος, πῶς οὐκ
ἀναγκαία τούτων ἡ θεωρία παρ' οἷς καὶ τὸ τῆς ζωῆς
εἶδος ἁπλῶς καὶ τὴν εὐδαιμονίαν ἔστι μαθεῖν; Ἐπεὶ δὲ
ἡδονῆς ἡ λύπη προτέρα, καθόσον ἐκείνου τοῦτο καρπός
5 — «Παρακληθήσονται γάρ, φησίν, οἱ πενθοῦντες[a]» —,
εἰκός ἐστι καὶ τὸν περὶ ταύτης λόγον ἡγήσασθαι.

15. Ἄλλως τε, τὸ μὲν οἷς προσῆκόν ἐστιν ἄχθεσθαι,
φεύγειν ἐστὶ τὸ κακόν· τό γε μὴν χαίρειν δεόντως, ὁ πρὸς
τἀγαθόν ἐστι δρόμος· ἐκεῖνο δὲ τούτου τῇ προόδῳ δεύτερον·
«Ἔκκλινον γάρ, φησιν, ἀπὸ κακοῦ καὶ ποίησον ἀγαθόν[a]».

16. Εἴρηται μὲν οὖν κἀν τοῖς ἔμπροσθεν λόγοις περὶ τῆς
κατὰ Θεὸν λύπης, ὧν ὑπόθεσις ἃ λογιζομένους ἔνι πενθεῖν,
ἀλλ' ἐπ' ἄλλα βλέπουσι, καὶ διὰ τοῦτο πρὸς ἅπαν ὃ προσήκει
τῷ πάθει μὴ δυνηθεῖσι. Νῦν δὲ θεωρῆσαι δεῖ, Θεὸς δὲ ἄγοι
5 τὸν λόγον, τί τέ ἐστιν ὃ λυπήσει τὸν σπουδαῖον, καὶ τίνα
τρόπον, καὶ τἄλλα δήπουθεν ἐν οἷς πᾶσα τῆς ἐπαινουμένης
λύπης πρὸς τὴν πονηρὰν ἡ διαφορά.

17. Ὅτι μὲν οὖν οἷς δεῖ καὶ πῶς δεῖ ἀκόλουθον τὸν ἐν
Χριστῷ ζῶντα λυπεῖσθαι, πᾶσίν ἐστι φανερόν· τίνα δὲ τὰ
δέοντα, καὶ τίς ὁ τρόπος ὁ προσήκων, καὶ τῶν τοιούτων,

B P Gass Migne

15, 2 δεόντως : δεύτερον Gass ‖ 2-3 πρὸς ἀγαθὸν Gass
16, 2 λογιζομένοις Gass ‖ 6 πᾶσα om. Gass
17, 2 Χριστῷ : Θεῷ Gass

_____

14. a. Matth. 5, 4
15. a. Ps. 33, 15

désagréable, les bons de ce qui est vraiment mauvais. Et ce n'est pas seulement la méchanceté et la bonté que l'on discerne à partir de là, mais aussi la douceur de la vie et la morosité, l'échec et le succès.

14. Dans un discours qui porte sur la vie bienheureuse, comment se passer de la considération du plaisir et de la tristesse, qui nous permettent d'apprendre la nature de la vie tout simplement, et le bonheur? Et puisque la tristesse précède le plaisir, dans la mesure où il en est le fruit — «Les affligés seront consolés», dit l'Écriture[a] —, il est normal de commencer la réflexion par elle.

15. Du reste, s'affliger de ce qu'il convient, c'est déjà fuir le mal; et se réjouir à bon escient, c'est le chemin vers le bien; mais dans la progression le plaisir est second: «Écarte-toi du mal et fais le bien», dit l'Écriture[a].

16. On a déjà parlé de la tristesse selon Dieu dans les précédents livres[3], qui traitaient des pensées qui peuvent nous pousser à nous affliger, mais qui avaient un autre objectif et pour cette raison ne pouvaient traiter entièrement de cette passion. A présent, il nous faut considérer — Dieu conduise notre discours — ce qui affligera l'homme fervent, de quelle manière, et sans doute enfin, ce qui distingue la tristesse louable de la mauvaise.

VRAIE ET FAUSSE TRISTESSE

17. Que celui qui vit en Christ doive souffrir de ce qu'il faut et comme il faut, c'est évident pour tout le monde; mais de quoi il faut souffrir, de quelle manière il convient

---

3. Ce paragraphe rattache indubitablement le livre VII aux autres livres et en confirme l'authenticité.

οὐ πᾶσι δήλων καθισταμένων, ἡ σκέψις οὐ μάτην γένοιτ'
5 ἂν ἡμῖν ὅση δυνατή.

Ἡ μὲν οὖν λύπη τοῦ μίσους ἐξήρτηται, τὸ δὲ μῖσος, τοῦ
λόγου τῆς πονηρίας. Καὶ γὰρ ἀποστρεφόμεθα μὲν ὃ
δοκοῦμεν εἶναι πονηρόν· οἷς δέ τις ἐχθρῶς ἔχει καὶ πρὸς
ἃ δυσχεραίνει, τούτοις ἀνιᾶται παροῦσιν· ὅθεν ὁ ζῶν ὀρθῶς
10 καὶ τῆς ἀληθινῆς φιλοσοφίας ἐπειλημμένος οἶδε μὲν πρῶτον
ὅπερ ἐστὶ κακὸν ἀληθῶς, οἶδε δὲ ὃ χρὴ μισεῖν, ἀνιᾶται δὲ
οἷς ἄχθεσθαι δεῖ.

(692)   **18.** Διὰ τοῦτο | ζητῶμεν τί τὸ ὡς ἀληθῶς ἀνθρώπῳ
κακόν. Πολλῶν τοίνυν καὶ παντοδαπῶν ὄντων ἃ τοὔνομα
δέχεται τοῦτο, καὶ τῶν μὲν ἀνθρώποις ἐν κοινῷ πᾶσι, τῶν
δ' ἐνίοις ὄντων δυσχερῶν, οὐδὲν οἷον ἡ τῆς ψυχῆς πονηρία
5 καὶ τὸ τὴν γνώμην νοσεῖν.

19. Καὶ γὰρ καὶ ἀέρων φθοραὶ καὶ ὡρῶν ἀταξίαι καὶ
χωρῶν ἀφορίαι καὶ γῆς διαστάσεις καὶ σεισμοὶ καὶ λοιμοὶ
καὶ αὖθις πενία καὶ νόσος καὶ ὕβρις καὶ δεσμωτήριον καὶ
πληγαὶ καὶ τῶν τοιούτων ἕκαστον, αὐτὸ μὲν ἂν εἴη κακόν,
5 ἀνθρώπῳ δὲ κακὸν οὐδαμῶς. Ταῦτα μὲν γὰρ τοῖς ἔξω
λυμαίνεται καὶ σώματος καὶ κτημάτων οὐδὲν περαιτέρω
χωρεῖ. Ὁ δὲ ἄνθρωπος οὔτε τὸ σῶμά ἐστιν ἵνα νοσοῦντος
αὐτὸς νοσῇ, οὔτε πολλῷ μᾶλλον τῶν ἃ δεῖ τῷ σώματι
χορηγούντων, ὧν ἀφῃρημένων εἰς αὐτὴν βεβλάφθαι τὴν
10 ἀνθρωπότητα δεήσει.

Καὶ μὴν οὐδ' αἱ τῶν πολλῶν ψῆφοι τὸν ἄνθρωπον
πλάττουσιν, ὅπως ᾖ χείρων εἴ τις περὶ αὐτοῦ τὰ χείρω
γινώσκει. Καὶ γὰρ εἰ τοῦτο θήσομεν, δεήσει καὶ κακῶς
πράττειν καὶ βέλτιον ἔχειν κατὰ ταὐτόν, καὶ πονηρὸν μὲν

B   P   Gass   Migne

19, 1 ἀέρων : ἄστρων Gass ‖ 8 τῷ *om.* B ‖ 14 κατὰ ταὐτόν : κατ' αὐτόν
Gass

de le faire, toutes ces questions qui ne sont pas évidentes
pour tout le monde, il ne sera pas vain de les examiner
dans toute la mesure du possible.

La tristesse donc dépend de la haine, et la haine de l'idée
que l'on se fait du mal. En effet, nous nous détournons de
ce qui nous paraît être mauvais ; et si quelqu'un déteste
une chose et y répugne, la présence de cette chose le
chagrine. C'est pourquoi celui dont la vie est droite et qui
s'est voué à la vraie philosophie, connaît tout d'abord ce
qui est vraiment mauvais, il sait ce qu'il faut haïr, et il est
chagriné par ce dont il faut s'affliger.

18. Cherchons donc ce qui est véritablement un mal
pour l'homme. Nombreuses et variées sont les choses qui
reçoivent ce nom, les unes pénibles pour tous les hommes
en général, d'autres pour certains seulement, mais rien ne
l'est autant qu'une âme mauvaise et une volonté malade.

Des maux illusoires

19. En effet, les perturbations du climat, les désordres
des saisons, la stérilité des sols, les fissures qui s'ouvrent
dans la terre, les séismes et les pestilences, ou encore la
misère et la maladie, la violence, la captivité et les coups,
chacun de ces maux est peut-être un mal en soi, mais n'en
est pas un pour l'homme. Car ces maux affectent ce qui est
extérieur, et aucun ne s'étend au-delà du corps et des biens
matériels. Or l'homme n'est ni un corps, pour être malade
quand son corps est malade, ni à plus forte raison les
choses qui pourvoient aux besoins de son corps, pour que
s'il vient à en être privé il soit atteint dans son humanité
même.

Et certes, ce ne sont pas non plus les suffrages du grand
nombre qui font l'homme, de sorte qu'il serait pire, si l'on
pensait de lui le pire. Car si nous posons cela, il faudra que
le même homme agisse mal et soit excellent sous le même

15 εἶναι καὶ χρηστόν, ἄθλιον δὲ καὶ μακάριον τὸν αὐτόν, ἔστιν
ἐφ' ὧν τῶν μὲν ταῦτα, τῶν δ' ἐκεῖνα ψηφιζομένων.

20. Εἰ δ' ἔστιν ὡς ἀληθῶς ἄνθρωπος ἡ γνώμη καὶ τὸ
λογίζεσθαι, ὧν τῶν ἄλλων οὐδὲν αὐτῷ κοινωνεῖ, τοῦτο μὲν
ἀρετὴν ἀνθρώπου, τοῦτο δὲ κακίαν δύναται φέρειν· καὶ τὸ
δυστυχεῖν ἂν εἴη κατὰ ταῦτα καὶ τὸ πράττειν καλῶς καὶ
5 τὸ νοσεῖν καὶ τὸ ὑγιαίνειν καὶ τὸ στένοντα ζῆν καὶ τὸ
τρυφᾶν, τὰ μὲν παρατραπέντων ἐκείνων, τά δ' ἐν οἷς ἔδει
μενόντων.

21. Ἐπεὶ δὲ παρατροπὴ μὲν λογισμοῦ τὸ ψεῦδος, τῆς
δὲ γνώμης τὸ πονηρόν, ζητεῖν ὑπόλοιπον τίνι τούτῳ σαφεῖ
τεκμηρίῳ ἑκατέρας εἰσόμεθα τὴν παρατροπήν. Πολλῶν δὲ
γενομένων, τὸ πάντων ἱκανώτατον, ἡ κρίσις αὐτοῦ τοῦ
5 Θεοῦ· καὶ ἀγαθὸν μὲν καὶ ἀληθὲς ὅπερ ἐκείνῳ δοκεῖ, φαῦλον
δὲ καὶ ψεῦδος ὃ μὴ τῶν ἐκεῖθεν ἔτυχε ψήφου· καὶ ἃ μὲν
ἐκεῖνος μανθάνειν ἀξιοῖ τὸν ἄνθρωπον, ταῦτ' ἀληθῆ· ἃ δὲ
βούλεσθαι κελεύει, ταῦτα χρηστά· τὰ δὲ τούτοις πολεμοῦντα
γέμει μὲν ἀπάτης, γέμει δὲ πονηρίας.

22. Τῶν δὲ θείων χρησμῶν οἱ μὲν ἀνθρώπων κομιζόντων
εἰς τὴν γῆν ἦλθον, τῶν δὲ αὐτὸς ἦν ὁ Θεὸς ἄγγελος,
ἀνθρώπου φύσιν ἐνδὺς καὶ ἄνθρωπος ἀνθρώποις φωνῇ
συγγενεῖ τὰ δοκοῦντα μηνύσας. Τί οὖν ἢ χρηστότερον τῶν
5 παραγγελμάτων ἢ ἀληθέστερον τῶν δογμάτων ἐφ' ὧν ὁ
Θεὸς αὐτὸς μὲν νομοθέτης, αὐτὸς δὲ διδάσκαλος, αὐτὸς δὲ
δημαγωγὸς ἦν, εἴ γε μόνος μὲν ἀλήθεια, μόνος δέ ἐστιν
ἀγαθός[a];

B P Gass Migne

21, 1 μὲν om. B
22, 3 ἀνθρώποις : ἀνθρώπου Gass ‖ 4 δοκοῦντα : δέοντα Gass ‖ οὖν : ἦν
Gass ‖ 6 αὐτὸς δὲ διδάσκαλος om. Gass

22. a. cf. Matth. 19, 17

rapport, qu'il soit à la fois mauvais et bon, misérable et bienheureux, étant donné que les uns peuvent juger ceci et les autres cela.

20. Mais si ce qui fait véritablement l'homme c'est la volonté et le raisonnement[4], qu'aucune autre créature ne partage avec lui, c'est cela qui peut lui apporter soit la vertu soit le vice ; c'est selon ces deux facultés qu'il se trouve échouer ou réussir, être malade ou en bonne santé, vivre étroitement ou largement, selon qu'elles dévient de leur devoir ou y demeurent.

Les maux véritables

21. Si la déviation de la pensée est le mensonge et celle de la volonté le mal, il reste à chercher à quel signe bien clair nous reconnaîtrons chacune de ces déviations. Comme ces signes sont nombreux, le plus sûr de tous sera le jugement de Dieu lui-même : sera bon et vrai ce qu'il juge tel, mauvais et menteur ce qui n'a pas ses suffrages ; ce que Dieu juge digne d'être appris par l'homme, c'est cela qui est vrai ; ce qu'il ordonne de vouloir, c'est cela qui est bon ; mais tout ce qui va à l'encontre est plein de fraude et de malice.

22. Parmi les oracles divins, les uns sont venus sur terre par des hommes, les autres, Dieu lui-même en fut le messager, quand après avoir revêtu la nature humaine, homme il révéla aux hommes ses décrets avec une voix de même nature que la leur. Quoi de meilleur que les commandements, quoi de plus vrai que les dogmes, dont Dieu lui-même fut le législateur, lui-même le didascale et lui-même le guide, s'il est vrai que lui seul est la vérité, que lui seul est bon[a] ?

4. Là encore, Cabasilas suit l'anthropologie classique telle qu'il a pu l'étudier dans sa jeunesse. Cf. *Liturgie*, LII, 11 (p. 302-303).

23. Εἰ τοίνυν χρὴ μαθεῖν ἃ παρατροπῇ τῆς φύσεως ὄντα λυπεῖ τὸν ἀληθινὸν ἄνθρωπον, τἀναντία τούτων προσήκει λαβεῖν. Ἐκεῖνο γὰρ ἀληθῶς κακὸν ὃ πρὸς τὴν γνώμην ἐκείνην ἵσταται, πονηρὸν δὲ ὂν καὶ μισεῖν εἰκὸς οἷς ἐμέλησε
5 τοῦ ἀγαθοῦ, μισοῦντας δὲ ἀπεύχεσθαι μὲν ἀπόντος, παρόντος δὲ ἀνιᾶσθαι. Λυπήσει δὲ αὐτοὺς παρὸν τὸ κακὸν ἢ σφίσιν ἐστὶν οὗ τοῦ λόγου παρατραπεῖσιν, ἢ τοῖς ἄλλοις οἷς αὐτοὶ τὰ βελτίω συνεύχονται. Συνεύχονται δὲ πᾶσιν ἀνθρώποις, τῷ τε πρὸς τὴν θείαν ἁμιλλᾶσθαι φιλανθρωπίαν,
10 τῷ τε τὴν τοῦ Θεοῦ δόξαν ἐπιθυμεῖν ὁρᾶν ἑκασταχοῦ λάμπουσαν.

24. Καὶ οὕτω μόνον ἀνιαρὸν τοῖς ἐν Χριστῷ ζῶσιν ἡ
(693) ἁμαρτία· πρῶτον μὲν ὅτι πο|νηρόν, αὐτοὶ δὲ τοὺς τρόπους χρηστοί· δεύτερον ὅτι τοῖς τοῦ Θεοῦ μάχεται νόμοις ᾧ τῆς γνώμης ἐπείγονται κοινωνεῖν· καὶ τρίτον ὅτι μάτην ἀνιᾶσθαι
5 κατὰ τὸν ὀρθὸν λόγον ζῶντας, ἥκιστα πρέπον· ἐνταῦθα μόνον οὐ μάτην ἐστὶν ἀνιᾶσθαι, τῆς λύπης τὰ πάντων λυσιτελέστατα καρπουμένους.

25. Ἐπὶ μὲν γὰρ τῶν ἄλλων οὐδὲν ἔσται πλέον εἴ τις ἀλγεῖ· καὶ πενία καὶ νόσος καὶ ὁτιοῦν τῶν τοιούτων οὐδὲν μᾶλλον ὑποχωρήσει δακρύουσι. Ψυχῆς δὲ πονηρίᾳ λύπη τὸ φάρμακον· ἢ καὶ μέλλουσαν προανεῖλε καὶ παροῦσαν ἔπαυσε
5 καὶ τολμηθείσης τὰς εὐθύνας δύναται λύειν. Ὑπὲρ οὗ μοι δοκεῖ καὶ τὴν ἀρχὴν ἐντεθῆναι τῇ φύσει, πρὸς οὐδὲν ἄλλο βοηθεῖν ἡμῖν δυναμένη.

26. Τὴν γὰρ ἁμαρτίαν οὐ προῖκα, μισθοῦ δέ τινος τολμῶντες τῆς ἡδονῆς, καὶ τὸ τέρπον τοῦ κατὰ ψυχὴν

B P Gass Migne

23, 4 οἷς *om.* Migne
25, 3 ἀποχωρήσει Gass

5. Cf. livre VI, n. 3, p. 40.

23. Si donc on doit apprendre ce qui, étant une déviation de la nature, fait souffrir l'homme véritable, il faut prendre le contrepied de tout cela. Ce qui est vraiment mal, c'est ce qui se dresse contre cette volonté ; comme c'est mal, il est juste que ceux qui ont le souci du bien le haïssent et que, le haïssant, ils le conjurent quand il est absent et s'en affligent quand il est présent. La présence du mal les fera souffrir, qu'il les touche eux-mêmes, au cas où ils auraient dévié du droit chemin, ou qu'il touche les autres, pour qui ils demandent le bien dans leur prière. Et ils prient pour tous les hommes, à la fois parce qu'ils rivalisent avec la philanthropie divine et parce qu'ils désirent voir la gloire de Dieu resplendir en tous lieux.

Seul le péché est détestable

24. Ainsi, pour ceux qui vivent en Christ, seul est détestable le péché ; premièrement parce qu'il est mauvais et que leur conduite est bonne ; deuxièmement parce qu'il combat les lois de Dieu et qu'ils ont à cœur de partager sa volonté ; troisièmement parce qu'il ne convient nullement que ceux qui vivent selon la droite raison[5] s'affligent en vain : or en ce cas seulement il n'est pas vain de s'affliger, puisque de cette tristesse ils retirent les plus grands fruits.

25. En effet, si quelqu'un souffre à cause des autres maux, il n'y gagnera rien : la misère, la maladie et les autres souffrances de ce genre ne reculent pas davantage si l'on pleure. Mais pour le mal de l'âme, le remède est la tristesse, elle qui a conjuré le mal futur, qui fait cesser le mal présent et a le pouvoir de remettre les peines (dont cette âme est passible) pour celui qui a été commis. Je pense que c'est pour cette raison qu'à l'origine elle a été infusée dans notre nature, car elle ne peut nous être d'aucun autre secours.

26. Nous ne commettons pas le péché gratuitement, mais moyennant le plaisir pour salaire, et en échange nous

εὖ ἔχοντος ἀλλαττόμενοι· οὐ γὰρ ἐφ᾽ ἑαυτῆς αὐτὴν ἑλοί-
μεθ᾽ ἂν ψυχῆς ὄλεθρον καὶ νοῦ πήρωσιν· καὶ τὰ τοιαῦτα
5 σαφῶς εἰδότες, ἐπειδὰν μεταγνόντες ἐφ᾽ οἷς ἡμάρτομεν
ἀνιώμεθα, τὴν ἐκεῖθεν ἀτιμάζοντες ἡδονὴν καὶ πάθει πάθος
ἐκκρούοντες, δῆλοι καθέσταμεν, τῷ ῥίπτειν ἅπερ ἐλάβομεν,
λαμβάνοντες ἅπερ ἐρρίψαμεν.

Καὶ ἅμα τὸ ἀνιᾶσθαι τίμημα γίνεται ἡμῖν ἐφ᾽ οἷς
10 ἐτολμήσαμεν, ᾧ καθηραμένοις οὐ πληγῶν δέησει δευτέρων.
῏Ω καὶ Θεὸς ἐξ ἀρχῆς τοῖς αὐτοῦ τιμωρεῖ νόμοις ἠδικημέ-
νοις, λύπης καὶ πόνων τῷ παρανενομηκότι τιμήσας[a]· οὐκ
ἂν ταύτην εἰσπράττεσθαι νομίσας τὴν δίκην, εἰ μὴ τῶν
ἐγκλημάτων ἄντικρυς ἦν καὶ λύειν εἶχεν εὐθύνης.
15 Τούτῳ δὲ τῷ τρόπῳ καὶ αὐτὸς ὕστερον κατὰ τῆς
ἁμαρτίας ἐχρήσατο, τὸν ἄνθρωπον εἰσελθών, καὶ δέησαν
ἐκβαλεῖν τῆς φύσεως τῶν ἀνθρώπων τὴν ἁμαρτίαν, ἀλγήσας
ἐξέβαλε.

27. Καὶ μὴν οὐ τοῦτο δὴ μάταιον μόνον εἴ τις ἐφ᾽ ὁτῳοῦν
ἀνιᾶται τῶν εἰς σῶμα φερόντων, ἀλλὰ καὶ ζημία περιφανής·
τοῦτο γάρ ἐστι Θεοῦ τι τῶν ἄλλων ἔμπροσθεν ἀγαγεῖν.
Ταύτης τῆς πονηρίας ἔσχατον μὲν ἡ τοῦ Ἰούδα μανία,
5 μικρὸν ἀργύριον τοῦ Θεοῦ καὶ Σωτῆρος ἀλλαξαμένου[a],
ἀρχὴ δὲ καὶ σπέρμα τὸ πρὸς τὴν ἐκείνου μνήμην τοῦτο
παθεῖν καὶ τῆς ἐν αὐτῷ διατριβῆς ἐκκρουσθῆναι τῷ φιλεῖν
ἄλλο τι τῶν πάντων.

28. Τούτου γὰρ ἐπιδεδωκότος τοῦ πάθους καὶ τῆς τοῦ
Θεοῦ λήθης τὴν χώραν τῆς ψυχῆς κατασχούσης, ἡ περὶ
αὐτὸν ἀγάπη μαραίνεται, ἐπεὶ καὶ τοὐναντίον τῇ συνεχεῖ

B   P   Gass   Migne

26, 3 ἀλλαττόμενος P ‖ 4 πύρσωσιν Gass ‖ 11 αὐτοῦ Gass ‖ 14 εὐθύνας
Gass
27, 1 μόνον om. P

26. a. cf. Gen. 3, 17-19

donnons les délices de qui a une âme pure. Nous ne choisirions pas le péché pour lui-même, car il est la ruine de l'âme et la cécité de l'esprit[a] ; sachant bien cela, quand nous nous affligeons après nous être repentis de nos péchés, méprisant le plaisir du péché et chassant une passion par une autre[6], nous nous trouvons évidemment, en rejetant ce que nous avions saisi, saisir ce que nous avions rejeté.

En même temps, l'affliction devient pour nous une amende pour nos témérités, et ceux qui s'en sont acquittés n'auront pas besoin d'une seconde peine. Par elle Dieu depuis le commencement venge ses lois transgressées, infligeant au coupable tristesse et fatigues[a] ; il n'aurait pas jugé bon d'infliger ce châtiment si celui-ci n'était un antidote aux griefs et s'il n'avait le pouvoir de remettre la dette.

C'est de cette façon aussi que lui-même dans les derniers temps en usa contre le péché, quand il vint en l'homme : comme il fallait expulser le péché de la nature humaine, c'est en souffrant qu'il l'expulsa.

27. De fait, il n'est pas seulement vain de s'affliger de quoi que ce soit qui se rapporte au corps, mais c'est aussi un grave préjudice ; car c'est mettre quelque chose d'autre avant Dieu. Le terme ultime de cette faute est la folie de Judas qui a vendu son Dieu et Sauveur contre un peu d'argent[a], mais son origine et son germe, ce fut de se conduire ainsi à l'égard du souvenir de Dieu et de s'être laissé chasser de l'entretien familier avec lui par l'amour de quelque autre chose.

L'enchaînement de maux

28. Cette passion une fois souveraine et l'oubli de Dieu ayant pris possession de l'âme, la charité envers lui se flétrit, alors qu'elle naît au contraire de son souvenir

27. a. cf. Matth. 26, 14-16

6. Cf. le proverbe ἧλον ἥλῳ ἐκκρούει («un clou chasse l'autre»).

μνήμη φύεται· τοῦ δὲ φίλτρου σβεσθέντος, ἡ περὶ τὰς
5 ἐντολὰς αὐτοῦ ῥαθυμία καὶ τὸ παρανομεῖν εὐθὺς ἀπαντᾷ,
καθάπερ «Ὁ ἀγαπῶν με, φησί, τὰς ἐντολάς μου τηρήσει[a]».
Τοῖς δὲ τοὺς τοῦ Θεοῦ νόμους πατοῦσι καὶ τὰ τοιαῦτα
τολμηταῖς, καὶ τὸν τῆς πίστεως προδοῦναι λόγον[b], ἄν τι
δέῃ κερδαίνειν, οὐδὲν ἀπᾷδον· «Τῆς γὰρ συνειδήσεώς τινες
10 ἀστοχήσαντες, περὶ τὴν πίστιν ἐναυάγησαν[c]», ὁ μακάριος
ἔφη Παῦλος· «Νεκρὰ γάρ ἐστι, φησίν, ἡ πίστις[d]» οἷς τῶν
καταλλήλων οὐκ ἐμέλησεν ἔργων· ὅθεν εἰ διαφθείροιτο
ῥᾳδίως, καινὸν οὐδέν.

29. Τριῶν γὰρ ὄντων ἃ τῷ Θεῷ παρ' ἡμῖν φυλάττει τὸ
σέβας, τοῦ φόβου τῶν κειμένων τοῖς ἀσεβέσι κακῶν, τῆς
ἀγαθῆς τῶν εὐσεβούντων ἐλπίδος, τοῦ περὶ αὐτὸν τὸν Θεὸν
καὶ τὸ καλὸν ἔρωτος, ἐνεργὸν οὐδὲν ταῖς τῶν παρανομεῖν
5 ἐγνωκότων καταλείπεται ψυχαῖς· ἀλλὰ καθάπερ οἷς ὁ βίος
(696) τοῖς τοῦ Θεοῦ τάτ|τεται νόμοις ἡ περὶ αὐτὸν αἰδὼς αὔξεται,
τὸν ἴσον τρόπον τοὺς τῶν λογίων ὑπερόπτας κατὰ μικρὸν
ἐπιλείπει· καὶ προϊοῦσι πρὸς τὸ καλὸν τοῦτο πάθος οὐδὲν
κοινόν· τῷ δὲ ταύτην ἐκ μέσου γενέσθαι, πάντων τῶν
10 ἐπισχεῖν ἂν δυνηθέντων τὴν πονηρίαν ἀνῃρημένων καὶ τοῦ
τἀγαθὸν εἰσφέροντος λογισμοῦ τῷ πολλάκις ἐπιστομισθῆναι
σεσιγηκότος, ἐπ' ἔσχατα χωρεῖν αὐτοὺς τῶν κακῶν, οὐδὲν
χαλεπόν.

30. Διὰ ταῦτα τὴν μέριμναν οἱ σπουδαῖοι φυλάττονται
καὶ πρὸς τὴν ῥίζαν ἐξ ἀρχῆς ἵστανται τῶν κακῶν[a] καὶ τὴν
καρδίαν τῷ Θεῷ μόνῳ τηροῦσι καθάπερ ἄλλο τι τέμενος,
τὴν μνήμην ἐξελόντες αὐτῷ. Καὶ γὰρ ἴσασι τῶν μὲν ἱερῶν

B P Gass Migne

29, 3 τὸν *om.* Gass

---

28. a. Jn 14,21 ‖ b. cf. I Tim. 4,6 ‖ c. cf. I Tim. 1,6.19 ‖
d. Jac. 2,17
30. a. cf. I Tim. 6,10

continu. La tendresse une fois éteinte, s'avancent l'indolence à l'égard de ses commandements, et aussitôt la transgression, comme dit l'Écriture : «Celui qui m'aime gardera mes commandements[a]». Ceux qui foulent aux pieds les lois de Dieu et se livrent à de telles audaces, rien d'étonnant s'ils trahissent l'enseignement de la foi[b] : «Certains qui se sont écartés de leur conscience ont fait naufrage dans la foi[c]», dit le bienheureux Paul ; en effet, dit l'Écriture, «morte est la foi[d]» de ceux qui ne se soucient pas des œuvres qu'elle réclame ; rien d'étonnant, donc, si elle se corrompt rapidement.

29. Des trois motifs qui préservent en nous la piété envers Dieu — la crainte des maux qui adviennent aux impies, la bonne espérance des hommes pieux, l'amour pour Dieu lui-même et pour le bien —, aucun ne reste agissant dans les âmes qui ont décidé de désobéir ; de même qu'en ceux dont la vie s'accorde aux lois de Dieu la révérence envers lui augmente, de même elle déserte peu à peu ceux qui méprisent ses paroles ; chez ceux qui progressent rien de commun ne subsiste à côté de cette belle passion ; mais quand cette révérence s'en va, tout ce qui pourrait faire obstacle au mal est enlevé ; la pensée qui apporte le bien est réduite au silence pour avoir été muselée trop fréquemment, et rien n'empêche alors ces gens de tomber dans les pires maux.

Garder son cœur pour Dieu seul

30. C'est pourquoi les fervents gardent le souci d'eux-mêmes, s'attaquent dès le début à la racine des maux[a][7] et préservent leur cœur pour Dieu seul comme un autre sanctuaire, lui réservant leur mémoire. Ils savent en effet

---

7. Principe ascétique traditionnel : cf. DOROTHÉE DE GAZA, *Instructions*, VIII, 91 (*SC* 92, p. 310-311).

5 οἴκων τοῖς πολλοῖς οὐδὲ ψαύειν ἐξεῖναι καὶ σκευῶν καὶ
πέπλων τοῖς οὕτως ἀφωρισμένοις πρὸς ἄλλο τι χρῆσθαι
τῶν ἀθεμίτων εἶναι· ψυχῆς δὲ Θεῷ καθιερωθείσης οὐδὲν
ἴσον εἶναι τῶν ἱερῶν, ὅθεν καὶ χρῆναι παντὸς μᾶλλον ἄδυτον
εἶναι τοῖς πωλοῦσι καὶ ἀγοράζουσι καὶ τραπεζῶν καὶ
10 κολυβιστῶν καὶ τοιούτων ἀπηλλάχθαι πραγμάτων[b]. Εἰ γὰρ
τὸν τῆς προσευχῆς οἶκον οὕτως ἔχειν ἐχρῆν[c], ὅπως δεῖ
νομίζειν αὐτὸν τὸν εὐχόμενον ὑπὲρ οὗ καὶ τὸ χωρίον ἐκεῖνο
καθαρεύειν ἔδει θορύβων ; καίτοι τῷ μὲν ἑκάστοτε τοὔνομα
οὐκ ἦν ἐνεργὸν οὐδ' ἦν ἀεὶ προσευχῆς οἶκος, τῶν εὐχομένων
15 ἐνίοτε κενὸς ὤν· χριστιανοὺς δὲ τῇ τοῦ Θεοῦ συνουσίᾳ
προσκεῖσθαι τὸν ἀεὶ χρόνον, «ἀδιαλείπτως προσευχομένους»
ὁ τοῦ Παύλου κελεύει νόμος[d].

31. Κἀκεῖνο δὲ συνορῶμεν· τῶν γὰρ ἄλλων·ὁ Σωτὴρ
ἁμαρτημάτων λόγοις ἀπάγων, ἐνταῦθα καὶ γλώσσῃ κέχρη-
ται καὶ ὀργῇ καὶ χειρὶ καὶ μάστιγι[a], λογίζεσθαι παρέχων,
ὅσης ἀξιοῖ τὸ πρᾶγμα σπουδῆς. Ταῦτα γὰρ οὐ τὸν νεὼν
5 τοσοῦτον ἐκεῖνον βουλομένου σεμνύνειν, ὃν κατασκαπτόμε-
νον περιεῖδεν[b], ὅσο τῶν πιστῶν ἕκαστον, παρ' οἷς ἐπηγγεί-
λατο μένειν[c], μερίμνης ἀπηλλάχθαι καὶ φροντίδων, ὅσου
τιμᾶται δεικνύντος ἦν· καὶ ἅμα ὡς ἰταμὸν τὸ πάθος, καὶ
χρεία θυμοῦ καὶ ψυχῆς ἑστώσης καὶ νήφοντος λογισμοῦ καὶ
10 πρό γε τούτων αὐτῆς τῆς χειρὸς τοῦ Σωτῆρος, ὃν ἔνδον
μὴ λαβόντας, τὸν θόρυβον ἀμήχανον ἐκβαλεῖν.

32. Διὰ ταῦτα τὸν ἱερόσυλον θανάτῳ ζημιοῦσθαι νόμος
ἔκειτο, καὶ τοῖς τῶν Ἁγίων Ἁγίοις παραπετάσματος
ἐδέησε. Καὶ Ὀζᾶν ἀπέθνησκε τῇ κιβωτῷ περιτραπείσῃ

B   P   Gass   Migne

30, 5 και σκευῶν *bis scr.* P ‖ 7 Θεῷ *om.* B
31, 6 ὅσον Gass
32, 1 τὸν : τὸ Gass ‖ 3 Καὶ *om.* Gass ‖ Ὀζᾶ Gass

30. b. cf. Matth. 21, 12 et par. ‖ c. cf. Matth. 21, 13 et par. ‖
d. cf. I Thess. 5, 17
31. a. cf. Jn 2, 15 ‖ b. cf. Matth. 24, 2 et par. ‖ c. cf. Jn 6, 56

que la multitude n'a pas même le droit de s'approcher des
édifices sacrés et qu'il est interdit de se servir pour un
autre usage des vases et vêtements ainsi réservés ; tandis
que l'âme consacrée à Dieu, aucune des choses sacrées ne
l'égale, aussi doit-elle être plus que tout interdite aux
vendeurs et aux acheteurs, libre de tables et de changeurs
et des affaires de ce genre[b]. Si en effet il devait en être
ainsi pour la maison de prière[c], que dire de l'orant lui-
même, en faveur de qui il fallait écarter le tumulte de ce
lieu ? Et encore, pour le lieu, son nom ne correspondait pas
toujours à la réalité et il n'était pas toujours une maison de
prière, étant parfois vide d'orants ; mais les chrétiens, le
précepte de Paul ordonne qu'ils poursuivent en tout temps
l'union à Dieu en « priant sans cesse[d] ».

31. Examinons encore ceci : alors que les autres péchés,
le Sauveur les écarte par des paroles, ici il use de la langue
et de la colère, de la main et du fouet[a], pour nous faire
comprendre quelle grande ferveur mérite la chose. Car ces
actes ne sont pas tant le fait de qui veut honorer ce
temple-là, qu'il a laissé détruire de fond en comble sans
s'en soucier[b], que de celui qui veut montrer quel prix il
attache à ce que chacun des fidèles, en qui il a promis de
demeurer[c], soit affranchi de tous tracas et de tous soucis ;
et en même temps, comme cette passion est violente, le
croyant a besoin de courroux, d'une âme ferme, d'une
imagination sobre[8] et par dessus tout de la main même du
Sauveur, car si on ne le reçoit pas au-dedans de soi il n'y a
pas moyen d'expulser le tumulte.

32. C'est pourquoi la loi a été instaurée que le sacrilège
fût puni de mort, et il fallut tendre un voile devant le Saint
des Saints. Oza mourut pour avoir étendu une main

---

8. La sobriété (νῆψις) : autre vertu essentielle de l'hésychasme tel
qu'il s'exprime dans les textes recueillis dans la *Philocalie des Pères
neptiques*. On aura aussi noté, dans les paragraphes précédents, le rôle
du souvenir de Dieu.

χεῖρα βέβηλον ὑποσχών[a], καὶ Ὀζίας λέπραν τῶν ἱερῶν
5 ἀπώνατο[b], καὶ πολλὰ δὴ τοιαῦτα τῇ βεβαπτισμένῃ ψυχῇ
τὸ καθαρῶς ἄσυλον τῷ ἀληθινῷ Θεοῦ τεμένει νομοθετεῖ.

33. Διὰ ταῦτα τοῖς ἐν Χριστῷ ζῶσιν εἰλικρινῆ μερίμνης
τὴν ψυχὴν ἔχειν πολλοῦ τινος εἶναι δοκεῖ. Κἄν τι τὴν γνώμην
εἰσέλθῃ τῶν εἶναι προὔργου δοκούντων, οὐκ ἐπιστρέφει τὸν
λογισμόν, καθάπερ τῷ Πέτρῳ τῶν ἐν χερσὶν οὐδὲν
5 ἐμέλησεν, ἐπεὶ καλοῦντος τοῦ Σωτῆρος ἤκουσε. Καὶ γὰρ
καὶ αὐτοὶ καλοῦνται κλῆσίν τινα συνεχῆ καὶ διηνεκῆ διὰ
τῆς ἐνσημανθείσης ἀπὸ τῶν μυστηρίων τῇ ψυχῇ χάριτος,
ἥτις ἐστί, Παῦλος εἶπε, «τὸ τοῦ Υἱοῦ τοῦ Θεοῦ Πνεῦμα
ἐν ταῖς καρδίαις αὐτῶν κρᾶζον· Ἀββᾶ ὁ Πατήρ[a]».

34. Καὶ οὕτως ἑκάστοτε πάντων ὑπερορῶσιν ἵν᾽ ἑκάστοτε τῷ Χριστῷ δυνηθῶσιν ἀκολουθεῖν, ὅτι «οὐ καλόν ἐστι,
φησίν, ἀφέντας τὸν λόγον τοῦ Θεοῦ διακονεῖν τραπέζαις[a]»·
πρῶτον μὲν ὅτι μηδὲν αὐτοῖς πρὸ τοῦ Θεοῦ, ἔπειθ᾽ ὅτι καὶ
(697) 5 πάντα παρ᾽ | αὐτῷ τἆλλα προσδοκῶσιν εὑρήσειν, τῶν
ἀγαθῶν ὄντι πάντων ταμίᾳ. Καὶ γὰρ αἰτοῦσι πρῶτον τὴν
βασιλείαν τοῦ Θεοῦ, τοῦ ἀψευδοῦς ἐπαγγελίᾳ[b], πάντα τἆλλα
ἀκολουθήσειν[c].

35. Ὑπὲρ τούτων μερίμνης τοὺς αὐτῷ προσκειμένους ὁ
Σωτὴρ ἀπάγων ἁπάσης, πολὺν τοῦ νόμου τούτου ποιεῖται
λόγον, ἵνα τε μὴ τῶν μειζόνων ἀποστερῶνται, καὶ ὅτι μάτην
κόπτονται φροντίζοντες ὧν πρὸ αὐτῶν ἐκείνῳ μελήσει[a].

B P Gass Migne

32. a. cf. IV Rois 6, 6 s. ‖ b. II Chr. 26, 16-21
33. a. cf. Gal. 4, 6
34. a. Actes 6, 2 ‖ b. cf. Tite 1, 2 ‖ c. cf. Matth. 6, 33 et par.
35. a. cf. Matth. 6, 8

9. L'insouciance (ἀμεριμνία) est une vertu caractéristique de la
spiritualité byzantine : cf. JEAN CLIMAQUE : «L'œuvre de l'hèsychia,
c'est l'insouciance» (PG 88, 1109).

profane sous l'arche qui se renversait[a], Ozias retira, des choses sacrées, la lèpre[b], et de nombreux exemples semblables établissent que l'âme baptisée, le véritable temple de Dieu, est un asile inviolable.

Une âme libre de tous soucis

33. Aussi semble-t-il de la plus haute importance que ceux qui vivent en Christ aient une âme libre de tous soucis[9]. Si un objet qui semble utile s'introduit dans la volonté, il ne détourne pas l'imagination, de même que Pierre ne se soucia plus de ce qu'il tenait en mains quand il entendit le Sauveur l'appeler. Eux aussi en effet, ceux qui vivent en Christ, sont appelés d'un appel constant et continu, à travers la grâce qui a été imprimée en leur âme par les mystères, cette grâce qui est, dit Paul, «l'Esprit du Fils de Dieu qui crie dans leur cœur : 'Abba, Père'[a]».

34. Ainsi, à chaque instant ils méprisent toutes choses, afin de pouvoir à chaque instant suivre le Christ, car «il n'est pas bon, dit l'Écriture, de délaisser la parole de Dieu pour le service des tables[a]»; tout d'abord parce qu'il n'y a rien pour eux avant Dieu; ensuite parce qu'ils croient qu'avec Dieu ils trouveront tout le reste, lui qui est le dispensateur de tout bien. En effet, pour ceux qui demandent d'abord le Royaume de Dieu, par la promesse de celui qui ne ment pas[b], tout le reste viendra par surcroît[c].

35. En détournant de tout souci envers cela ceux qui s'attachent à lui, le Sauveur a fait grand cas de cette loi, afin qu'ils ne soient pas privés des biens supérieurs, et parce qu'ils se chagrinent en vain en se tracassant pour ce dont il prend soin avant eux[a].

36. Εἰ δὲ τὸ μεριμνᾶν ὑπὲρ τούτων ζημία, τὸ ἀνιᾶσθαι ποῦ θήσομεν ; ὃ μὴ μόνον ἐστὶ τοῦ Θεοῦ τῇ μνήμῃ τὴν ψυχὴν ἀφεστάναι, ἀλλὰ καὶ παντάπασιν ἐσκοτῶσθαι καὶ τυφλὸν εἶναι τὸν λογισμόν, ὡς καὶ πρὸς ὄλισθον παντοδαπὸν
5 ἐντεῦθεν εὐχερῶς ἔχειν. Νοῦς γὰρ ἐπειδὰν ἀθυμίᾳ κάτοχος ᾖ, τῷ σεσεῖσθαι τοῖς ἐκεῖθεν ἰλίγγοις καὶ καταπεσεῖν, τὰ φαυλότατα πάντων ἑαυτῷ χρῆται· τὴν μὲν ἐνέργειαν τὴν ἑαυτοῦ καὶ τὴν ἀξίαν ἑτοίμως ἄγαν προϊέμενος καὶ ὃ πέφυκε, καθάπερ οἱ μακρῷ κάρῳ κατασχεθέντες τὰ ἐν
10 χερσί, πάθεσι δὲ ῥαδίως εἴκων, ἀνδραπόδων δίκην οἷς ἐπιτάττειν δίκαιος ἦν. Καὶ οὕτως οὐδὲν κωλύει τὴν ψυχὴν ἀποθανεῖν, μυρίας λαβοῦσαν πληγάς, τῶν μὲν «ἀφ' ὕψους αὐτῇ πολεμούντων πολλῶν ὄντων[a]», ᾗ Δαβὶδ εἶπε, τοῦ δ' ἐπικουρῆσαι δυναμένου κειμένου. Διὰ τοῦτο Παῦλος· «Ἡ
15 λύπη, φησί, τοῦ κόσμου θάνατον κατεργάζεται[b]».

37. Πρὸς δὴ ταῦτα βλέποντες οἱ περιεῖναι καὶ ζῆν αὐτοῖς βούλονται τὴν ψυχήν, οὐ λύπην φεύγουσι μόνον, ἀλλὰ καὶ μερίμνης ἀπέχονται, πόρρωθεν ἐκτρεπόμενοι τὸ κακόν. Εἰ δὲ πολλοῖς τῶν σπουδαίων πόλεων καὶ συνοικιῶν ἐπιμελου-
5 μένοις, καὶ πραγμάτων ἅψασθαι συνέβη, ἀλλὰ μερίμναις οὐδὲν μᾶλλον προσέσχον οὐδ' ἐξέστησεν αὐτῶν τοῦ καθε-στηκότος τὸν λογισμόν.

38. Μεριμνῶμεν γὰρ ἐπειδάν, περὶ ὧν ζητοῦμεν καὶ ὧν ὅπως ἔσται τυχεῖν σκοποῦμεν, πρὸς ταῦτα πόθον τινὰ κεκτημένοις, ἔπειτα τυχεῖν εἰ γένοιτ' ἂν ἡμῖν ὧν ἐπιθυμοῦ-μεν ἄδηλον ᾖ.

B　P　Gass　Migne

36, 14 δυναμένου κειμένου : οὐ δυναμένου Gass
37, 5 ἅψεσθαι Gass ‖ 6 οὐδὲν *post* αὐτῶν *add.* B

---

36. a. Ps. 55,3 ‖ b. II Cor. 7,10

---

10. J. Gouillard (*op. cit.*) a souligné que ce passage était, autant que de l'insouciance monastique, proche de l'indifférence stoïcienne.

Ne pas s'affliger des choses matérielles

36. S'il est préjudiciable de se soucier de ces choses matérielles, que dire de ceux qui s'en affligent? Cela revient non seulement à écarter son âme du souvenir de Dieu, mais à être totalement dans les ténèbres, à avoir l'imagination aveuglée au point d'aller spontanément au-devant de toutes sortes de faux-pas. Car lorsqu'un esprit est la proie de l'inquiétude, il est ébranlé par les vertiges qui naissent de là, et il est abattu, si bien qu'il se conduit de la façon la plus lamentable ; abandonnant trop vite son activité, sa dignité et ses dispositions naturelles, comme ceux qui sont pris d'une profonde torpeur abandonnent ce qu'ils ont dans les mains, il cède facilement le terrain, tel un homme réduit en esclavage, aux passions qu'il devrait normalement soumettre. Ainsi rien n'empêche plus l'âme de mourir, frappée de mille blessures, puisque « nombreux sont ceux qui l'attaquent des hauteurs[a] », comme dit David, et que celui qui pourrait lui venir en aide gît sur le flanc. C'est pourquoi Paul écrit : « La tristesse du monde produit la mort[b] ».

37. Considérant cela, ceux qui veulent que leur âme survive et vive ne se contentent pas de fuir la tristesse, mais pour conjurer de loin le mal ils évitent aussi l'inquiétude[10]. Et s'il arrive à beaucoup d'hommes fervents, ayant la charge de cités et de maisons, de s'occuper aussi des affaires du monde, ils n'en sont pas davantage occupés par les soucis, et leur imagination ne s'écarte pas de son assise.

Ne vous souciez pas...

38. Nous nous faisons du souci quand, recherchant des biens et examinant les moyens de les obtenir, nous sommes possédés par le désir de ces biens et que nous ne sommes pas sûrs de pouvoir obtenir ce que nous désirons.

5 Ταῦτα γὰρ τὴν μέριμναν συνίσταται καὶ κατατείνειν
δύναται τὴν ψυχήν, τό τε περὶ τὸ ζητούμενον φίλτρον, τό
τε περὶ τοῦ τέλους τῆς περὶ αὐτὸ σπουδῆς μηδὲν εἰδέναι
σαφές. Ἄν τε γὰρ ᾖ περὶ ὧν φιλοῦμεν οὐδὲν εἰδῶμεν, ἢ
περὶ ὧν φιλοῦμεν τὰ κατ' εὐχὴν εἰδῶμεν, οὐδὲν ἡμῖν
10 δυσχερὲς οὐδὲ μέριμνα· ἄν τε ζητοῦντες ὃ φιλοῦμεν ὡς οὐ
ληψόμεθα σαφῶς εἰδῶμεν, τοῦ μεριμνᾶν οὐδεὶς καταλείπεται
τόπος, οὐδεμία γὰρ ἐνταῦθα φροντὶς οὐδὲ φόβος ἐν οἷς ὁ
τῆς μερίμνης ἕστηκεν ὅρος· ἀλλ' ἀτεχνῶς ὡς ἤδη τοῦ κακοῦ
παρόντος λύπη τὸ πάθος.

39. Τῶν δὴ μεριμνᾶν ποιούντων τῶν ἐν Χριστῷ ζώντων
οὐδετέρου ταῖς ψυχαῖς ἐνοχλοῦντος, ἀνάγκη τῶν ἀπὸ τῆς
μερίμνης αὐτοὺς ἀπηλλάχθαι κακῶν. Οὔτε γὰρ οὐδενὶ
προστετήκασι τῶν παρόντων, καὶ εἴ τι πρὸς τὴν τοῦ
5 σώματος ἐργάζονται χρείαν, τὸ τέλος ἑκάστοτε τῆς σπουδῆς
ἴσασι τρόπον δή τινα. Τὸ γὰρ τῷ Θεῷ δοκοῦν τοῖς πόνοις
εὔχονται πέρας καὶ ὡς ἀπαντήσει τὰ παρὰ τῶν εὐχῶν
αὐτίκα μάλα σαφῶς γινώσκουσι.

40. Μεριμνῷεν γὰρ ἄν, ἢ τῶν πενήτων οἱ τρυφῆς
ἐπιθυμοῦντες μείζω τῶν ὄντων τὴν πρὸς τὸν βίον ζητοῦσι
παρασκευήν, ἢ τῶν πλουτούντων οἷς πρὸ τῶν χρημάτων
οὐδέν, οἱ μενόντων τε παρ' αὐτοῖς τρέμουσι μὴ φυγόντα
(700) 5 λάθωσι καὶ ἀναλουμένων ἀλγοῦσι, κἂν | εἰς ἃ δεῖ μάλιστα
τῷ σώματι δαπανῶσι. Μάλιστα μὲν ὡς ἂν αὐτῶν ἀτόπως
ἐρῶντες, ὥστε βούλοιντ' ἂν μᾶλλον μηδὲν ἐκεῖθεν ὠφε-
λουμένους τὸν ἀεὶ χρόνον ἔνδον κατέχειν, ἢ προεμένους
ἃ δεῖ κερδαίνειν τῶν θησαυρῶν, ἔπειθ' ὅτι περὶ τῆς δαπά-
10 νης δεδοίκασι μὴ μάτην αὐτοῖς ᾖ, περὶ τοῦ τῶν πόνων

B   P   Gass   Migne

38, 5 συνεστάναι B ǁ 7 αὐτοῦ Gass ǁ 8 οὐ φιλοῦμεν B
39, 3 μερίμη Migne ǁ 7 ἀπατήσει Gass
40, 5 εἰς om. B ǁ 6 Καὶ μάλιστα Gass ǁ 8 προϊεμένους Gass

11. Cf. le portrait du riche Orata dans AUG., de beata vita, VI, 26.

Ce qui peut engendrer l'inquiétude et la tension de l'âme, c'est d'une part la tendresse pour ce que nous recherchons, et d'autre part de ne pas savoir clairement le résultat de notre ferveur à notre sujet. En effet, si nous ne savons rien de ce que nous aimons, ou si nous savons qu'il en sera de ce que nous aimons comme nous le souhaitons, nous n'avons ni désagrément ni inquiétude. Et si, recherchant ce que nous aimons, nous savons très bien que nous ne l'obtiendrons pas, il n'y a pas lieu non plus de s'inquiéter, car il n'y a là ni préoccupation ni crainte, en quoi consiste la définition de l'inquiétude, mais ce que l'on ressent est précisément la tristesse, comme si le mal était déjà présent.

39. Comme aucun de ces deux motifs d'inquiétude ne peut troubler les âmes de ceux qui vivent en Christ, ils sont forcément affranchis des maux qui naissent de l'inquiétude. En effet, ils ne se consument pour aucun des biens présents, et s'ils travaillent pour les besoins du corps, ils savent en quelque sorte à tout moment le but de leur effort. C'est en effet ce qui plaît à Dieu qu'ils demandent comme fin de leurs peines, et ils savent très bien que ce qu'ils demandent dans leurs prières leur sera sitôt accordé.

40. Ceux qui s'inquiètent, ce sont soit les pauvres qui, aspirant au bien-être, recherchent une plus grande abondance de biens matériels, soit les riches qui ne mettent rien au-dessus des richesses, qui tremblent à cause de celles qu'ils conservent, de peur qu'elles ne s'échappent à leur insu, et qui souffrent à cause de celles qui leur sont enlevées, même s'ils les dépensent pour les besoins primordiaux du corps[11]. En premier lieu, parce qu'ils aiment leurs trésors plus que de raison, au point de préférer les garder chez eux tout le temps, sans en retirer aucun profit, plutôt que de retirer le profit normal de leurs trésors en les laissant aller ; ensuite, parce qu'ils craignent que la dépense ne leur rapporte rien, étant donné qu'ils ne

τέλους ἥκιστα θαρρεῖν δυναμένοις, ἐπεὶ μὴ τῆς τοῦ Θεοῦ
χειρὸς τὰς ἐλπίδας ἐξῆψαν, ἑστῶτος καὶ βεβαίου πράγματος, ἀλλ᾽ ἑαυτοῖς καὶ τοῖς ἑαυτῶν λογισμοῖς ἐν οἷς
πράττουσι τὸ πᾶν ἐπιτρέπουσιν, οἱ «δειλοί τέ εἰσι καὶ
15 ἐπισφαλεῖς», φησὶ Σολομῶν[a].

41. Ἐκείνοις δὲ πᾶσαν μὲν τρυφὴν μισοῦσι, πάντων δὲ
τῶν ὁρωμένων ὑπερορῶσι, πάντων δὲ ὧν ἑαυτοῖς ἢ περὶ
τῶν ἄλλων πονοῦσι, τῷ λύχνῳ τῶν τοῦ Θεοῦ νόμων ἡγεμόνι
χρωμένοις[a], μετὰ δὲ τῆς εἰς αὐτὸν ἐλπίδος πάντα ποιοῦσι
5 ὡς τὸ συνοῖσον αὐτοῖς ἀπαντήσει, τίς ἀνάγκη μερίμνης·
ἀνθ᾽ ὅτου δὲ ἀγρυπνήσουσι περὶ ὧν ὡς ἤδη κατωρθωμένων
γινώσκουσι; Οὐ γὰρ τὸ ταῖς σπουδαῖς ἀκόλουθον τέλος ἐκ
παντὸς τρόπου ζητοῦντες ἀλλ᾽ ὅπερ ἂν συνενέγκοι, οὔτε
μέλλοντος μεριμνῶσι, μάλα σαφῶς εἰδότες ὅτι τεύξονται
10 τῶν εὐχῶν, καὶ στέργουσιν ἀπαντῆσαν, τὸ πάντων λυσιτελέστατον καὶ ὅπερ ηὔξαντο, τοῦτ᾽ αὐτὸ πιστεύοντες εἶναι[b].
Καὶ ὅλως καθάπερ ὁδοὶ πόροις ἐπειδὰν ἀγωγοῦ τύχωσιν
ἡγεῖσθαι καλῶς αὐτοῖς οἱ δεῖ βαδίζειν ἐπισταμένου, πλάνης
οὐδεὶς ἂν γένοιτο φόβος, οὐδ᾽ ἔστι περὶ τοῦ καταλύματος
15 αὐτοῖς φροντὶς οὐδεμία, τὸν ἴσον τρόπον καὶ αὐτοὶ τῷ πάντα
μὲν εἰδότι, πάντα δὲ δυναμένῳ, τῶν περὶ αὐτοὺς φροντίδων
ἐκστάντες, καὶ τοῦτον βίου καὶ τῆς περὶ τοῦτον σπουδῆς
προστησάμενοι μόνον, μερίμνης αὐτοὶ καθαρὰν ἔχουσι τὴν
ψυχήν, ἵνα τοῦ ὡς ἀληθῶς ἀγαθοῦ μόνου[c] ποιούμενοι λόγον,
20 «τὰ τοῦ Κυρίου μεριμνῶσιν[d]» ὥσθ᾽ ὑπὲρ μόνων τῶν ἐκείνῳ
δοκούντων, ἄν τι δέῃ, φοβηθῆναι καὶ ἀνιαθῆναι καὶ ὁτιοῦν
τοιοῦτον παθεῖν.

B P Gass Migne

41, 9 μέλλοντει Gass ‖ 10 ἀπαντήσει Gass ‖ 15-16 πάντα μὲν εἰδότι
om. Gass ‖ 16 περὶ αὐτοῦ Gass ‖ 21 καὶ ἀνιαθῆναι *om.* Gass

40. a. Sag. 9, 14
41. a. cf. Ps. 118, 105 ‖ b. cf. Rom. 8, 28 ‖ c. cf. Matth. 19, 16 et
par. ‖ d. I Cor. 7, 32

peuvent avoir aucune confiance dans le succès de leurs
peines : car ils ne font pas dépendre leurs espérances de la
main de Dieu, qui est une réalité solide et sûre, mais ils se
confient en tout ce qu'il entreprennent à eux-mêmes et à
leurs pensées, qui sont «timides et instables», comme dit
Salomon[a].

Celui qui vit en Christ n'a aucune inquiétude

41. En revanche, pour ceux qui haïssent toute volupté,
qui méprisent toutes les choses visibles, qui dans tout ce
qu'ils souffrent pour eux-mêmes ou pour les autres
prennent pour guide la lampe des lois de Dieu[a], qui font
tout en mettant en lui leur espérance, confiants que ce qui
leur sera utile viendra au-devant d'eux, quel besoin de
s'inquiéter? Pourquoi se priver de sommeil à propos de
choses dont ils savent qu'elles sont déjà réalisées? Comme
ils ne recherchent pas à toute force le résultat correspon-
dant à leurs efforts mais ce qui peut leur être utile, ils ne
s'inquiètent pas même s'il tarde, sachant très bien que
leurs prières seront exaucées, et ils se contentent de ce qui
leur arrive, croyant que c'est ce qui est le plus utile et cela
justement qu'ils avaient demandé dans leurs prières[b].
Exactement comme des voyageurs, quand ils trouvent un
guide capable de les conduire sans dommage là où ils
doivent se rendre, ne sauraient avoir nulle crainte de
s'égarer et n'ont aucun souci à se faire au sujet de l'étape,
de la même façon, eux qui remettent le souci d'eux-mêmes
à celui qui sait tout et qui peut tout, et qui le placent lui
seul à la tête de leur vie et du soin qu'ils en prennent, ont
eux-mêmes l'âme libre de toute inquiétude, afin que, ne
prenant en compte que le seul véritablement bon[c], ils
«s'inquiètent des affaires du Seigneur[d]», au point que ce
qui lui semble bon soit leur seul sujet éventuel de craindre,
de s'affliger et d'être affectés.

42. Ἐνταῦθα γὰρ οὐχ ἑαυτοῖς μόνον ἀλλὰ καὶ τοῖς ἄλλοις λυσιτελεῖς καθεστᾶσιν ὑπὲρ ὧν δακρύουσιν · ὃ καὶ θαυμάσαι τις ἂν τῆς τοῦ Θεοῦ χρηστότητος, εἰ νόσον μὲν οὐδεὶς ἂν φύγοι τὸ φάρμακον ἄλλου πίνοντος, εὐθύνης δὲ λύοιτ' ἂν
5 ἀλγούντων ἑτέρων.

Ὁ μὲν οὖν ἀνιᾷ τοὺς ἐν Χριστῷ ζῆν βουλομένους, φανερὸν ἐκ τῶν εἰρημένων. Πῶς δὲ καὶ τίσι χρωμένους τοῖς λογισμοῖς προσθεῖναι λοιπόν.

43. Οὐ γὰρ τῶν αὐτῶν ἕνεκα πάντες περὶ τῆς ἁμαρτίας ἀλγοῦσιν · ἀλλὰ τοὺς μὲν δακρύειν ἀλαζονεία τὸ πεῖθον, ὅτι τῶν μεγίστων σφᾶς αὐτοὺς ἀξιοῦντες παρὰ τὰς ἐλπίδας πράττουσι · τοῖς δὲ ἀνιαρὸν ἡ τῶν ἄθλων οἶμαι ζημία · τοῖς
5 πλείοσι δὲ ὁ τῆς εὐθύνης φόβος · τοῖς δέ γε πάντων ἀρίστοις ὁ περὶ τὸν νομοθέτην ἔρως ἀφόρητον ἐργάζεται τὸ παρανομεῖν.

44. Καθάπερ γὰρ τῶν κατορθούντων τὴν ἀρίστην ἔχουσι τάξιν οἷς οὔτε φόβος κακῶν οὔτε μισθῶν ἐλπίδες ἀλλ' ὁ τοῦ Θεοῦ μόνον ἔρως τοὺς περὶ ἀρετῆς εἰργάσατο πόνους, οὕτω τῶν ἁμαρτανόντων καὶ διὰ τοῦτο κοπτομένων, οἷς τὸ
5 πένθος τὸ περὶ τὸν Θεὸν ἐξέκαυσε φίλτρον, οἱ βέλτιστοι τῶν ἄλλων εἰσίν. Ἐκεῖνοι μὲν γὰρ αὐτοὶ ἑαυτοῖς τὸ πάθος ἐργάζονται καὶ παρ' ἑαυτῶν ἐπὶ τὸ πενθεῖν ἔρχονται καὶ ὅτι σφᾶς αὐτοὺς φιλοῦσι δακρύουσιν · τούτους δὲ ὁ κινῶν αὐτός ἐστιν ὁ Θεός · ὅθεν ἐπεὶ τῷ κινοῦντι τὴν φορὰν
10 ἀνάγκη συμβαίνειν, τοσοῦτο τῆς λύπης ἐκείνη ταύτης
(701) βελτίων ὅσο τῶν κινούντων τὸ μέσον · καθάπερ καὶ | βέλει δρόμος ἄριστος καὶ πρὸς τὸν σκοπὸν ἀτεχνῶς ἀπὸ χειρῶν μάλιστα τοξεύειν ἐπισταμένων.

B   P   Gass   Migne

42, 2 ὑπὲρ ὧν δακρύουσιν *om.* Gass
43, 1 γὰρ : μὲν Gass
44, 6 αὐτοὶ *om.* Gass ‖ 10 τοσούτῳ Gass ‖ 11 ὅσῳ Gass

42. En cela, ils ne se rendent pas seulement utiles à eux-mêmes mais aussi aux autres pour lesquels ils pleurent : Admirable bonté de Dieu, alors que nul n'est affranchi de la maladie si c'est un autre qui boit le remède, de cette dette on peut être tenu quitte par la souffrance d'autres.

Ce qui afflige ceux qui veulent vivre en Christ, nous l'avons montré clairement. Il reste à exposer comment, et à l'aide de quelles pensées.

La vraie tristesse

43. Tout le monde ne souffre pas du péché pour les mêmes raisons. Les uns, c'est la vanité qui les pousse à pleurer, parce qu'ils se croyaient capables des plus grands exploits et que les résultats contredisent leurs espérances ; d'autres, c'est la perte des récompenses, je pense, qui les afflige ; la plupart, c'est la crainte du châtiment ; mais chez les meilleurs, c'est l'amour pour le législateur qui rend insupportable la transgression de la loi.

44. De même en effet que parmi les justes, ceux qui tiennent le premier rang sont ceux en qui ce n'est pas la crainte des maux ni l'espérance des gains qui les pousse à se fatiguer pour la vertu, mais le seul amour de Dieu, de même parmi les pécheurs qui se frappent la poitrine à cause de leurs péchés, les meilleurs sont ceux en qui la tendresse envers Dieu a enflammé la componction. Car chez les premiers, eux-mêmes produisent en eux-mêmes la souffrance, ils vont d'eux-mêmes vers l'affliction, et c'est parce qu'ils s'aiment eux-mêmes qu'ils pleurent ; au contraire, ce qui meut les autres, c'est Dieu lui-même : c'est pourquoi, comme l'élan est nécessairement proportionné à celui qui meut, cette tristesse-là est d'autant supérieure à l'autre que ce qui les meut est davantage différent : de même qu'une flèche a le meilleur trajet et va tout droit au but quand elle est tirée par des mains expertes dans l'art de tirer.

45. Ἐπεὶ δὲ οὐκ ἐφ᾽ οἷς δεῖ μόνον ἀνιᾶσθαι καὶ ὅπως, ἀλλὰ καὶ ὅσον εἰδέναι χρή, καὶ γὰρ ἔστι μὲν ἔλαττον ἢ τοῖς ἡμαρτημένοις ἐστὶ προσῆκον ἀλγεῖν, ἔστι δὲ τῷ πάθει μᾶλλον τοῦ δέοντος συγχωρεῖν, οἱ μετὰ τούτων πενθοῦντες 5 τῶν λογισμῶν τὸ μέτρον τῶν δακρύων εἴσονται.

Καθάπερ γὰρ ἐν πληγῇ σώματος, ἕως μὲν ἔτι νοσεῖ τὸ μέλος, τῆς ἐκτριβείσης σαρκὸς ἀντεισενεγκεῖν δύναιτ᾽ ἂν ἢ τὸ παράπαν οὐδὲν ἢ τοῦ φυσικοῦ καὶ τεταγμένου μείζω τὸν ὄγκον, ἐπειδὰν δὲ ἡ φύσις ἑαυτῆς γένηται καὶ νόσου 10 καθαρὰ χωρῇ, πρὸς τὴν συμμετρίαν εὐθὺς εἶδε καὶ τῶν ἐλλειφθέντων οὐδὲν πλέον ἀναδοῦσα παύεται· τὸν ἴσον τρόπον κἀπὶ τῶν τῆς ψυχῆς ἀρρωστημάτων ἂν ἔχοι. Τῆς γὰρ ἐπὶ τοῖς ἁμαρτήμασι λύπης καὶ κακοπαθείας καὶ δακρύων καὶ τῶν τοιούτων ἁπάντων ἐκεῖνο ζητούντων τὴν 15 ἁμαρτίαν ἐξελεῖν, ἀποκαταστῆσαι δὲ τῶν τῆς ψυχῆς καλῶν ὅσον ἀπενήνεκται, ἡ τῶν θείων ἐρώτων προϊοῦσα λύπη, μόνη τῶν ἄλλων ὑγιὴς οὖσα, μόνη μὲν σὺν λόγῳ χωρεῖ, μόνη δὲ τῶν ἄλλων τὸ μέτρον ἐπίσταται.

Εἰ γὰρ προσέκοψαν, ἀλλ᾽ οὐχ ἑτέραν ἦλθον οὐδ᾽ ἤμειψαν 20 τὴν ὁρμὴν οὐδ᾽ ἠγνόησαν τοὺς ὅρους καὶ ὅποι χρὴ καταλύειν, οἷς τὸ τοῦ Θεοῦ φίλτρον ἐνέμεινε.

46. Τοῦτο γάρ ἐστι πρὸς τὸν Θεὸν ὀρθῶς βαδίζειν, τὸ σὺν ἀγάπῃ βαδίζειν ἢ «τῶν ἀμώμων ἐστὶν ὁδός[a]», ὁ μελῳδὸς εἶπεν· «ἐν ὅλῃ γάρ, φησί, καρδίᾳ ἐκζητήσουσιν αὐτόν[b]», τὴν ἐπιτεταγμένην ἐπιθυμίαν[c] διὰ τούτου δηλῶν· 5 οὗτοι γὰρ «οἱ πορευόμενοι ἐν νόμῳ κυρίου[d]», οἱ σὺν ἀγάπῃ ζῶντες, οἷς ὁ πᾶς ἐξήρτηται νόμος[e]· ἄλλως τε τὴν ἁμαρτίαν

B P Gass Migne

45, 10 εἶδε : εἶτα δὲ Gass ‖ 11 ἐκληφθέντων Gass ‖ 20 ὅλους Gass ‖ 21 οἷς : εἰ Gass

46, 2 ὁδός om. B ‖ 3 οἱ post εἶπεν add. Gass ‖ 4 ἐπιτεταμένην P ‖ 6 οἷς P : ἧς B ‖ ἀλλ᾽ ὥστε Gass

46. a. cf. Ps. 118, 1 ‖ b. Ps. 118, 2 ‖ c. cf. Deut. 6, 5 ‖ d. Ps. 118, 1 ‖ e. cf. Matth. 22, 40

45. Comme il s'agit de savoir non seulement de quoi et comment il faut s'affliger, mais dans quelle mesure — car il arrive que l'on souffre moins que ne l'exigeraient ses péchés, mais il arrive que l'on s'abandonne à ce sentiment plus que de raison[12] —, on connaîtra la mesure de ses larmes si l'on s'afflige en fonction des pensées que je vais exposer.

De même que pour une plaie corporelle, tant que le membre est encore malade, tout ce qu'il peut mettre à la place de la chair arrachée, c'est soit rien du tout, soit l'enflure qui est plus grande que l'état naturel et normal, mais que dès que la nature a repris le dessus et s'est libérée de la maladie, elle tend vers la juste proportion, et une fois qu'elle a régénéré ce qui manquait et rien de plus, elle s'arrête, il en est de même pour les maladies de l'âme[13] : la tristesse à cause des péchés, la souffrance, les larmes et tout le reste ayant pour but d'ôter le péché et de restituer à l'âme tous les biens qu'elle a perdus, la tristesse qui provient de l'amour divin, étant la seule saine, est la seule qui marche selon la raison et qui connaisse la mesure.

Car s'ils ont trébuché, ils n'ont pas pris une autre route ni changé leur élan, ni perdu de vue leurs buts et le lieu de leur repos, ceux en qui est demeurée la tendresse envers Dieu.

46. Marcher droit vers Dieu, c'est marcher avec la charité qui est «la route des hommes irréprochables[a]», dit le psalmiste ; car, dit-il, «de tout leur cœur ils le chercheront[b]», désignant par là le désir prescrit[c] ; car «ceux qui marchent dans la loi du Seigneur[d]», ce sont ceux qui vivent avec la charité dont dépend toute la loi[e] ; au

---

12. Cabasilas se montre ici l'héritier de toute une tradition spirituelle byzantine qui, contre les excès de certains Pères du désert, renouait avec la sagesse antique du μηδὲν ἄγαν.

13. L'analogie entre les maladies du corps (ici l'enflure consécutive à une plaie) et celles de l'âme est aussi un héritage stoïcien : cf. les citations rapportées par Galien, *SVF*, III, n. 471, p. 120.

εὐθὺς ἅπασαν ἀποδῦσιν ἢ μόνη σκοτοῖ τὸν τῆς ψυχῆς
ὀφθαλμόν, οὐδὲν ἐμποδὼν αὐτοῖς, κἂν ταῖς ἀθυμίαις πρὸς
τὸν ὀρθὸν λόγον ὁρᾶν, καὶ ὅσον δεῖ πενθεῖν εἰδέναι σαφῶς.

47. Ἐπεὶ γὰρ τῆς ἀρετῆς ὅρος τῆς ἀνθρωπίνης, ἢ πρόσθεν ἔφην, Θεῷ κοινωνῆσαι γνώμης, κακίας δὲ τοὐναντίον,
καὶ τοῦτο μέν ἐστι τοῦ σκοποῦ τυγχάνειν τὸν ἄνθρωπον,
ἐκεῖνο δὲ ἁμαρτάνειν, οἱ μὲν μισθοῦ φιλοσοφοῦσιν, οὔτε
5 κατορθοῦντες αὐτὴν αὐτῆς ἕνεκα φιλοῦσι τὴν ἀρετήν, οὔτε
πταίσαντες αὐτῆς λόγον ὀδύρονται τὴν κακίαν· ἀλλὰ τοῦτο
μὲν ὁ τῶν ἄθλων ἔρως αὐτοὺς ἐποίησεν, ἐκεῖνο δὲ ἡ ζημία·
ὅθεν τὴν οὐσίαν αὐτὴν ὡς εἰπεῖν τῆς ἁμαρτίας ἥκιστα
μισοῦντες, οὐ φεύγουσι καθαρῶς ἔν γε τῷ διακειμένῳ τῆς
10 γνώμης, κἂν τῆς ἐνεργείας τύχωσι πεπαυμένοι. Καθάπερ
γὰρ τὸν τοὺς πονηροὺς τῶν ἀνθρώπων μισοῦντα διὰ τὸν
τρόπον, οὐκ ἔστι προσειπεῖν μισάνθρωπον, ὡς δὲ καὶ τὸ
πρὸς τὴν ἁμαρτίαν δυσχερῶς ἔχειν οὐχ ὅτι τοῖς τοῦ Θεοῦ
πολεμεῖ νόμοις, ἀλλ᾽ ὅτι ζημίαν ἔχει τοῖς τολμῶσι, τὴν
15 ζημίαν ἐστὶ φευγόντων ἀληθῶς, οὐκ αὐτὴν ἀποστρεφομένων
τὴν πονηρίαν· οἳ καὶ δῆλοι πάντως εἰσίν, οὐκ ἂν φυλαξά-
μενοι τὴν κακίαν, εἰ χωρὶς κινδύνων ἁμαρτάνειν ἐξῆν.

48. Οὓς δὲ πρὸς τὴν φιλοσοφίαν τὸ τοῦ Θεοῦ φίλτρον
ἀνέστησεν καὶ τιμῶσι τὸν νόμον ὅτι τὸν νομοθέτην
στέργουσιν, ἐπειδὰν τῷ Θεῷ προσκεκρουκότες ἑαυτῶν
καταγνῶσιν, αὐτὴν τὴν ἁμαρτίαν ἑαυτοῖς μέμφονται, καὶ
(704) 5 δακρύουσι οὐχ | ὅτι τῶν ἐπ᾽ ἀρετῇ μισθῶν ἐψεύσθησαν,
ἀλλ᾽ ὅτι μὴ τῷ Θεῷ τῇ γνώμῃ συνέβησαν.

B P Gass Migne

46, 7 ἀποδύειν Gass ‖ 8 ἐπιθυμίαις Gass
47, 12 δὲ om. Gass ‖ 15 φευξόμενοι Gass

reste, pour ceux qui dépouillent aussitôt tout péché, ce péché qui seul enténèbre l'œil de l'âme, rien ne s'oppose plus à ce que, même dans les découragements, ils fixent leur regard sur la droite raison et sachent clairement dans quelle mesure il faut s'affliger.

47. Si la définition de la vertu humaine, telle que je l'ai donnée plus haut, est de partager la volonté de Dieu, et la définition du mal le contraire, et si par le premier chemin l'homme atteint son but, et par l'autre il le manque, il en est qui sont philosophes contre un salaire : quand ils pratiquent la vertu ils ne l'aiment pas pour elle-même, et quand ils tombent ils ne déplorent pas le mal en raison de lui-même ; mais ils ont pratiqué l'une par amour des récompenses et déploré l'autre pour les avoir perdues ; c'est pourquoi, comme ils ne haïssent nullement l'essence même du péché, pour ainsi dire, ils ne le fuient pas absolument, dans la disposition même de leur volonté, quand bien même ils ont cessé de le commettre en acte. De même que celui qui hait les hommes méchants à cause de leur conduite ne peut pas être appelé misanthrope, de même avoir horreur du péché non parce qu'il combat les lois de Dieu mais parce qu'il est cause d'une perte pour ceux qui le commettent, est en réalité le fait d'hommes qui fuient cette perte, et non d'hommes qui se détournent du mal lui-même : ils ne fuiraient certainement pas le mal s'il était possible de pécher sans risques.

48. Au contraire, ceux que la tendresse envers Dieu a élevés jusqu'à la philosophie et qui honorent la loi par affection pour le législateur, quand pour s'être opposés à Dieu ils se condamnent eux-mêmes, c'est le péché même qu'ils se reprochent, et ils pleurent non parce qu'ils ont manqué les récompenses attachées à la vertu mais parce qu'ils n'ont pas accordé leur volonté à celle de Dieu.

49. Ὅθεν ἐκεῖνοι μὲν καὶ μετεγνωκότες ἐφ᾽ οἷς ἥμαρτον, κακίας οὐ παντελῶς καθαρὰν ἔχουσι τὴν ψυχήν, καὶ διὰ ταῦτα ταλαιπωρίας τινὸς καὶ δακρύων καὶ πόνων ὑπὲρ τῶν ἡμαρτημένων δεῆσαν, παρὰ τοῖς ὑγιαίνουσι τὸ μέτρον 5 ζητήσουσι.

Οὗτοι δὲ τὴν νόσον ἅπασαν ἐκβαλόντες ἑαυτοῖς ἀρκέσουσι. Διττῆς γὰρ οὔσης τῆς ἁμαρτίας, ἀμφοτέρας φεύγουσι τὰς μερίδας· τῆς τε γὰρ ἐνεργείας αὐτῆς ἐπαύσαντο μεταμεληθέντες, καὶ πάθος πονηρὸν καὶ διάθεσις ἡτισοῦν 10 οὐκ ἐνέμεινε, τοῦ πρὸς τἀγαθὸν καὶ τὸν Θεὸν ταῖς ψυχαῖς ἐντακέντος αὐτοῖς πάθους μὴ συγχωροῦντος. Καὶ περὶ μὲν τῆς λύπης τοσαῦτα.

50. Χαίρειν δὲ συμβαίνει μὲν παρόντων ἡμῖν ἃ φιλοῦμεν, συμβαίνει δὲ ἐλπιζομένων, καὶ γὰρ «τῇ ἐλπίδι χαίρομεν[a]», Παῦλος εἶπεν, ὡς ἂν τῆς ἀγάπης τῇ χαρᾷ περὶ τὰ αὐτὰ συνεστώσης. Καὶ δὴ χαίρομεν ἡμῖν αὐτοῖς καθόσον φιλοῦμεν 5 καὶ ἄλλοις ἡμῶν αὐτῶν χάριν. Εἰσὶ δὲ οἳ καὶ δι᾽ ἑαυτοὺς ἡδεῖς εἰσὶν ἐπειδὰν αὐτοί τε ἀγαθοὶ ὦσι τοὺς τρόπους καὶ εὐγνωμόνων τύχωσι τῶν ἐπιτηδείων.

Ὁ τοίνυν σπουδαῖος φιλητὸν μόνον ἐπιστάμενος τἀγαθόν, δι᾽ ἐκεῖνο μὲν ἑαυτῷ χαίρει, δι᾽ ἐκεῖνο δὲ καὶ τοῖς ἄλλοις· 10 τοῦτο μὲν εἰ τοὺς τρόπους ἐοίκασι, τοῦτο δὲ εἰ πρὸς τἀγαθὸν βοηθοῦσι. Καὶ ἄλλως δὲ τούτων χωρὶς τοῖς ἀλλοτρίοις ἀγαθοῖς ὁ ἀγαθὸς ἄνθρωπος χαίρει, καὶ τῶν εὐχῶν αὐτῷ καὶ τῆς ἐπιθυμίας καὶ τοῦτο πέρας εἴ τις εὖ πράττοι.

B   P   Gass   Migne

50, 13 πράττει Gass

50. a. Rom. 12,12

14. L'homme vertueux se réjouit de la vertu en lui-même et dans les autres : autre lieu commun d'origine stoïcienne : *SVF*, III, n. 625, p. 160.

49. C'est pourquoi les premiers, même lorsqu'ils se repentent de leurs péchés, n'ont pas l'âme absolument pure de tout mal, et comme pour cette raison ils ont besoin de souffrances, de larmes, de peines à cause de leurs péchés, c'est auprès des bien-portants qu'ils chercheront quelle en est la mesure.

Mais les autres qui ont chassé toute maladie, ils se suffiront à eux-mêmes. En effet, le péché étant double, ils en fuient les deux composantes : l'acte, ils l'ont fait cesser en se repentant, et d'autre part la mauvaise passion et la disposition éventuelle ne demeurent pas en eux, car la passion pour le bien et pour Dieu qui est enfoncée dans leur âme ne le permet pas. En voilà assez sur la tristesse.

VRAIS ET FAUX PLAISIRS

50. Il arrive qu'on se réjouisse de la présence de ce qu'on aime, et il arrive qu'on se réjouisse de ce qu'on l'espère — en effet, «nous nous réjouissons en espérance[a]» dit Paul, comme si la charité portait sur les mêmes choses que la joie. Nous nous réjouissons en nous-mêmes dans la mesure où nous aimons, et nous nous réjouissons dans les autres à cause de nous-mêmes. Mais il en est qui sont agréables en eux-mêmes parce que leur conduite est bonne et qu'ils rencontrent un entourage bienveillant.

Se réjouir du bien en soi-même et dans les autres

Ainsi donc, l'homme fervent, sachant que seul est aimable le bien, se réjouit du bien tantôt en lui-même tantôt à cause des autres[14] : soit qu'ils lui ressemblent par leur conduite, soit qu'ils l'aident à gagner le bien. En outre, et même sans cela, l'homme bon se réjouit de la bonté des autres, et ses prières et son désir se trouvent accomplis lorsque quelqu'un réussit.

51. Καὶ τοῦτό ἐστιν ὁ ἐλευθεριώτατος τῆς ἡδονῆς
τρόπος· ὅταν κοινὴν ποιῆται τὴν τῆς ψυχῆς ἡδονὴν καὶ
οὐχ ἑαυτὸν μόνον καὶ τὰ ἑαυτοῦ θέλῃ οὐδὲ φιλοτιμῆται τοῖς
αὐτοῦ μόνον οὐδ' ἀγαπᾷ κερδαίνων, ἀλλ' ἡγῆται στεφα-
5 νοῦσθαι νικώντων ἑτέρων. Ἐν τούτῳ γὰρ τὴν φύσιν ὁ
ἄνθρωπος ὑπερβαίνει καὶ Θεῷ ἔοικεν ὃς κοινόν ἐστιν ἀγαθόν. Ἄλλως τε τοῦτον τὸν τρόπον δῆλος γίνεται δι' ἑαυτὸ
φιλῶν τἀγαθὸν καὶ οὐ διὰ τὴν αὐτοῦ χρείαν, ὅταν καὶ
παρ' ἄλλοις ὁρῶν, οὐδὲν ἧττον ἥδηται· καὶ ἄλλου μὲν ἄλλο
10 τι καρπός, τῶν δὲ ἀγαθῶν ἀνδρῶν τὸ τἀγαθὸν βούλεσθαι
πᾶσι καὶ χαίρειν εὐδοκιμούντων· καὶ τοῦτο σημεῖον ἄν τις
θεῖτο τοῦ τελείως εἶναι χρηστούς, καθάπερ ἡ φορὰ τοῦ
προενεγκόντος φυτοῦ δήλην καθίστησι τὴν ἀκμήν[a].

52. Οὔτε γὰρ ἂν ἡ φύσις ἐκεῖνο μὴ πρότερον ἐφ' ἑαυτοῦ
τελειωθὲν ἐπὶ τὸν τῶν ὁμοίων ἐνέγκοι τόκον, οὔτε τῶν
ἀνθρώπων οὐδεὶς ἄλλοις ἂν εἴη χρηστὸς μὴ τοῦτ' αὐτὸ
πρότερον γενόμενος ἑαυτῷ. Ἑαυτῷ μὲν γὰρ πρὸ τῶν ἄλλων
5 σύνεστιν, ἑαυτῷ δὲ συνήθης ἐστὶ καὶ πρὸ πάντων ἑαυτῷ
χρῆται καὶ τὰ χρηστὰ βούλεται καὶ εὔχεται. Τί οὖν κωλύει
πρότερον ἑαυτὸν ὠφελεῖν, εἴπερ ὁ μὲν τοῖς ἀγαθοῖς χαίρει,
ἡ δὲ φύσις εἰς ἑαυτὸν πρότερον αὐτὸν ἐπιστρέφει καὶ τὴν
αὐτοῦ πρόνοιαν, καθάπερ καὶ τῶν ὄντων ἕκαστον; Ἑαυτῷ
10 μὲν γὰρ ὅλως ἐστίν, ἑαυτῷ δὲ πρώτως ἀγαθόν ἐστι καὶ
τοῦ αὐτὸ ἕκαστον εἶναι καὶ εὖ εἶναι πρώτη καὶ κοινοτάτη
πᾶσιν ἐπιθυμία.

53. Διὰ ταῦτα δῆλός ἐστιν, εἰ τῆς τῶν ἄλλων εὐδοκιμήσεως ἐρῴη καὶ χαίροι τυχόντων, οὐκ αὐτὸς τῶν τοιούτων
ἄμοιρος ὢν οὐδ' ἐλλειπῶς ἔχων. Οὐδὲ γὰρ αὐτὸν ὑπερβὰς

B P Gass Migne

52, 2 τὸν *om.* Gass ‖ τόκων Gass ‖ 8 ἐπιστρέφῃ P ‖ 10 πρώτως *om.* B ‖
11 καὶ εὖ εἶναι *om.* Gass
53, 2 χαίρει P ‖ 3 ἐλλιπῶς Gass

51. a. cf. Matth. 7, 20

51. Voici la forme la plus noble du plaisir : mettre en commun le plaisir de l'âme, ne pas se rechercher soi-même avec ses propres intérêts, ne pas poursuivre le succès de ses propres affaires seulement, ne pas aimer les récompenses mais s'estimer couronné quand d'autres sont vainqueurs[15]. En cela en effet, l'homme dépasse la nature et ressemble à Dieu qui est le bien universel. Surtout, de cette façon, il devient évident qu'il aime le bien pour lui-même et non à cause de son utilité, lorsque, même s'il le voit chez d'autres, il ne s'en réjouit pas moins ; à chaque arbre son fruit, mais le propre des hommes bons est de vouloir le bien pour tous et de se réjouir s'ils sont renommés : on peut en faire le signe à quoi on reconnaît ceux qui sont parfaitement bons, de même que la récolte rend évidente la vigueur de l'arbre qui l'a produite[a].

52. Pas plus que la nature ne saurait faire produire des fruits semblables à lui à un arbre qui ne serait pas d'abord parvenu lui-même à maturité, un homme ne peut être bon pour les autres s'il ne l'est pas d'abord pour lui-même. C'est à lui-même qu'il est uni avant de l'être aux autres, à lui-même qu'il est attaché, et avant tout c'est à lui-même qu'il a affaire et c'est pour lui-même qu'il veut ce qui est bon et le demande dans sa prière. Qu'est-ce qui l'empêche donc d'être utile à lui-même, s'il est vrai que lui se réjouit de ce qui est bon et que la nature le tourne d'abord vers lui-même et son propre soin, de même que tous les êtres ? Il est entièrement à lui-même, il est en premier lieu son propre bien, et le désir premier et le plus universel, pour chacun, c'est d'être et de bien être.

53. C'est pourquoi il est évident que si quelqu'un s'éprend de la renommée des autres et se réjouit de les voir l'obtenir, il n'en est lui-même ni dépourvu ni privé. Car ce

15. Cf. Aug. (*Miscell.* I) : «quidquid enim habuerit frater meus, si non invidero et amavero, meum est».

καὶ τὴν αὐτοῦ χρείαν ὧν αὐτὸς ἐδέησε, περὶ τῶν ἄλλων
5 ἐφρόντιζε. Πῶς γὰρ ἂν ἐν ταῖς τῶν ἄλλων χερσὶν
(705) ἐπιθυμήσειεν ἰδεῖν ὧν τὴν | ἑαυτοῦ οἰκίαν ἔγνω κενήν ;

54. Εἰ δ᾽ ἔνιοι τῶν πρὸς τἀγαθὸν καὶ τὴν ἀρετὴν φαύλως
ἐχόντων τῶν ἀρίστων περιτιθέντες ἑαυτοῖς προσωπεῖον,
πρὸς ἀρετὴν ἀλείφουσι καὶ ὧν αὐτοὶ παντελῶς ἠγνόησαν
ἄλλοις ἡγεῖσθαι ζητοῦσιν, ἀλλὰ φήμης τινὸς ἐφιέμενοι
5 τυχεῖν αὐτοὶ καὶ δόξης ψευδοῦς, οὐ τῆς ἀρετῆς καὶ τἀγαθοῦ
χάριν. Ὡς τούς γε κατὰ τὸν ὀρθὸν λόγον τοῦτο ζητοῦντας
ἀμήχανον μὴ τελείως εἶναι χρηστούς· τοῦτο γάρ ἐστι
φθόνου μὲν καὶ βασκανίας ἁπάσης ἀπηλλαγμένων ἀνδρῶν,
ἀγάπην δὲ πρὸς τὸ ὁμόφυλον εἰλικρινῆ καὶ τελείαν
10 παρασχομένων, ὅπερ ἐστὶ τῆς ἐσχάτης ἐπιλαβέσθαι φιλοσοφίας. Ἀνάγκη τοίνυν οἷς μὲν ταύτης μέτεστι τῆς ἡδονῆς,
τοὺς πάντων ἀρίστους εἶναι καὶ φιλοσοφωτάτους, τοῖς δὲ
πάντων ἀρίστοις καὶ φιλοσοφωτάτοις, καὶ ταύτης μετεῖναι
τῆς ἡδονῆς. Ἀκόλουθον γὰρ τοῦ ἀγαθοῦ μετασχόντας τὴν
15 τοῦ ἀγαθοῦ δεικνύναι φύσιν ἐν τῇ ψυχῇ· ἐκεῖνο δὲ τοῦ
ἀγαθοῦ φύσις, ἐκχεῖσθαι καὶ μεταδίδοσθαι. Καθάπερ γὰρ
αὐτοῦ πάντα ἐφίεται, οὕτω καὶ αὐτὸ πέφυκε πρὸς πάντα
χωρεῖν· οὐδὲ γὰρ ἂν πάντα αὐτοῦ τυγχάνειν ἐπεθύμουν εἰ
μὴ πᾶσιν ἑαυτὸ παρεῖχεν ἐκεῖνο· ματαίαν γὰρ εἶναι τὴν
20 ἐπιθυμίαν οὕτω κοινοτάτην οὖσαν, πῶς εὔλογον ;

Ὅθεν καὶ τὸν ἀγαθὸν ἄνθωπον, ὥσπερ ἑαυτῷ, οὕτω καὶ
πᾶσι παρέχειν ἑαυτόν, ὁ τῆς χρηστότητος ἀπαιτεῖ λόγος,
καὶ ἀνιᾶσθαι καὶ ἥδεσθαι καὶ ὁτιοῦν πάσχειν τὴν ψυχὴν
πρὸς τὰ τῶν ἄλλων οὐδὲν ἧττον ἢ τὰ αὑτοῦ. Καὶ ἄλλως
25 δὲ τὸ τοῦ Θεοῦ φίλτρον ταύτην αὐτὸν ἐργάζεται τὴν χαράν·
οὐ γὰρ αὐτῷ τῷ φιλουμένῳ μόνον ἀλλὰ καὶ οἷς αὐτὸς χαίρει
χαίρειν ἀνάγκη τὸν ἐραστήν.

B   P   Gass   Migne

54, 7 μὴ om. Gass || 15 ἐκείνου Gass || 20 κοινωτάτην B

16. Cf. 1. I, n. 24, p. 153.

n'est pas en négligeant et lui-même et sa propre utilité, dont il a besoin, qu'il s'est soucié des autres. Comment pourrait-il désirer voir dans les mains des autres ce dont il sait que sa propre maison est dépourvue?

54. Si certains hommes médiocres au regard du bien et de la vertu, se cachant sous le masque des meilleurs, encouragent les autres à la vertu et cherchent à les diriger sur des chemins qu'ils ont eux-mêmes complètement ignorés, c'est qu'ils cherchent à gagner quelque réputation et gloire mensongère, et non à cause de la vertu et du bien. Il est impossible que ceux qui du moins recherchent cela de la bonne façon ne soient pas eux-mêmes parfaitement bons; en effet, cette conduite est celle d'hommes affranchis de toute jalousie et de toute malveillance et qui possèdent une charité parfaite et sans mélange envers leur semblable, c'est-à-dire qui ont acquis la perfection de la philosophie. Ceux qui ont en partage ce plaisir sont donc nécessairement les meilleurs et les plus philosophes de tous les hommes, et les meilleurs et les plus philosophes de tous les hommes ont nécessairement ce plaisir en partage. En effet, il est normal qu'en ayant part au bien ils montrent dans leur âme la nature du bien; et la nature du bien est de se répandre et de se partager[16]. De même que tous les êtres aspirent à lui, de même aussi lui s'épanche par nature vers tous les êtres; tous les êtres ne désireraient pas le rencontrer s'il ne s'offrait pas lui-même à tous les êtres : quelle logique y aurait-il à ce qu'un désir aussi universel soit vain?

C'est pourquoi l'essence même de la bonté exige que l'homme bon s'offre à tous comme à lui-même, et que son âme s'afflige ou se réjouisse ou éprouve quelque sentiment que ce soit, à propos de la situation des autres aussi bien que de la sienne. Du reste, la tendresse envers Dieu produit elle-même cette joie : car l'amant se réjouit forcément non seulement de l'aimé mais aussi de ceux en qui celui-ci se réjouit.

55. Ἥκομεν δὲ ἐπ' αὐτὴν τὴν τελεωτάτην καὶ καθαρὰν
ἡδονήν. Ἐπεὶ γὰρ τὸν Θεὸν φιλεῖ πρὸ πάντων ὁ ζῶν ἐν
αὐτῷ, καὶ χαίρει τὴν ἀκόλουθον τοσῷδε φίλτρῳ χαράν,
μᾶλλον δὲ ἀκριβέστερον ἂν εἴη θεωρητέον αὐτὴν ἡλίκη τίς
5 καὶ ὅπως ἔχει σκοποῦντας.

56. Πρῶτον μὲν γὰρ οὐχ ἑαυτὸν αἰτίαν ποιεῖται τῆς ἐπ'
ἐκείνῳ χαρᾶς οὐδ' ἡδύς ἐστιν ὁ Θεὸς αὐτῷ ὅτι αὐτῷ ἐστιν
ἀγαθός. Τοῦτο γάρ ἐστιν οὐ τὸν Θεὸν αὐτὸν ἀληθῶς
φιλοῦντος καὶ ἑαυτὸν μᾶλλον φιλοῦντος καὶ πρὸς ἑαυτὸν ἐν
5 οἷς ποιεῖ καθάπερ τέλος ὁρῶντος. Ποῦ δὲ εὐγνώμονος
ἀνδρὸς μὴ φιλεῖν αὐτὸν κυρίως τὸν εὐεργέτην; ποῦ δὲ
δικαίου τῷ μεγίστῳ τῶν ἐφετῶν τῆς ἀγάπης τὴν ἐλάττω
νέμειν μερίδα; ποῦ δὲ σοφοῦ τοῦ ἐσχάτου τέλους ἄλλο τι
περαιτέρω τιθέναι; Ἐπεὶ δὲ καὶ εὐγνώμονα αὐτὸν εἰκὸς
10 εἶναι καὶ δίκαιον καὶ σοφόν, ἀνάγκη καὶ φιλεῖν τὸν Θεὸν
καὶ χαίρειν αὐτῷ τὸν ἄριστον τρόπον.

57. Ἔπειτα συνεχῆ καὶ βεβαίαν τὴν χαράν, ἔτι δὲ καὶ
ὑπερφυᾶ τινα καὶ θαυμαστὴν ἀκόλουθον εἶναι.

Συνεχῆ μὲν ὅτι τοῖς τοῦ ποθουμένου σύνεστιν ἑκάστοτε
καὶ οἷς ἐντυγχάνει τὸν ἀεὶ χρόνον καὶ ἃ τῷ σώματι χρῆται
5 καὶ ἃ λογίζεται καὶ δι' ὧν ὑφέστηκε καὶ οἷς ζῆ καὶ περίεστι
καὶ ἐνεργεῖ καὶ ὁπωσοῦν ἔχει καὶ γίνεται. Πάντα μὲν οἶδεν
ἔργα Θεοῦ, πάντα δὲ αὐτῷ συνεχῆ· ὅθεν πάντα μὲν αὐτῷ
τὴν ἐκείνου συντηρεῖ μνήμην, πάντα δὲ τὸ φίλτρον ἄσβεστον
φυλάττει, πάντα δὲ τέρπει· καὶ οὔτε αὐτὸς ἂν ἑαυτὸν
10 ἀπολίποι οὐδὲ παύσαιτ' ἂν ἑαυτῷ συνών, οὔτε τὴν χαρὰν
ταύτην διακοπῆ|ναί ποτε δυνατόν. Οὐ γὰρ τοῖς φιλουμένοις

B P Gass Migne

56, 5 ποιεῖ : ποιεῖσθαι Gass

17. Cf. Aug., *Enarr. in Ps.*, 53, 10 : «Si enim laudas Deum ut det
tibi aliquid aliud, iam non gratis amas Deum».
18. Cf. Aug., *de beata vita*, II, 11 : pour être heureux, il faut
acquérir un bien permanent qui ne peut pas nous être arraché ; donc,
qui possède Dieu est heureux.

Le plaisir pur et parfait : l'amour de Dieu

55. Nous en venons au plaisir pur et parfait. Puisque celui qui vit en Dieu l'aime par-dessus tout, il se réjouit de la joie qui sourd naturellement d'une si grande tendresse ; mais il faut contempler cette joie d'autant plus attentivement, en examinant sa grandeur et sa nature.

56. Tout d'abord, il ne se regarde pas lui-même comme la cause de sa joie en Dieu, et si Dieu lui est plaisant, ce n'est pas en tant qu'il est bon pour lui[17]. Car ce n'est pas là le fait de qui aime vraiment Dieu, mais plutôt de qui s'aime soi-même et se considère soi-même comme but de ses propres actions. Où est l'homme généreux qui n'aime pas principalement son bienfaiteur ? Où est le juste qui accorde à l'être le plus désirable la plus minime part de sa charité ? Où est le sage qui place autre chose au-dessus de la fin suprême ? Mais puisque celui-ci est naturellement généreux, juste et sage, il est nécessaire qu'il aime Dieu et se réjouisse en lui de la manière la plus parfaite.

Une joie continue

57. Par suite, il en résulte que cette joie est continue et solide, mais encore extraordinaire et admirable.

Continue, parce que cet homme est à tout instant en contact avec ce qui appartient à l'aimé : ceux qu'il rencontre à chaque moment, ce qu'il utilise pour son corps, ses pensées, ce qui le soutient, ce qui le fait vivre, subsister et agir, tout ce qu'il a et tout ce qu'il est. Il sait que tout est l'œuvre de Dieu et que tout est en relation continue avec lui : aussi, tout maintient en lui le souvenir de Dieu, tout garde sa tendresse inextinguible, tout le réjouit ; pas plus qu'il ne saurait s'éloigner de lui-même ou cesser d'être avec lui-même, il n'est possible que cette joie soit jamais rompue[18]. Car nous ne nous réjouissons pas

ἐπειδὰν συνῶμεν χαίρομεν μόνον, ἀλλὰ καὶ τοῖς ἔργοις τοῖς ἐκείνων καὶ πᾶσιν οἷς καθ' ὀντινοῦν τρόπον ἐστί τι κοινὸν πρὸς ἐκείνους.

58. Ἄλλως τε καὶ οἷς παρ' ἑαυτῶν πολλή τις ἔπεστι χάρις, καὶ σφόδρα τέρπειν οἴκοθεν δύναται, καὶ βεβαία δέ. Οὔτε γὰρ ἂν ὁ χαίρων ἀπείποι τοιαύτη συνὼν ἡδονῇ, οὔτε τὸ χαρίεν παύσαιτο χαρίεν ὄν. Ἐκεῖνος μὲν γὰρ οὐδὲν
5 ἐγκαλέσει τῷ πάθει, οὐδ' ἑαυτῷ μέμψαιτ' ἂν ὑπὸ τοιαύτης κατούμενος ἡδονῆς ἣν οὔτε ἄδικόν ἐστιν εἰπεῖν οὔτε παρὰ τὴν τοῦ λόγου φύσιν, ἥ γε αὐτὸν σῴζει τὸν λόγον· τὸ δὲ χαρίεν ἔστηκε καὶ τὴν ἡδονὴν οἷς σύνεστιν ἀκμάζουσαν ἔχει καὶ οὐκ ἔστι δεῖσαι περὶ αὐτοῦ οὐδ' ὑποπτεῦσαι παραλλαγὴν
10 ἢ τροπῆς ἀποσκίασμα[a].

59. Τὸ δὲ μέγεθος τῆς ἡδονῆς συνίδοι τις ἂν εἰ πρὸς αὐτὸ τὸ χαρίεν ἴδοι· ἀνάγκη γὰρ προσήκειν τὴν χαρὰν τοῦ ἡδέος τῷ τοσῷδε μεγέθει. Καὶ ὥσπερ ἐκείνῳ παραβαλεῖν οὐκ ἔστιν οὐδέν, οὕτως οὐδὲ τῆς ἐπ' ἐκείνῳ χαρᾶς γένοιτ'
5 ἂν ἀνθρώποις ὅμοιον, ἐπεὶ καὶ ἡ τῆς ἐπιθυμίας δύναμις τῷ ἐφετῷ συμβαίνει.

60. Οὐ γὰρ τὸ μὲν ἐπιθυμητὸν οὕτω μέγα, τὸ δ' ἐπιθυμητικὸν φαύλως ἔχει καὶ οἷον μὴ πρὸς τοσοῦτον ἀρκέσαι πλοῦτον χρηστότητος[a]· ἀλλὰ καὶ τοῦτο πρὸς τὴν ἀπειρίαν ἐκείνην ἔχει καὶ παρεσκεύασται. Εἰ γὰρ καὶ
5 ὥρισται τῇ φύσει σύμμετρον ὄν, ἀλλ' ὁρῶμεν ἐφαρμόζον

B   P   Gass   Migne

58, 8 ἔστηκε — ἀκμάζουσαν *om*. Gass
59, 3 Καὶ *om*. Gass

58. a. Jac. 1, 17
60. a. cf. Rom. 2, 4

seulement de ceux que nous aimons quand nous sommes avec eux, mais nous nous réjouissons aussi de leurs œuvres et de tout ce qui, d'une manière ou d'une autre, a quelque rapport avec eux.

Une joie solide

58. D'autre part, pour ceux qui possèdent par eux-mêmes une grâce abondante, cette joie est capable de leur procurer de son cru une forte jouissance, et solide. Celui qui se réjouit ne saurait pas plus se dérober lorsqu'il éprouve un si grand plaisir que ce qui réjouit ne saurait cesser de réjouir. Le premier, en effet, ne reprochera rien à ce sentiment, et ne saurait se blâmer d'être subjugué par un si grand plaisir, qui ne peut être dit ni injuste ni contraire à la nature de la raison, alors qu'il est au contraire conforme à la raison. Quant à l'objet qui réjouit, il demeure tel et maintient le plaisir à son apogée chez ceux à qui il est uni, et il est impossible d'avoir nulle crainte à son endroit, ou d'attendre «un changement ou l'ombre d'une altération[a]».

59. On peut embrasser la grandeur de ce plaisir en regardant cela même qui réjouit ; car la joie est forcément proportionnée à la grandeur de l'objet plaisant. De même qu'il est impossible de rien comparer à cet objet, de même ne saurait-il y avoir pour les hommes rien de semblable à la joie qui en procède, puisque la puissance du désir correspond à l'objet désirable.

Le désir de l'homme est ordonné à Dieu

60. Il n'est pas vrai que l'objet de notre désir soit aussi grand, mais notre faculté de désirer piètre et incapable de suffire à une telle masse de bonté[a] ; au contraire, cette faculté de désirer est orientée et a été préparée pour cette infinité. En effet, même si elle a été délimitée comme

αὐτῷ τῶν πεπερασμένων καλῶν οὐδέν, ἀλλ᾽ ἔστιν αὐτοῦ
πάντα ἐλάττω καὶ εἴσω πίπτει, καὶ πάντων ὧν ἄν τις τύχοι
καλῶν, κἂν πάντων τύχῃ, περαιτέρω βλέπει καὶ ζητεῖ τὸ
μὴ παρόν, τῶν ἀεὶ παρόντων ὑπερορῶν, καὶ τὴν ἐπιθυμίαν
10 οὐδὲν μᾶλλον ἀνέπαυσεν οὐδ᾽ ἥσθη καθαρῶς καὶ τὴν ἐν τῇ
ψυχῇ δύναμιν τῆς χαρᾶς οὐ τελείως ἐνεργὸν ἔσχεν.

61. Ὅθεν δῆλον πεπεράνθαι μὲν αὐτῷ τὸ ἐπιθυμητικόν,
παρεσκευάσθαι δὲ πρὸς ἄπειρον ἀγαθόν, καὶ τὴν μὲν φύσιν
ὡρίσθαι, τὴν δὲ ἐνέργειαν οὐκέτι καὶ τὴν ὁρμήν, καθάπερ
καὶ πᾶσαν ἁπλῶς ἴσμεν τὴν τῆς ψυχῆς ζωὴν ἀτελεύτητον
5 οὖσαν πεπερασμένου πράγματος. Αἴτιον δὲ ὅτι καὶ τὴν
ζωὴν τῆς ψυχῆς ὁ Θεὸς καὶ τὴν ἐπιθυμίαν καὶ τὴν χαρὰν
καὶ τὸ καθ᾽ ἡμᾶς ἅπαν εἰς ἑαυτὸν ἥρμοσε· καὶ ἡ μὲν
ἀθάνατός ἐστιν ἵνα θανάτῳ συζῶμεν αὐτῷ, ἡ δὲ ὅρον οὐκ
οἶδεν ἵν᾽ ἐπ᾽ αὐτῷ μόνῳ δυνώμεθα χαίρειν τὴν ὁλόκληρον
10 ἡδονήν. Ὅτε τοίνυν ἄμφω ταῦτα συνελήλυθεν, ἀπείρου
ἀγαθοῦ τεῦξις οὗ μηδεὶς ὅρος καὶ πλήρωσις ἐπιθυμίας
ἀπείρου, ἡλίκον τι τὸ χρῆμα τῆς ἡδονῆς.

62. Καίτοι οὐδὲ τοσαύτην ἴδοι τις ἂν τὴν ὑπερβολὴν
μόνον. Οὐ γὰρ χαίρει τῷ τυχεῖν ὧν ἐπεθύμησεν· ἢ γὰρ
ἂν τοσοῦτον ἔχαιρεν ὅσον ἐδυνήθη τυχεῖν, καὶ καθόσον
ἀπελείπετο, τοσοῦτον ἀφῄρει τῆς ἡδονῆς. Νῦν δὲ πάσης
5 ἕνεκα τῆς περὶ Θεὸν μακαριότητος χαίρει καὶ πᾶν ὅ τι
σύνοιδε τῷ Θεῷ τὴν ἡδονὴν αὐτῷ ποιεῖ· θέλει γὰρ οὐχ
ἑαυτὸν ἀλλ᾽ ἐκεῖνον.

B P Gass Migne

60, 6 πεπερασμένων : πεπραγμένων P ‖ καλῶν om. Gass
61, 6 καὶ τὴν ἐπιθυμίαν om. Gass ‖ 11 τεῦξις om. P

---

19. Cf. Thomas d'Aquin, Summa..., Iᵃ IIᵃᵉ, q. 2, a. 1, obj. 3 :
« Desiderium summi boni cum nunquam, videtur esse infinitum » et les

proportionnée à la nature, toutefois nous voyons qu'aucun des biens limités n'est adapté à elle, mais au contraire que tout est trop petit pour elle, que tout tombe en deçà et que, quelques biens qu'un homme puisse obtenir, les obtiendrait-il tous, elle regarde plus loin et cherche ce qui n'est pas là en négligeant ce qui est toujours là, et elle n'a pas pour autant donné trêve au désir, ni n'a été pleinement comblée, et elle n'a pas mis parfaitement en acte toute la puissance de joie qui est dans notre âme.

61. C'est pourquoi il est évident que, si la faculté de désirer est en soi limitée, elle a été disposée en vue d'un bien infini[19] ; que sa nature a été délimitée mais point son opération ni son élan, de même que, nous le savons bien, toute la vie de l'âme est sans fin, bien qu'appartenant à un être limité. La raison en est que Dieu a ajusté en vue de lui-même la vie de l'âme, son désir, sa joie et tout ce qui est en nous ; la vie de notre âme est immortelle afin que par la mort nous vivions avec lui, et son désir ne connaît pas de limite afin qu'en Dieu seul nous puissions éprouver le plaisir total. Lors donc que ces deux éléments sont réunis, je veux dire l'obtention d'un bien infini qui n'a pas de limite et l'assouvissement d'un désir infini, quelle immensité de plaisir !

62. Pourtant on ne saurait voir seulement cet excès de plaisir. Car l'âme ne se réjouit pas d'avoir obtenu ce qu'elle désirait ; sinon elle se réjouirait seulement pour autant qu'elle aurait obtenu, et dans la mesure où elle aurait échoué, dans cette même mesure elle en rabattrait de son plaisir. Mais en fait, c'est à cause de toute la béatitude qui entoure Dieu qu'elle se réjouit, et c'est ce qu'elle sait être à Dieu qui fait son plaisir : car ce qu'elle veut, ce n'est pas elle-même mais lui.

autres références à Thomas d'Aquin relevées par J. GOUILLARD, *art. cit.*, p. 105.

Ὥσπερ γὰρ τὴν ζωὴν ἁπλῶς οὐκ εἰς ἑαυτόν, οὕτω καὶ
τὴν θέλησιν οὐ πρὸς τὸ οἰκεῖον ἀγαθὸν ἀλλ' εἰς ἐκεῖνον
10 ἐνεργὸν ἔχων, χαίρει τοῖς θείοις ἀγαθοῖς οὐ καθόσον ἂν
αὐτὸς αὐτῶν ἀπολαύοι ἀλλὰ καθόσον ὁ Θεὸς ἐν τούτοις
ἐστί· καὶ μακάριον ἑαυτὸν ἡγεῖται οὐχ ὧν ἔλαβεν αὐτὸς
ἀλλὰ πάντων ὧν ὁ ποθούμενος ἔχει. Καὶ ἑαυτὸν μὲν
(709) ἀπολείπει, πρὸς δὲ τὸν Θεὸν ἐκδημεῖ πάσῃ θελήσει· | καὶ
15 τῆς μὲν πενίας ἐπιλανθάνεται τῆς ἑαυτοῦ, πρὸς δὲ τὸν
πλοῦτον κέχηνεν ἐκεῖνον· καὶ τὴν μὲν ὡς ἀλλοτρίαν ὁρᾷ
τύχην, τὸν δὲ ὡς οἰκεῖον ἡγεῖται κτῆμα· καὶ οὐ δι' ἐκείνην
ἐνόμισε δυστυχεῖν ἀλλὰ διὰ τοῦτον πλούσιον ἔγνω καὶ
μακάριον ἑαυτόν.

63. Ἡ γὰρ τῆς ἀγάπης δύναμις τοῖς ἐρῶσιν οἰκεῖα τὰ
τῶν φιλουμένων οἶδε ποιεῖν· ἐπεὶ δὲ ἡ τῆς θελήσεως καὶ
τῆς ἐπιθυμίας δύναμις τοῖς ἁγίοις εἰς τὸν Θεὸν ἀνάλωται
πᾶσα, μόνον ἐκεῖνον ἀγαθὸν οἰκεῖον ἡγοῦνται. Καὶ οὔτε
5 σῶμα αὐτοὺς δύναται τέρπειν οὔτε ψυχὴ οὔτε τὰ τῆς ψυχῆς
ἀγαθά, οὐκ ἄλλο τι τῶν φύσει συγγενῶν καὶ οἰκείων, ὅτι
τούτων οὐδὲν αὐτοῖς ἐστι δι' ἑαυτὸ φιλητὸν ἀλλ' ὡς ἂν
καθάπαξ ἑαυτῶν ἐξεληλυθότες καὶ μετενεγκόντες ἑτέρωθι
τὴν ζωὴν καὶ τὴν ἐπιθυμίαν ἅπασαν ἑαυτοὺς ἠγνόησαν[a].

64. Καὶ οὐδὲν ἄπιστον· ὁ μὲν γὰρ τῶν ἀνθρώπων ἔρως
χρημάτων καὶ σωμάτων πείθει καταφρονεῖν καὶ ἴδοις ἂν
τοὺς μανικῶς φιλοῦντας οὔτ' ἂν εὐεκτῶσι τῆς ὑγείας
αἰσθανομένους, ἐπειδὰν χεῖρον ἔχοντας ταύτῃ τοὺς ἐπιτη-
5 δείους ὁρῶσιν, οὔτε νοσοῦντας πρὸς τὴν ἀρρωστίαν ἐπιστρε-
φομένους, ἂν ἐκείνοις ἄμεινον ἔχῃ τὰ σώματα· καὶ πολλοὶ
τοῖς ἐρωμένοις ἀμύνοντες ἡδέως ἀπέθνησκον, ἑλόμενοι τὰ

B P Gass Migne

62, 10 καθὸ Gass ‖ 14 καὶ *om.* Gass

63. a. cf. Cant. 1,8

20. Cf. 1. II, n. 59, p. 201.

De même que sa vie n'est pas simplement tournée vers
lui-même, ainsi cet homme n'exerce pas son vouloir en vue
de son propre bien mais en vue de Dieu ; il se réjouit donc
des biens divins, non dans la mesure où lui-même peut en
jouir, mais dans la mesure où Dieu est en eux ; il s'estime
bienheureux, non à cause de ce qu'il a reçu mais à cause de
tout ce que possède l'aimé. Il se quitte lui-même, il émigre
vers Dieu de tout son vouloir ; il oublie sa propre pauvreté
et demeure bouche bée devant le riche par excellence : sa
pauvreté, il la regarde comme un sort qui lui est étranger ;
la richesse de Dieu, il la considère comme son bien propre ;
il n'estime pas souffrir de sa pauvreté mais il se sait riche
et bienheureux en Dieu.

Dieu est le bien propre de l'homme

63. La puissance de la charité est capable de faire que
les biens des aimés appartiennent à ceux qui aiment ; et
puisque chez les saints, la puissance du vouloir et du désir
a été tout épuisée en Dieu, c'est lui seul qu'ils regardent
comme leur bien propre. Ni corps ni âme ni les biens de
l'âme ne peuvent les rassasier, ni rien d'autre de ce qui est
inné et propre à la nature, parce que rien de tout cela ne
leur paraît aimable en soi, mais ils s'ignorent eux-mêmes
comme si une fois pour toutes ils étaient sortis d'eux-
mêmes[a] et avaient transporté ailleurs leur vie et tout leur
désir[20].

64. Rien d'étonnant à celà : l'amour humain persuade
de mépriser les biens et les corps, et l'on peut voir ceux qui
aiment à la folie ne pas ressentir leur bonne santé, s'ils se
portent bien, lorsqu'ils voient leurs amis se porter mal, et
ne pas prêter attention à leur propre faiblesse quand ils
sont malades, si ceux-ci sont en bonne santé ; et beaucoup,
pour défendre ceux qu'ils aimaient, sont morts avec joie,

σώματα προδοῦναι μᾶλλον ἢ κατακοπτομένους ἐκείνους
ἰδεῖν. Ὁ δὲ πρὸς Θεὸν ἔρως τοσοῦτον τοῦ τῶν ἀνθρώπων
10 ἔρωτος μείζων ὅσῳπερ τῶν φιλουμένων τὸ μέσον.

65. Τί οὖν ὑπόλοιπον ὃ δι᾽ αὐτὸν ἀναλώσομεν ἢ τί μεῖζον
ἐκείνῳ δώσομεν[a], εἰ μὴ καὶ ψυχῆς αὐτῆς ὁ κατασχεθεὶς
ὑπερίδοι; Περιορᾷ δὲ τὴν ψυχὴν ἀληθῶς, οὐχ ὁ τὸ σῶμα
ἀποκτείνας ἀλλ᾽ ὃς αὐτὴν ἐκείνην προδίδωσι καὶ τὰ αὐτῆς
5 ἀγαθά. Προδίδωσι δὲ καθάπερ ὁ μοχθηρὸς εἰς τὰς τοῦ
σώματος ἡδονὰς πάντα ἑαυτὸν ἀναλίσκων, οὕτως ὁ φιλόθεος
πᾶσαν ψυχῆς ἐνέργειαν καὶ ἐπιθυμίαν εἰς τὸν Θεὸν ἐνεγκὼν
καὶ μηδὲν τῇ ψυχῇ καταλείψας. Εἰ γὰρ καὶ ὅπως εὖ ἔχει
ποιεῖται λόγον, ἀλλ᾽ οὐ τῷ ζητεῖν ἐκείνην καὶ τὰ αὐτῆς
10 ἀγαθὰ ἀλλὰ τῷ φιλεῖν τὸν Θεὸν καὶ τῶν ἐκείνου κήδεσθαι
νόμων ὅπως σῴζοιντο· καθάπερ καὶ ὀργάνου ποιούμενοι
λόγον διὰ τὸ ἔργον, τῆς περίγρας διὰ τὴν ἅμαξαν, οὐ τὴν
περίγραν ἀλλὰ τὴν ἅμαξαν ζητοῦμεν.

66. Καὶ μὴν καὶ ὧδε γένοιτ᾽ ἂν δῆλον. Τί γὰρ ὃ πείθει
περιέχεσθαι τῆς ψυχῆς καὶ σφοδρῶς φιλεῖν; οὐδὲν ἢ τὸ
εἶναι βούλεσθαι. Εἶναι δὲ βουλόμεθα διὰ τὸ εὖ εἶναι· οὐ
γάρ τις ἂν εἶναι ἀνάσχοιτο δυστυχῶς ὤν· καὶ πολλοί γε
5 τούτου χάριν ἑαυτοὺς ἐξήνεγκαν, καὶ ὁ Σωτήρ· «Καλὸν ἦν
αὐτῷ, φησίν, εἰ οὐκ ἐγεννήθη[a]».
Ἐπεὶ δὲ τὸ εἶναι καλῶς οὐκ ἔστιν ἕτερον ἢ τὸ φιλεῖν
τὸν Θεόν, δῆλοι πάντως ἐσμὲν διὰ τὸ φιλεῖν τὸν Θεὸν φύσει
καὶ τῆς ψυχῆς ἐρῶντες αὐτῆς. Τοῖς μὲν οὖν πολλοῖς

B   P   Gass   Migne

64, 10 ὅσοπερ B ‖ μέσον : μέγισθον B
65, 5 εἰς : πρὸς Gass
66, 2 σφόδρα B Gass ‖ 7 ἕτερον om. Gass

65. a. cf. Matth. 16, 26
66. a. Matth. 26, 24

21. Cf. Grég. Naz., Or. 42 (PG 36, 477 D) : « Le compas est fait en
vue de la charrette, ou la scie en vue de la porte ». L'expression semble
passée dans le langage courant.

préférant livrer leurs corps plutôt que de voir leur amis abattus. Or l'amour pour Dieu l'emporte d'autant plus sur l'amour des hommes qu'est grande la distance entre les aimés.

Offrir à Dieu toute l'activité et tout le désir de son âme

65. Que reste-t-il donc à sacrifier pour Dieu, quoi de plus grand à lui donner[a], sinon, pour qui est possédé par cet amour, de mépriser sa propre vie ? Or celui qui méprise vraiment sa vie, ce n'est pas celui qui fait périr son corps, mais celui qui livre son âme même et les biens de son âme. De même que le méchant livre son âme aux plaisirs du corps en se gaspillant lui-même tout entier, de même l'ami de Dieu livre toute l'activité et tout le désir de son âme en les offrant à Dieu, sans rien laisser à son âme. S'il tient compte de la santé de son âme, ce n'est cependant pas qu'il la recherche, elle et ses biens, mais c'est qu'il aime Dieu et se préoccupe d'observer ses lois : de même que, si nous tenons compte de l'instrument en vue de son utilisation, du compas en vue de la charrette, ce n'est pas le compas que nous recherchons mais la charrette[21].

Vouloir être et vouloir être heureux

66. Voici qui peut encore éclaircir ce point : qu'est-ce qui nous convainc de prendre soin de notre âme et de l'aimer ardemment ? Rien, sinon le vouloir être. Et nous voulons être pour être heureux ; nul ne supporterait d'être en étant malheureux ; et beaucoup ont pour cette raison mis fin à leurs jours ; le Sauveur lui-même a dit : « Il aurait mieux valu pour lui qu'il ne fût pas né[a] ».

Puisqu'être heureux n'est rien d'autre que d'aimer Dieu, il est parfaitement clair que c'est pour Dieu que nous aimons naturellement notre âme même[22]. Beaucoup

22. Cf. Aug., *ep.* 155, n. 15 : « Nemo, nisi Deum diligendo, diligit seipsum ».

10 ἀγνοοῦσιν ὅθεν ἂν αὐτοῖς γένοιτο τὸ εὖ εἶναι[b], ἄλλων ἄλλοις
ἔρως ἐστί· καὶ τῆς ἐπὶ τὸν σκοπὸν φορᾶς ἁμαρτάνοντες,
αἱροῦνται πολλάκις ἀφ' ὧν ἔσονται χείρους, καὶ τὴν ψυχὴν
οὔτε τιμῶσιν οἷς ἐχρῆν οὔτε κατὰ λόγον περιορῶσιν.

67. Οἱ δὲ σπουδαῖοι πρὸς τὸν Θεὸν ἑαυτοὺς τάξαντες
ὡς ἂν εἰδότες ὅποι τὸ εὖ εἶναι ζητήσουσι καὶ ὅπως ἑαυτοῖς
χρήσονται, μόνον μὲν ἔρωτος αἴτιον τίθενται τὸν Θεόν,
μόνον δὲ δι' ἑαυτὸν στέργουσι, καὶ τὴν ψυχὴν δι' ἐκεῖνον
5 καὶ τὸ εἶναι καὶ τἄλλα πάντα φιλοῦσιν· οὕτω δὲ φιλοῦντες τὴν ψυχήν, οὐκ αὐτὴν ἀληθῶς φιλοῦσιν ἀλλ' ἐκεῖνον
(712)   δι' ὃν | φιλοῦσιν.

68. Εἰ δὲ καὶ ὡς οἰκεῖόν τι τὴν ψυχὴν φιλοῦμεν,
οἰκειότερος ἡμῖν καὶ τῆς ψυχῆς αὐτῆς ὁ Σωτήρ. Καὶ οἱ
τοῦτο διὰ βίου σκοποῦσι μόνον ἴσασι τὸν Σωτῆρα πρὸς
πᾶσαν αὐτοῖς συγγένειαν ἡρμοσμένον καὶ δι' ἐκεῖνον αὐτοῖς
5 καὶ τὴν ψυχὴν καὶ αὐτὸ τὸ εἶναι φίλον καὶ συγγενὲς ὄν·
καὶ γὰρ σπεύδεταί τις πρὸς ἑαυτὸν ὅτι καὶ στασιάζει καὶ
οὐκ ἂν τύχοι γαλήνης εἰ μὴ τοῦ Θεοῦ τύχοι· χωρὶς δὲ
τούτων τοὺς ὀρθοὺς τῶν πραγμάτων διαιτητάς, οὓς εἶναι
χρὴ νομίσαι τοὺς ἐν Χριστῷ ζῶντας, μὴ τὸν Θεὸν τῶν
10 αὐτῷ προσηκόντων ἀποστερεῖν· τοῦτο δέ ἐστιν εἰ τέλειον
ἀγαθὸν ὂν ἀτελεῖ τῇ παρ' ἡμῖν φιλοῦμεν ἀγάπῃ· ἀτελῶς
δ' ἂν φιλοῖμεν εἴ τι καὶ ἄλλο φιλοῦμεν, τὸ φίλτρον
μερίζοντες[a]. Ἐπεὶ καὶ ὁ νόμος· «Ἐξ ὅλης, φησί, τῆς ψυχῆς
καὶ ἐξ ὅλης τῆς διανοίας τὸν Θεὸν ἀγαπήσεις[b]».

B   P   Gass   Migne

66, 11 τῆς *om.* Gass
67, 2 εὖ *om.* Gass
68, 4 πᾶσιν Gass

66. b. cf. Ps. 4,7
68. a. cf. I Cor. 7,34 ‖ b. Mc 12,30; cf. Deut. 6,5

d'hommes qui ignorent d'où peut leur venir le bonheur[b] s'éprennent les uns d'une chose, les autres d'une autre ; se trompant dans leur élan vers le but, ils choisissent souvent ce qui les rendra pires ; ils n'accordent à leur âme ni l'honneur qu'elle mérite ni le mépris raisonnable.

67. Mais les fervents qui se sont rangés dans le parti de Dieu, sachant où chercher le bonheur et comment se conduire, posent Dieu comme seule cause d'amour, le chérissent seul pour lui-même, et pour lui ils aiment leur âme, leur être et tout le reste ; aimant leur âme de cette façon, ce n'est pas elle qu'ils aiment en réalité, mais lui en vue de qui ils l'aiment elle-même.

68. Et si nous aimons notre âme en tant qu'elle nous est propre, le Sauveur nous est plus propre que notre âme même. Et ceux qui ont cela en vue durant toute leur existence savent que le Sauveur seul est adapté à toute leur intimité et que c'est à cause de lui que leur âme, leur être même leur sont chers et intimes — car on se torture à propos de soi-même parce qu'on est en révolte et on ne saurait trouver le repos si l'on ne trouve pas Dieu[23] —, et ils savent en outre que les arbitres légitimes de ces affaires — dont il faut penser que ce sont ceux qui vivent en Christ — ne privent pas Dieu de ce qui lui revient : ce qui serait le cas si, lui qui est le bien parfait, nous l'aimions avec notre charité imparfaite ; or nous ne pouvons qu'aimer imparfaitement si nous aimons autre chose, divisant ainsi notre tendresse[a]. Car la loi dit : « Tu aimeras Dieu de toute ton âme et de tout ton esprit[b] ».

---

23. Cf. Aug., *Conf.*, I, 1 : « inquietum est cor nostrum donec requiescat in te ».

69. Ἐπεὶ τοίνυν πᾶσαν εἰς ἐκεῖνον φέροντες τιθέασι τὴν
ἀγάπην καὶ φιλίας μέρος οὐδὲν οὔτε ἄλλοις καταλείπουσι
οὔτε σφίσιν αὐτοῖς, τῇ γνώμῃ σφῶν αὐτῶν ἀποδημοῦσι καὶ
πάντων· τὸ γὰρ συνάπτον ἑκασταχοῦ τὸ φίλτρον ἐστίν[a].
5 Οὕτω δὲ πρὸς τὸν Θεὸν μόνον ἑαυτοὺς πανταχόθεν
μετενεγκόντες, μόνῳ μὲν ζῶσι, μόνον δὲ φιλοῦσι, μόνῳ δὲ
χαίρουσι.

70. Ἐπεὶ καὶ τοῖς ἡμῶν αὐτῶν τοῖς οἰκειοτάτοις
βούλεσθαι καὶ συνεῖναι καὶ χαίρειν, οὐ τοῦτ' αὐτὸ ποιεῖ τὸ
ἡμέτερα εἶναι ἀλλ' ὅτι αὐτὰ φιλοῦμεν· ὡς, ἂν μὴ τοῦτο ᾖ,
τῆς οἰκειότητος ταύτης δι' ἑαυτὴν συνάγειν ἡμᾶς αὐτοῖς ἢ
5 ποιῆσαι χαίρειν μὴ δυναμένης. Πολλὰ γὰρ τῶν ἡμετέρων
ἡμᾶς ἀνιᾷ καὶ ἡμῖν αὐτοῖς ἔστιν ὧν ἐπιτιμῶμεν. Ἔνιοι δὲ
σφᾶς αὐτοὺς ἤδη καὶ μισοῦσι λαμπρῶς καὶ φεύγειν
ἐπιθυμοῦσι καὶ θανατῶσιν· εἰσὶ δὲ οἳ καὶ ἐτόλμησαν καὶ
πρὸ μοίρας ἀπῆλθον, βιασάμενοι ξίφεσιν ἢ βρόχῳ τὴν
10 τελευτήν.
Ὅθεν δῆλον ὅτι πᾶσιν οἷς σύνεσμεν καὶ χαίρομεν, καὶ
τῇ ψυχῇ καὶ τοῖς οἰκειοτάτοις καὶ ἡμῖν αὐτοῖς τὸ φιλεῖν
ποιεῖ καὶ συνεῖναι καὶ χαίρειν. Οὐκοῦν εἴ τις τἀγαθὰ τῶν
ἄλλων ἐθέλοι καὶ φιλοίη μηδὲν ἧττον ἢ τὰ αὑτοῦ, τοῦτον
15 ἀνάγκη καὶ συνεῖναι τῇ γνώμῃ καὶ συγχαίρειν τῶν ἀγαθῶν
τοῖς ἄλλοις ἢ ἑαυτῷ τῶν αὑτοῦ.

71. Διὰ ταῦτα τῷ φιλοθέῳ τῆς μὲν φύσεως πρὸς τὰ
θεῖα μὴ μετασκευασθείσης μηδ' ἀμειφθείσης ὥστε αὐτῷ
φύσει ταῦτα προσγενέσθαι, τῆς δὲ θελήσεως καὶ τῆς ἀγάπης
εἰς τὸν Θεὸν ἀπὸ τῶν οἰκείων μετενεχθείσης, οὐδὲν κωλύει
5 τὴν ἐπ' αὐτῷ χαρὰν ὁλόκληρον εἶναι καὶ ὥσπερ εἰ

B P Gass Migne

69, 3-4 ἀποδημοῦσι *post* καὶ πάντων *transp.* B Gass
70, 3 καὶ *post* ὅτι *add.* Gass ‖ 6 καὶ : καὶ δὴ καὶ Gass

69. a. cf. Col. 3, 14

Vivre pour Dieu seul

69. Puis donc qu'ils reportent sur lui toute leur charité, et qu'ils ne laissent aucune part d'amitié ni aux autres ni à eux-mêmes, par la volonté ils émigrent d'eux-mêmes et de tous : car ce qui partout unit, c'est la tendresse[a]. Ainsi, s'étant de partout ramenés eux-mêmes vers Dieu seul, c'est pour lui seul qu'ils vivent, lui seul qu'ils aiment, de lui seul qu'ils se réjouissent.

70. En effet, ce qui fait que nous voulons être unis et nous réjouir de ce qui nous est le plus propre, ce n'est pas le fait que ce soit nôtre, mais c'est que nous l'aimons, en sorte que, si tel n'était pas le cas, le fait que ce nous soit propre serait incapable à lui seul de nous y unir ou de nous en faire réjouir. En effet, beaucoup de choses qui sont nôtres nous affligent et il en est que nous nous reprochons. Certains se haïssent manifestement, désirent se fuir et se tuent à petit feu ; et il en est qui ont eu la témérité de partir avant l'heure en hâtant leur fin par le glaive ou la corde. Il est donc évident que, pour tout ce à quoi nous sommes unis et dont nous nous réjouissons — notre âme, ce qui nous est le plus propre, et nous-mêmes —, c'est d'aimer qui nous fait nous y unir et nous en réjouir. Si donc quelqu'un veut et aime le bien des autres non moins que le sien propre, il faut qu'il soit uni par la volonté au bien des autres et s'en réjouisse avec eux non moins qu'avec soi du sien propre.

L'ami de Dieu a transporté sa vie en Dieu

71. Ainsi, pour l'ami de Dieu, comme ce n'est pas sa nature qui a été transformée et changée pour aller vers les choses divines, de telle façon qu'elles lui seraient greffées par nature, mais sa volonté et sa charité qui se sont transportées de leur propre réalité vers Dieu, rien n'empêche sa joie en lui d'être totale, comme s'il avait été

μετεσκεύαστο. Εἰ γὰρ καὶ τὴν φύσιν ἔτι φέρει τὴν
ἀνθρωπίνην καὶ φύσει τοῖς θείοις ὡς οἰκείοις οὐ σύνεστιν,
ἀλλὰ τήν γε θέλησιν ἐκεῖ πᾶσαν ἔχει, ἣ κυρία ἐστὶν οὕτως
ἢ ἐκείνως χαίρειν καὶ ταύτην ἐν ἡμῖν κρατεῖν ἢ ἐκείνην
10 τὴν ἡδονήν. Καὶ τοίνυν καθάπερ ὁ φιλῶν ἑαυτὸν χαίρει τὰ
παρόντα αὐτῷ λογιζόμενος ἀγαθά, οὕτως οἱ τὸν Θεὸν μόνον
φιλοῦντες ἀπὸ τῶν ἀγαθῶν τῶν ἐκείνου τὴν ἡδονὴν ἑαυτοῖς
συνάγουσι καὶ τοῖς ἐκείνου πλουτοῦσι καὶ φιλοτιμοῦνται
καὶ πρὸς τὴν ἐκείνου μεγαλαυχοῦσι δόξαν καὶ στεφανοῦνται
15 προσκυνουμένου καὶ θαυμαζομένου σεμνύνονται.

72. Καὶ οἱ μὲν ἑαυτοῖς ζῶντες, κἂν ἐπὶ τοῖς ἀληθέσι
χαίρωσιν ἀγαθοῖς, ἄμικτον οὐκ ἂν καρποῖντο τὴν ἡδονήν,
ἀλλ᾽ ὥσπερ χαίρουσι τῶν ἀγαθῶν τοῖς παροῦσιν, οὕτως
(713)   ἀλγεῖν αὐτοὺς εἰκὸς | ὑπὲρ τῶν ἀπόντων ἢ τῶν παρόντων
5 κακῶν.

Τοῖς δ᾽ ἐν τῷ Θεῷ τὴν ζωὴν μεταθεῖσιν ἡδονὴ μέν ἐστιν
εἰλικρινής, λύπη δὲ οὐδεμία, πολλῶν μὲν ὄντων τῶν ἐκεῖνο
ποιούντων, ἀνιῶντος δὲ οὐδενός. Οὔτε γὰρ τῷ Θεῷ σύνεστιν
οὐδὲν ἀηδὲς ᾧ ζῶσιν οὔτε τῶν αὐτοῖς παρόντων αἴσθησίς
10 ἐστιν εἴ τι καὶ δύναται λυπεῖν· τὰ γὰρ ἑαυτῶν ζητεῖν αὐτοὺς
ὁ τῆς τελείας ἀγάπης λόγος οὐ συγχωρεῖ· «οὐ γὰρ ζητεῖ,
φησί, τὰ ἑαυτῆς[a]»· ἀλλ᾽ ἀγαπῶσιν ὅτι μακάριος ὁ φιλούμενος καὶ τὸ πάθος ἄτοπον καὶ ὑπερφυές. Γῆ καὶ σποδὸς[b]
τὰ τοῦ Θεοῦ τῶν οἰκείων ἀλλάττονται καὶ γίνονται
15 παραπλήσιον· ὥσπερ εἰ πένητες ἄνδρες καὶ δυστυχεῖς εἰς
βασιλικὴν εἰσπεπαικότες οἰκίαν ἀθρόον μὲν τὴν σύνοικον
ἀποτρίψοιντο πενίαν, περίθειντο δὲ τὴν ἐκεῖ λαμπρότητα
πᾶσαν.

B   P   Gass   Migne

72, 7 ἐκείνου Gass ‖ 10 τὰ : καὶ Gass ‖ 14 γίνεται B ‖ 16
εἰσπεπηδηκότες B

72. a. I Cor. 13,5 ‖ b. cf. Gen. 18,27

transformé. Même si, en effet, il porte encore la nature
humaine et n'est pas uni par nature aux choses de Dieu
comme à des choses propres, en revanche il a en Dieu toute
sa volonté qui a pouvoir de se réjouir de telle ou telle façon
et de faire prévaloir en nous tel ou tel plaisir. De même
donc que celui qui s'aime lui-même se réjouit lorsqu'il
pense que ce qu'il tient est bon, de même ceux qui
n'aiment que Dieu tirent tout leur plaisir de ses biens, sont
riches et fiers de ses richesses, se vantent de sa gloire, sont
couronnés quand il est vénéré et glorifiés quand il est
admiré.

72. Ceux qui vivent pour eux-mêmes, quand bien même
ils se réjouissent des vrais biens, ne peuvent cueillir un
plaisir sans mélange, mais de même qu'ils se réjouissent
des biens qui sont présents, de même logiquement ils
souffrent de leur absence ou de la présence des maux.

Mais ceux qui ont transporté leur vie en Dieu, leur
plaisir est parfait et ils n'ont aucune tristesse, car
beaucoup de choses leur procurent ce plaisir et aucune ne
les afflige. Car en Dieu, en qui ils vivent, il n'est rien de
déplaisant, et parmi les choses qui leur sont présentes, y en
eût-il une capable de les attrister, ils ne la perçoivent pas :
car l'essence de la charité parfaite ne leur permet pas de se
rechercher : «elle ne se recherche pas», dit l'Écriture[a] ;
mais ils aiment parce que l'aimé est bienheureux, et cette
passion dépasse raison et nature. «Terre et cendre[b]»
échangent leurs propriétés contre celles de Dieu et lui
deviennent semblables : comme si des hommes pauvres et
malheureux, en se précipitant dans la maison du roi, se
débarrassaient sur le champ de leur pauvreté native et
revêtaient toute la splendeur qui se trouve là.

73. Ὑπὲρ οὖ καὶ νομίζω καὶ βιαστὰς αὐτοὺς λέγεσθαι
καὶ τὴν βασιλείαν ἁρπάζειν[a]· ὅτι μὴ τοὺς δώσοντας
ἀναμένουσι οὐδὲ τοὺς αἱρησομένους ἀποσκοποῦσιν, ἀλλ'
αὐτόματοι τοῦ θρόνου δράττονται καὶ ταῖς παρ' ἑαυτῶν
5 ψήφοις περιτίθενται τὸ διάδημα.

Εἰ γὰρ καὶ λαμβάνουσιν, ἀλλ' οὐκ ἐν τούτῳ νομίζουσιν
εὐδαιμονεῖν οὐδ' ἐνταῦθα τὴν ἡδονὴν ἔχουσιν ἀλλ' ἐν τῷ τῷ
φιλουμένῳ συνεγνωκέναι τὴν βασιλείαν· καὶ χαίρουσιν οὐχ
ὅτι αὐτοῖς κοινωνεῖ τῶν ἀγαθῶν, ἀλλ' ὅτι ἐκεῖνος ἐν
10 ἀγαθοῖς, τοῦτο δὲ παρ' ἑαυτῶν ἔχουσι καὶ τῆς οἰκείας
εὐγνωμοσύνης· ὥστε εἰ μηδὲν αὐτοῖς ἦν κοινὸν πρὸς
βασιλείαν μηδὲ μερίτας αὐτοὺς τῆς μακαριότητος ὁ φιλούμενος ἐποιεῖτο, μηδὲν ἧττον εὐδαιμονεῖν αὐτοὺς καὶ βασι-
λεύειν καὶ στεφανοῦσθαι καὶ πάντα τῆς βασιλείας ἀπολαύειν
15 ἐκείνης.

Ὅθεν ἅρπαγες εἰκότως ἂν διὰ τοῦτο καλοῖντο καὶ βιασταὶ
τῶν θείων ἀγαθῶν, εἰς τὴν ἀπόλαυσιν αὐτῶν ἑαυτοὺς
εἰσωθοῦντες. Οὗτοί εἰσιν οἱ τὰς ψυχὰς μισοῦντες καὶ
ἀπολλύντες[b] καὶ τούτων τὸν τῶν ψυχῶν Δεσπότην ἀντι-
20 λαμβάνοντες.

74. Τί οὖν τῆς χαρᾶς ταύτης ἢ μεῖζον ἢ βεβαιότερον;
Τοῖς μὲν γὰρ ἑαυτοῖς χαίρουσι, τὸ χαρίεν ἀποβαλεῖν οὐ τῶν
ἀδοκήτων· ἐν οὐδενὶ γὰρ ἐπὶ τοῦ παρόντος τἀγαθὸν
ἀκίνητον, ὅθεν οὐ δι' ὧν ἀπολαύουσι χαίρουσι μᾶλλον ἢ
5 δι' ὧν περὶ τοῦ πλούτου τρέμουσιν ἀνιῶνται.

Τοῖς δὲ καὶ ὁ θησαυρὸς τῶν ἀγαθῶν ἄσυλος καὶ ἡδονὴ
λύπης ἄμικτος καὶ φόβος οὐδεὶς ὑπὲρ ἑστῶτος καὶ βεβαίου
πράγματος.

Καὶ οἱ μὲν καὶ αὐτοὶ εἰκότως ὑποπτεύουσι τὴν χαρὰν

B   P   Gass   Migne

73, 7 τῷ² om. Gass ‖ 10 τοῦτο : τοῦ Gass ‖ 13 αὐτοὺς om. Gass ‖ 14
πάντας Gass

73. a. cf. Matth. 11, 12 ‖ b. cf. Matth. 16, 25 et par.

Les violents s'emparent du Royaume

73. C'est à mon sens pour cela qu'il est dit qu'ils sont violents et qu'ils ravissent le Royaume[a] : parce qu'ils n'attendent pas patiemment ceux qui le leur donneront, et n'observent pas de loin ceux qui les choisiront, mais de leur propre mouvement ils se saisissent du trône et ils ceignent le diadème par leurs propres suffrages.

Même s'ils le prennent, cependant ce n'est pas en cela qu'ils s'estiment heureux, ils ne placent pas là leur plaisir, mais dans le fait de connaître la royauté de l'aimé ; ils se réjouissent non de partager ses biens mais de ce que lui-même est heureux ; et cela, ils le tiennent d'eux-mêmes et de leur propre sagesse ; au point que, s'ils n'avaient rien de commun avec la royauté, si l'aimé ne les rendait pas participants de sa béatitude, ils n'en seraient pas moins heureux, ils n'en règneraient pas moins, ils n'en triompheraient pas moins, ils ne jouiraient pas moins pleinement de cette royauté.

C'est pourquoi on a raison de les appeler violents et ravisseurs des biens divins, puisqu'ils s'approprient eux-mêmes leur jouissance. Tels sont ceux qui haïssent leur âme et la perdent[b] et qui reçoivent en échange le Maître des âmes.

74. Quoi de plus grand ou de plus solide que cette joie ? En effet, pour ceux qui se réjouissent en eux-mêmes, il n'est pas impensable qu'ils perdent ce qui les réjouit ; car le bien n'est immuable en aucune chose en ce monde, c'est pourquoi ils ne retirent pas plus de joie de ce dont ils jouissent qu'ils ne s'affligent de trembler pour leurs richesses.

Pour les autres au contraire, le trésor des biens est inviolable, le plaisir sans mélange de tristesse, et ils n'ont nulle crainte au sujet d'une réalité qui est stable et solide.

Les premiers ont raison de soupçonner leur joie de les

10 μὴ πρὸς ὑπερηφανίαν αὐτοὺς ἐξαγάγῃ, σφόδρα πρὸς
ἑαυτοὺς βλέποντας, ὃ τὸ πλεῖστον ἂν τῆς ἡδονῆς ὑποτέμοι.
Τοῖς δὲ τοιοῦτον οὐδὲν ἐνοχλεῖ, ἑαυτῶν μὲν οὐκ ἐπιστρε-
φομένοις, ἐν τῷ Θεῷ δὲ τὴν δύναμιν ποιουμένοις[a], ἐν ἐκείνῳ
δὲ καυχωμένοις· καὶ ὅλως οὐχ ὅσον αὐτοὶ χωροῦσιν οὐδ᾽
15 ὥσπερ ἀνθρώπους χαίρειν εἰκός, ἀλλ᾽ ὑπερφυᾶ τινα καὶ
θείαν καρποῦνται τὴν ἡδονήν.

75. Οἰκίαν μὲν γὰρ οἰκίας εἴ τις ἀλλάξαιτο καλλίονα
φαυλοτέρας, καὶ ἡδονῆς ἀντείληφεν ἡδονή, ἧς ἥδετο τὴν
προτέραν οἰκῶν ἣν εἰκὸς ἥδεσθαι τὸν ἀπολαύοντα τῆς
δευτέρας. Ὡς δὲ καὶ σώματος εἰ μηχανῇ τινι τύχοι
5 καλλίονος, τὸ παρὸν ἀποβαλών, καὶ τὴν ἐπ᾽ αὐτῷ χαρὰν
ἤμειψεν καὶ τοσοῦτο χαίρει μᾶλλον ὅσον ἀμείνονι χρῆται
σώματι. Οὐκοῦν ὅταν οὐ μόνον σῶμα καὶ οἰκίαν, ἀλλ᾽ ἑαυτὸν
ἀπορρίψας, τὸν Θεὸν κομίσηται, καὶ οὗτος αὐτῷ καὶ
σώματος καὶ ψυχῆς καὶ οἰκείων καὶ φίλων καὶ πάντων
10 ἀντικαταστῇ, καὶ ἡδονὴν ἀνάγκη τὴν μὲν ὑπερβῆναι πᾶσαν
τὴν τῶν ἀνθρώπων, τὴν δὲ λαβεῖν ἣ πρὸς τὴν θείαν ἥρμοσται
(712) μακαριότητα καὶ τοιᾷδε προσήκει μετασκευῇ.

76. Διὰ τοῦτο καὶ τὴν τοῦ Χριστοῦ χαρὰν αὐτοὶ λέγονται
χαίρειν[a]· ᾧ γὰρ ἐκεῖνος χαίρει, τοῦτο καὶ αὐτοῖς ποιεῖ τὴν
χαράν. Χαίρει γὰρ ἑαυτῷ, τῶν δὲ τέρπειν δυναμένων τῶν
αὐτῶν ὄντων, ἀκόλουθον καὶ ἡδονὴν τὴν αὐτὴν εἶναι.

77. Καὶ τοῦτο οὐκ εἰκάσαι καὶ λογίσασθαι μόνον ἔστιν
ἀλλ᾽ αὐτοῦ σαφῶς λέγοντος τοῦ Σωτῆρος μαθεῖν ἀκριβῶς·
ἐπεὶ γὰρ τοὺς περὶ τῆς ἀγάπης εἰσήγαγε νόμους καὶ παρήνει

B P Gass Migne

74, 10 ἐξάγῃ Gass
75, 8 ἀπορρίψας P : ἅπαντα ῥίψας B

---

74. a. cf. Ps. 59, 12
76. a. cf. Jn 15, 11 ; 17, 13

conduire à l'orgueil s'ils se regardent trop eux-mêmes, ce qui peut couper à la racine l'essentiel du plaisir. Les autres, rien de tel ne les trouble, vu qu'ils ne sont pas tournés vers eux-mêmes mais qu'ils placent leur puissance en Dieu[a] et se glorifient et se réjouissent en lui, non dans la mesure où ils peuvent le comprendre ni comme il est normal pour des hommes de se réjouir, mais ils goûtent un plaisir extraordinaire et divin.

75. Si quelqu'un échange une mauvaise maison contre une meilleure, il a aussi échangé un plaisir contre un autre, le plaisir qu'il goûtait en habitant la première maison contre celui que doit normalement goûter celui qui profite de la seconde. Et si par quelque procédé quelqu'un obtenait un corps meilleur, en abandonnant son corps présent, il échangerait la joie qu'il tire de celui-ci et se réjouirait d'autant plus qu'il dispose d'un corps meilleur. Donc lorsque l'on rejette non plus un corps ou une maison mais soi-même pour gagner Dieu, c'est Dieu qui prend pour nous la place du corps, de l'âme, des propriétés intimes, des amis et de tout, et nécessairement nous laissons de côté tout le plaisir humain et recevons celui qui est ajusté à la béatitude divine et qui convient à une telle disposition.

Se réjouir de la joie du Christ

76. C'est pourquoi il est dit que de tels hommes se réjouissent de la joie du Christ[a] : car ce dont lui-même se réjouit, voilà ce dont il fait aussi leur joie. En effet, le Christ se réjouit de lui-même, et comme ce sont les mêmes causes qui réjouissent, il s'ensuit que le plaisir est le même.

77. Cela, on peut non seulement le conjecturer et l'atteindre par la réflexion, mais aussi l'apprendre exactement du Sauveur lui-même qui le dit clairement : en effet, quand il instaura les lois sur la charité et exhorta ses

τοῖς μαθηταῖς φυλάττειν αὐτῷ διὰ τέλους τὸ φίλτρον
5 ἀκίνητον, «Ταῦτα λελάκηκα ὑμῖν, φησίν, ἵνα ἡ χαρὰ ἡ ἐμὴ
ἐν ὑμῖν μείνῃ καὶ ἡ χαρὰ ὑμῶν πληρωθῇ ᵃ». Διὰ τοῦτο,
φησί, κελεύω ὑμῖν φιλεῖν ἵνα τῆς φιλίας πάντα τἀμὰ κοινὰ
καὶ ὑμῶν ποιούσης, τὴν ἐπ' ἐμοὶ καὶ τοῖς ἐμοῖς τὴν αὐτὴν
ἦτε χαίροντες ἡδονὴν ἐμοί. «Ἀπεθάνετε γὰρ καὶ ἡ ζωὴ
10 ὑμῶν, φησί, κέκρυπται ἐν τῷ Χριστῷ ἐν Θεῷ ᵇ»· τὸν ἴσον
τρόπον καὶ ἡ χαρὰ καὶ τἆλλα πάντα, καὶ οὐδὲν ἀνθρώπινον
παρ' αὐτοῖς.

78. Καὶ πάντα λόγῳ βραχεῖ δηλῶν ὁ μακάριος Παῦλος,
«Οὐκ ἔστε, φησίν, ἑαυτῶν, ἠγοράσθητε γὰρ τιμῆς ᵃ». Ὁ δὲ
πεπραμένος οὐ πρὸς ἑαυτὸν ἀλλὰ τὸν ἐωνημένον ὁρᾷ καὶ
πρὸς τὴν ἐκείνου ζῇ γνώμην. Καίτοι τοῖς μὲν ἀνθρώποις ὁ
5 δουλεύων τὸ σῶμα δέδεται μόνον πρὸς τὸ τῷ δεσπότῃ
δοκοῦν, τὴν δὲ γνώμην καὶ τὸν λογισμὸν ἐλεύθερός ἐστιν
ὅ τι ἂν βούλοιτο χρῆσθαι. Ὃν δὲ ὁ Χριστὸς ἠγόρασεν οὐκ
ἔστιν ὅπως ἐστὶν ἑαυτοῦ· ἐπεὶ καὶ τὸν ἄνθρωπον ὁλόκληρον,
ἀνθρώπων μὲν οὐδεὶς ὠνήσατο οὐδ' ἔστιν οὗ τιμήματος
10 ψυχὴν λαβεῖν δυνατὸν ἀνθρωπίνην· ὅθεν οὐδεὶς ἔλυσεν
ἄνθρωπον ἢ ἐδουλώσατο τοῦ σώματος περαιτέρω. Ὁ δὲ
Σωτὴρ ἅπαντα τὸν ἄνθρωπον τυγχάνει πριάμενος, ὅτι καὶ
ἄνθρωποι μὲν ὑπὲρ ἀνδραπόδου χρήματα καταβάλλουσι
μόνον, ἐκεῖνος δὲ ἑαυτὸν εἰσήνεγκε ᵇ καὶ τὸ σῶμα προύδωκε
15 καὶ τὴν ψυχὴν ὑπὲρ τῆς ἡμετέρας ἐλευθερίας· καὶ τὸ μὲν
ἀποθανεῖν ἐποίησε, τὴν δὲ τὸ οἰκεῖον ἀφείλετο σῶμα· καὶ
τὸ μὲν ὠδυνήθη πληττόμενον, ἐκείνη δὲ ἠνιάσθη οὐ
σφαττομένου τοῦ σώματος μόνον ἀλλὰ καὶ πρὸ τῆς πληγῆς·
«Περίλυπός ἐστι, φησίν, ἡ ψυχή μου ἕως θανάτου ᶜ».

B P Gass Migne

77, 6 ἐν *om.* Gass ‖ ὑμῶν : ὑμῖν Gass
78, 12 ὅτε Gass

77. a. Jn 15, 11 ‖ b. Col. 3, 3
78. a. I Cor. 6, 20 ‖ b. cf. Hébr. 9, 14 ‖ c. Matth. 26, 38 et par.

disciples à garder jusqu'à la fin une tendresse inébranlable envers lui, il dit : «Je vous ai dit ces choses afin que ma joie soit en vous et que votre joie soit en plénitude[a]». Si je vous ordonne d'aimer, c'est afin que, l'amitié ayant rendu commun à vous tout ce qui est à moi, vous vous réjouissiez avec moi du même plaisir qui est en moi et dans les miens : car «vous êtes morts, dit l'Écriture, et votre vie est cachée dans le Christ en Dieu[b]», de même la joie et tout le reste, et il n'est plus rien d'humain chez eux.

78. Tout cela, le bienheureux Paul le résume clairement en peu de mots : «Vous ne vous appartenez pas, car vous avez été achetés à grand prix[a]». Celui qui a été acheté ne se regarde plus lui-même mais celui qui l'a acheté, et il vit en fonction de la volonté de celui-ci. Toutefois, celui qui est esclave des hommes n'est lié au bon plaisir de son maître que dans son corps, mais sa volonté et son imagination, il est libre d'en user comme il veut. Au contraire, celui que le Christ a acheté ne peut plus s'appartenir. L'homme dans sa totalité, aucun homme ne l'a acheté et il n'existe aucun prix auquel on puisse acquérir une âme humaine : c'est pourquoi nul n'a jamais libéré ni réduit en esclavage plus que le corps d'un homme. Mais le Sauveur a acheté tout l'homme, parce que les hommes ne dépensent que des biens matériels en échange d'un esclave, alors que lui s'est apporté lui-même[b], il a livré en échange de notre liberté son corps et son âme : il a fait mourir le premier et il a séparé la seconde du corps qui lui était propre ; le premier a souffert sous les coups et la seconde s'est affligée non seulement de l'immolation du corps, mais avant même les plaies : «Mon âme est triste jusqu'à la mort», dit l'Écriture[c].

79. Καὶ οὕτως ὅλον δοὺς ἑαυτὸν ὅλον ὠνεῖται τὸν ἄνθρωπον, οὐκοῦν καὶ τὴν θέλησιν ἐπρίατο καὶ μάλιστα ταύτην. Τὰ μὲν γὰρ ἄλλα δεσπότης ἦν καὶ τῆς φύσεως ἡμῶν ἁπάσης ἐκράτει· ᾧ δὲ τὴν δουλείαν ἐφεύγομεν ἡ
5 θέλησις ἦν, καὶ ἵνα ταύτην ἕλοι πάντα εἰργάσατο. Διὰ τοῦτο γὰρ ὅτι γνώμην ἐζήτει βίαιον οὐδὲν ἐποίησεν οὐδ᾽ ἥρπασεν ἀλλ᾽ ἠγόρασεν. Ὅθεν τῶν πεπραμένων οὐδεὶς εἰς ἑαυτὸν χρώμενος τῇ θελήσει τὰ δίκαια ποιήσει, ἀλλὰ τὸν ἐωνημένον ἀδικήσει, τοῦ κτήματος ἀποστερῶν· χρῷτο δ᾽ ἄν
10 τις πρὸς ἑαυτὸν τῇ θελήσει ἑαυτὸν θέλων καὶ τοῖς ἑαυτοῦ χαίρων.

Λείπεται δὴ μηδένα τῶν χρηστῶν καὶ δικαίων ἀνδρῶν ἑαυτὸν φιλεῖν ἀλλὰ τὸν ἀγοράσαντα μόνον, ἐπεὶ καὶ πᾶσα ἀνάγκη τοιούτους εἶναι τῶν ἀγορασθέντων ἐνίους, εἰ καὶ μὴ
15 πάντας· μάτην γὰρ γενέσθαι τὴν ὠνὴν ἐκείνην τὴν φρικώδη, πῶς εὔλογον;

80. Φιλοῦντας δὲ ἐκεῖνον μόνον ἑπόμενον ἂν εἴη καθαρὰν μὲν ἀνίας αὐτοὺς ἁπάσης ἥδεσθαι ἡδονήν, ὅτι οὐδὲν παρὰ τὰς εὐχὰς αὐτῶν ὁ φιλούμενος πράττει, μεγίστην δὲ καὶ
(717) ὑπερφυᾶ καὶ θείαν, ὅτι τε ὁλόκληρον ἐνταῦθα κενοῦσι | τὴν
5 δύναμιν τῆς χαρᾶς καὶ ὅτι τὸ τέρπον αὐτοὺς πᾶσαν ὑπερβαίνει χαρίτων ὑπερβολήν.

81. Καὶ ἄλλως δέ, καθάπερ ἀνάγκη τὸν ἀνθρώποις δουλεύοντα λυπεῖσθαι, οὕτως ἀνάγκη τὸν τῷ Χριστῷ δουλεύοντα χαίρειν. Οὐ γὰρ ἔτι τὴν αὐτοῦ ἀλλὰ τὴν τοῦ πριαμένου χωρῶν, ὁ μὲν διὰ πόνων ἔρχεται καὶ ὀδυνῶν,
5 τῷ καὶ λύπης καὶ πόνων ὑπευθύνῳ μυρίων ἀκολουθῶν· ἐκεῖνος δὲ πῶς ἀνιαθήσεται, τῆς ἀληθινῆς χαρᾶς ἡγουμένης;

B   P   Gass   Migne

79, 12 ἀνδρῶν om. Gass
80, 3 εὐχὰς om. Gass
81, 3 αὐτοῦ Migne ‖ 5 μυρίων om. Gass

Le Christ s'est rendu maître de notre volonté

79. S'étant ainsi donné tout entier, il achète l'homme tout entier et il s'est donc acquis aussi sa volonté, et surtout elle. Car il était le maître de tout le reste et il dominait toute notre nature, mais ce par quoi nous fuyions la servitude, c'était la volonté, et pour la conquérir il a tout accompli. Et parce que c'est notre volonté qu'il recherchait, il n'a usé d'aucune violence et il ne l'a pas ravie mais achetée. C'est pourquoi aucun de ceux qu'il a achetés n'agira selon la justice s'il use de sa volonté pour soi-même, au contraire il lèsera celui qui l'a acheté en le frustrant de son acquisition : or l'on use de sa volonté pour soi-même quand on se veut soi-même et qu'on se réjouit de ce qui à soi.

Il reste qu'aucun homme bon et juste ne s'aime lui-même, mais il aime seulement celui qui l'a acheté ; car il en est forcément quelques uns, sinon tous, parmi les rachetés, qui sont ainsi : en effet, que ce terrible rachat se fût accompli en vain, cela n'aurait pas de sens !

80. Par conséquent, ceux qui n'aiment que lui éprouvent un plaisir pur de toute affliction, parce que l'aimé ne fait rien à l'encontre de leurs prières, et un plaisir immense, extraordinaire et divin, parce qu'ils y consacrent toute leur faculté de joie et parce que ce qui les charme surpasse toute surabondance de grâces.

81. Par ailleurs, de même qu'il est inévitable que celui qui est esclave d'un homme s'attriste, de même il est inévitable que celui qui est esclave du Christ se réjouisse. En effet, comme chacun d'eux ne suit plus sa propre route mais celle de celui qui l'a acheté, le premier marche au milieu des peines et des douleurs, puisqu'il suit un maître soumis à la tristesse et à des milliers de peines ; mais le second, comment s'affligera-t-il puisque c'est la joie

Ἐκεῖ μὲν γὰρ ὁ καταβαλὼν ὑπὲρ ἀνδραπόδου χρήματα
οὐ τοῦτο ζητῶν κατέβαλεν ἵν' εὖ ποιήσῃ τὸν πεπραμένον,
ἀλλ' ἵν' αὐτὸς ἐκεῖθεν εὖ πάθοι καί τι τῶν ἐκείνου κερδάνῃ
10 πόνων· ὅθεν ὁ δουλεύων, ὡς ἂν εἰς τὴν τῶν κεκτημένων
ἀναλούμενος χρείαν καὶ δι' ὧν αὐτὸς ταλαιπωρεῖται συνάγων
ἐκείνοις ἡδονάς, διηνεκέσι σύνεστι λύπαις.

82. Ἐνταῦθα δὲ τοὐναντίον· πάντα γὰρ πρὸς τὴν τῶν
δούλων εὐδοκίμησιν εἴργασται· καὶ τὸ λύτρον ἔδωκεν οὐχ
ἵνα αὐτὸς ἀπολαύῃ τι τῶν λυθέντων ἀλλ' ἵνα αὐτῶν τἀκείνου
γένηται πάντα, καὶ κέρδος ὁ Δεσπότης ᾖ καὶ οἱ τοῦ
5 Δεσπότου πόνοι τοῖς δούλοις, καὶ τὸν ἐωνημένον ὅλον αὐτὸς
ὁ πεπραμένος ἔχῃ λαβών.

83. Διὰ ταῦτα τοὺς μὴ πρὸς ταύτην ἀποπηδήσαντας τὴν
δουλείαν ἀλλὰ πρὸ πάσης ἐλευθερίας τἀκείνου ποιησαμένους
δεσμὰ χαίρειν ἀνάγκη, πλοῦτον πενίας καὶ βασιλείαν
δεσμωτηρίου καὶ δόξαν τὴν ἀνωτάτω τῆς ἐσχάτης ἀτιμίας
5 ἀλλαξαμένους· ὅπερ γὰρ τῶν ἀνθρώπων τοῖς δεσπόταις
ἔξεστι ποιεῖν εἰς τοὺς δούλους παρὰ τῶν νόμων, τοῦτο τοῖς
δούλοις ἐφεῖται πρὸς τὸν κοινὸν δεσπότην διὰ τὴν τοῦ
Δεσπότου φιλανθρωπίαν.

84. Ἐκείνους μὲν γὰρ τῶν δούλων καὶ τῶν ὄντων τοῖς
δούλοις ὁ νόμος κυρίους καθίστησιν, ἂν μὴ πρόωνται τὴν
δεσποτείαν μηδ' ἀφῶσιν αὐτοὺς τῆς δουλείας· οὗτοι δὲ τὸν
ἑαυτῶν Δεσπότην ἔχουσι καὶ τῶν ἐκείνου κληρονομοῦσιν,
5 ἂν τὸν ζυγὸν ἐκείνου στέρξωσι καὶ τὴν ὠνὴν αἰδεσθῶσι.

85. Καὶ τοῦτό ἐστιν ὁ Παῦλος ἐκέλευσεν, «Χαίρετε ἐν
Κυρίῳ[a]» λέγων, τὸν ἀγοράσαντα διὰ τοῦ Κυρίου δηλῶν.

B   P   Gass   Migne

81, 9 πάθῃ Gass ‖ καίτοι Gass
82, 4 πάντα *om.* Gass
84, 5 ἐκεῖνον B ‖ ἐνδεσθῶσι Gass

85. a. Phil. 4, 4

véritable qui le guide ? Dans le premier cas, celui qui a
versé une somme d'argent pour acquérir un esclave ne l'a
pas fait dans le but de faire du bien à celui qu'il a acheté,
mais afin d'en retirer lui-même du bien-être et d'avoir
quelque profit des peines de son esclave ; c'est pourquoi
celui qui est esclave, se consumant pour ainsi dire pour les
besoins de ses acquéreurs et leur assurant des plaisirs au
moyen de ses propres souffrances, connaît des tristesses
continuelles.

82. Dans le second cas, c'est tout le contraire : le Christ
a tout fait en vue de la renommée de ses esclaves ; il a payé
la rançon non pour retirer quelque profit personnel de ceux
qu'il a délivrés, mais pour que tout ce qui est à lui devînt
leur, pour que le Maître et les peines du Maître fussent un
gain pour les esclaves, et pour que l'acheté reçût et
possédât son acquéreur tout entier.

83. Voilà pourquoi ceux qui n'ont pas bondi vers la
servitude d'ici-bas mais ont préféré les chaînes de ce
Maître à toute liberté se réjouissent forcément, puisqu'ils
ont échangé la pauvreté contre la richesse, le cachot contre
la royauté, le comble de l'infâmie contre la gloire la plus
haute : ce que les lois permettent aux maîtres humains de
faire à leurs esclaves, c'est cela qu'il a été accordé aux
esclaves de faire à leur Maître à tous, de par la
philanthropie du Maître.

84. En effet, la loi donne aux maîtres humains pleins
pouvoirs sur leurs esclaves et sur les biens de leurs
esclaves, à moins qu'ils ne renoncent à leur maîtrise et ne
les affranchissent de la servitude ; eux au contraire,
possèdent leur propre Maître et héritent de ses biens, à
condition qu'ils supportent son joug et révèrent cet achat.

85. C'est ce que Paul a ordonné en disant : « Réjouissez-
vous dans le Seigneur[a] », désignant par « le Seigneur » celui
qui nous a achetés. Et le Sauveur lui-même, pour nous

Καὶ ὁ Σωτὴρ ἐναργέστερον τὸ τῆς χαρᾶς αἴτιον σημαίνων
ἡμῖν τὸν τῆς χαρᾶς αὐτῷ κοινωνήσοντα «δοῦλον ἀγαθὸν»
5 ὀνόμαζει καὶ «Κύριον» ἑαυτόν, «Εἴσελθε, λέγων, ἀγαθὲ
δοῦλε, εἰς τὴν χαρὰν τοῦ Κυρίου σου[b]»· ὅτι δοῦλος ἔμεινας
καὶ τὸ τῆς ὠνῆς οὐ διέρρηξας γραμματεῖον, αὐτὴν κομίζου
τὴν τοῦ κτησαμένου χαράν.

86. Ἔστι γὰρ ἡ αὐτὴ χαρὰ οὐ μόνον διὰ τὸ χαρίεν
ταὐτὸν ὂν ἀλλ' ὅτι καὶ τῆς εὐγνωμοσύνης ὁ αὐτὸς τρόπος.
Καθάπερ γὰρ ἐκεῖνος «οὐχ ἑαυτῷ ἤρεσεν[a]», ἀλλὰ τοῖς
δούλοις ἔζησε καὶ ἀπέθανε καὶ γεγέννηται τὴν ἀρχὴν καὶ
5 εἰς ἑαυτὸν ἐπανελθὼν καὶ τὸν θρόνον ἔχων τὸν πατρικόν[b],
ἡμῖν ἐκεῖ κάθηται καὶ παράκλητός ἐστι πρὸς αὐτὸν ὑπὲρ
ἡμῶν δι' αἰῶνος[c]· οὕτω καὶ τῶν δούλων οἷς ὁ Δεσπότης
πρὸ τῶν ψυχῶν ἐγένετο, ἑαυτῶν οὐκ ἐπιστρεφόμενοι, μόνον
φιλοῦσιν ἐκεῖνον.

87. Τοιοῦτος ἦν Ἰωάννης, καὶ διὰ τοῦτο παρευδοκιμηθεὶς
ἐκείνου φανέντος, τοσοῦτον ἀπεῖχε δυσχεραίνειν ὥστε αὐτὸς
ἦν ὁ τοῖς ἀγνοοῦσιν αὐτὸν κηρύττων καὶ προδεικνύς[a], καὶ
τῆς γλώττης ἐκείνης ἀφ' ἧς συνέβαινεν αὐτῷ τὴν ἐλάττω
5 φέρεσθαι δόξαν οὐδὲν ἥδιον ἦν αὐτῷ[b]. Καὶ ἠξίου τὸν μὲν
εἰς ἑαυτὸν ἀναρτήσασθαι τὸ θέατρον καὶ καταδημαγωγῆσαι
τὸ γένος ἅπαν καὶ πάντας αὐτῷ προσέχειν τὸν νοῦν,
(720) | καθάπερ τῷ νυμφίῳ τὴν νύμφην, αὐτὸς δὲ ἀγαπᾶν εἰ
παρεστὼς ἀκούοι λέγοντος, καὶ τοῦτο τῆς σπουδῆς ἀπόναιτο
10 πάσης, τὴν τοῦ φιλουμένου φωνήν[c].

B P Gass Migne

87, 3 αὐτὸν : αὐτῶν Gass ‖ καὶ προδεικνύς *om.* Migne ‖ 4 αὐτῷ P :
αὐτὸν B

85. b. cf. Matth. 25, 21
86. a. Rom. 15, 3 ‖ b. cf. Hébr. 8, 1 ; 12, 2 ; Apoc. 7, 17 ; 22, 1.3 ‖ c.
cf. I Jn 2, 1

montrer plus clairement encore la cause de notre joie,
nomme «bon esclave» celui qui partagera sa joie et se
nomme lui-même «seigneur», quand il dit : «Entre, bon
esclave, dans la joie de ton seigneur[b]» : parce que tu es
resté esclave et que tu n'as pas déchiré le contrat d'achat,
reçois la joie même de ton acquéreur.

86. C'est la même joie, non seulement parce que l'objet
qui réjouit est le même, mais parce que c'est le même mode
de bienveillance. De même que lui «n'a pas cherché à se
plaire à soi-même[a]», mais que pour ses esclaves il a vécu, il
est mort, pour eux il était né au commencement, et une
fois remonté chez lui, ayant pris possession du trône
paternel[b], c'est pour nous qu'il y siège et il est pour
l'éternité notre avocat auprès du Père[c] ; de même les
serviteurs pour qui le Maître compte plus que leur propre
vie et qui ne sont pas tournés vers eux-mêmes, n'aiment
que lui.

La joie de Jean-Baptiste

87. Tel était Jean (Baptiste), et pour cette raison, quand
il fut éclipsé par l'apparition du Christ, il fut si loin d'en
être malheureux que ce fut lui qui l'annonça et le désigna à
ceux qui ne le connaissaient pas[a], et rien ne lui était plus
doux que d'entendre cette voix par laquelle sa propre
gloire se trouvait diminuée[b]. Il trouvait juste que le Christ
attirât à soi l'auditoire et gagnât les faveurs de tout le
peuple, et que tout le monde appliquât son esprit à lui,
comme l'épouse à l'époux, tandis que lui, il se contentait
d'être là à l'entendre parler, et la récompense de tout cet
effort, ce fut la voix de l'aimé[c].

87. a. cf. Jn 1, 26 ‖ b. cf. Jn 3, 29-30 ‖ c. cf. Jn 3, 29

88. Παῦλος δὲ τἀκείνου ζητῶν[a] οὐ περιεῖδεν ἑαυτὸν μόνον, ἀλλ' ἤδη καὶ προὔδωκε. Καὶ γὰρ εἰς γέενναν ἐνέβαλε τό γ' ἐπ' αὐτῷ, καὶ γὰρ ηὔξατο τὸ πάθος[b]. Καὶ ἦν ὥσπερ αἴνιγμα· ὅτι γὰρ σφοδρῶς ἐφίλησεν, αὐτὸν ὃν ἐφίλησεν
5 ἐπεθύμει ζημιωθῆναι· καὶ ἔοικεν ὡς οὐ γεέννης μόνον σφοδρότερον ἀνέφλεγεν αὐτὸν ὁ ἔρως ἐκεῖνος, ἀλλὰ καὶ αὐτῆς τῆς ἐν τῷ συνεῖναι τῷ φιλουμένῳ χαρᾶς ἐπικρατέστερον εἶχε.

Καθάπερ γὰρ ταύτης καταφρονεῖν ἔπειθεν, οὕτως ἐκείνην
10 ῥᾳδίως περιορᾶν, καίτοι σαφῆ πεῖραν ἤδη τοῦ κάλλους αὐτοῦ λαβόντα καὶ γεγευμένον[c]. Ἀλλ' ὅτι τὸ μὲν ἐκείνῳ συνεῖναι καὶ συζῆν καὶ συμβασιλεύειν[d], πρὸς αὐτοῦ καὶ τῆς εὐδοκιμήσεως ἦν τῆς αὑτοῦ· ὁ δὲ οὐκ ἐζήτει τὰ ἑαυτοῦ[e], ὑπὲρ τῆς ἐκείνου δόξης καὶ τοῦτο προέσθαι πρόθυμος ἦν.
15 Οὐκοῦν καὶ ἐπιθυμῶν οὐ δι' ἑαυτὸν ἐπεθύμησεν ἀλλὰ δι' ἐκεῖνον ὑπὲρ οὗ καὶ φυγεῖν δεῆσαν ἔφυγεν ἄν. Εἰ τοίνυν τὸ μόνον θελητὸν οὐκ ἤθελεν ἑαυτοῦ χάριν, τί λοιπὸν ἄλλο τῶν πάντων; Εἰ γὰρ ὑπὲρ οὗ πάντα εἰργάσατο, πάντων δὲ ἠνέσχετο, οὐ πρὸς ἑαυτὸν βλέπων ἐζήτησεν οὐδ' ἵν' αὐτὸς
20 ἀπολαύῃ, σχολῇ γέ τι τῶν ἄλλων ὧν κατεφρόνησεν[f]. Ὅθεν δῆλος ἦν ἑαυτὸν παντελῶς φυγὼν καὶ τὴν γνώμην ἅπασαν ἐξαγαγὼν μὲν ἑαυτοῦ, πρὸς τὸν Χριστὸν δὲ μόνον ἐνεργὸν ἔχων. Ἐπεὶ δὲ οὐδὲν ἀπευκτὸν οὐδὲ τῇ θελήσει πολέμιον παρ' ἐκείνῳ, συνέβαινε θαυμαστὴν μὲν εἶναι τὴν ἡδονὴν ᾗ
25 συνῆν ἀεὶ καὶ συνέζη, ἀηδίαν δὲ οὐδεμίαν τῆς ψυχῆς ἐκείνης κρατεῖν[g].

89. Εἰ γὰρ καὶ ἔστιν ὑπὲρ ὧν ὠδυνᾶτο καὶ ἔστενεν ἀλλ' οὐκ ἐκράτει τῆς ἡδονῆς τὸ λυποῦν οὐδ' ἐξέκρουεν αὐτὸν ἐκείνης οὐδέν, ἐπεὶ καὶ τῆς ἀθυμίας ταύτης τὸ σχῆμα χαρᾶς

B   P   Gass   Migne

88, 18 πάντων[2] : πάντα Gass || 20 ἀπολαύοι B

88. a. cf. Phil. 2, 21 || b. cf. Rom. 9, 3 || c. cf. II Cor. 12, 1-7 || d. cf. II Tim. 2, 11 s. ; Rom. 6, 8 || e. cf. Phil. 2, 21 ; I Cor. 10, 24 ; 13, 5 || f. cf. Phil. 3, 7 || g. cf. II Cor. 7, 4

La joie de Paul

88. Paul, recherchant les intérêts du Christ[a], non seulement se dédaigna lui-même, mais il alla jusqu'à se livrer. En effet, il se précipita dans la géhenne autant qu'il dépendait de lui, car il demanda dans sa prière à la subir[b]. C'était comme une image : parce qu'il aimait ardemment, il désirait être privé de celui qu'il aimait ; et il semble que cet amour non seulement le brûlait plus ardemment que la géhenne, mais le possédait plus souverainement que la joie même d'être avec l'aimé.

De même que cet amour le persuadait de mépriser la géhenne, de même il le persuadait de renoncer aisément à cette joie, bien qu'il eût déjà reçu et goûté une expérience claire de la beauté du Christ[c]. Mais c'est qu'être avec le Christ, vivre avec lui, régner avec lui[d], c'était en vue de soi et de sa propre glorification ; or lui ne cherchait pas son intérêt[e] et pour la gloire du Christ il brûlait du désir de sacrifier cet intérêt. Désirant, ce n'est pas pour lui-même qu'il désirait, mais pour le Christ pour l'amour de qui il l'eût même fui s'il eût fallu le fuir. Si donc le seul désirable, il ne le désirait pas en vue de soi, qu'eût-il pu désirer d'autre pour soi ? Car si celui pour qui il a tout fait et supporté, il ne le recherche pas en vue de soi, ni pour en retirer une jouissance personnelle, encore moins recherchat-il quelque autre chose, de celles qu'il avait méprisées[f]. C'est pourquoi il montra clairement qu'il se fuyait lui-même totalement, qu'il rejetait toute sa volonté propre et qu'il n'agissait que pour le Christ. Et puisqu'il n'y avait pour lui rien de détestable ni de contraire à sa volonté, il goûtait un plaisir merveilleux qui l'accompagnait toujours et avec lequel il vivait, et aucune aversion ne dominait son âme[g].

89. En effet, même s'il eut des raisons de souffrir et de gémir, la tristesse ne domina pas le plaisir et rien ne l'en priva, puisque même l'aspect de son inquiétude était plein

ἔγεμε· καὶ γὰρ ἀγάπης καὶ μεγαλοψυχίας ἦν ἡ λύπη
5 καρπός, ὅθεν οὐδὲν αὐτῷ πικρὸν ἢ ἄγριον ἢ μικρόψυχον
εἰς τὴν καρδίαν εἰσῆγεν.

90. Ὅτι γὰρ ἔχαιρεν ἑκάστοτε δῆλος ἦν ἐξ ὧν τοῖς
ἄλλοις παρήνει πάντοτε χαίρειν· «Χαίρετε γάρ, φησίν, ἐν
Κυρίῳ πάντοτε, πάλιν ἐρῶ, χαίρετε[a]», οὐκ ἂν ἄλλοις
ὑποτιθεὶς ὃ μὴ πρότερον ἔδειξεν ἐπὶ τῶν ἔργων αὐτός.

91. Τοιαύτη τῶν ἁγίων ἡ ζωὴ καὶ οὕτω μακαρία, νῦν
μὲν ὥσπερ ἀκόλουθον τοὺς ἐλπίδι καὶ πίστει τὴν μακαριότητα καρπουμένους· ἐπειδὰν δὲ ἀπαλλαγῶσιν, οὕτως
ἀμείνων ὅσο τοῦ μὲν ἐλπίζειν τελεώτερον αὐτῶν τῶν
5 πραγμάτων λαβέσθαι, τοῦ δὲ πιστεύειν ἡ καθαρὰ τοῦ ἀγαθοῦ
θεωρία.

92. Ταύτης τῆς ζωῆς τὰ μὲν παρὰ τοῦ Θεοῦ Πνεῦμα
υἱοθεσίας[a], ὅθεν ἡ τελεία ἀγάπη, καθ' ἣν ἡ μακαρία ζωή.
Τὰ μὲν γὰρ μυστήρια τοῦ Χριστοῦ παρέχει λαβέσθαι· «τοῖς
δὲ ἐκεῖνον λαβοῦσιν ἔδωκε, φησίν, ἐξουσίαν τέκνα Θεοῦ
5 γενέσθαι[b]»· τῶν τέκνων δὲ ἡ τελεία ἀγάπη ἧς ἅπας
ἀπελήλαται φόβος[c]. Οὔτε γὰρ μισθῶν ἀποτυχίαν οὔτε
πληγὰς ἔστι δεδιέναι τὸν ἐκείνως ἐρῶντα· τὸ μὲν γὰρ
δούλων, ἐκεῖνο δὲ μισθωτῶν, τὸ δ' οὕτω καθαρῶς φιλεῖν
μόνων γίνεται τῶν υἱῶν.
10 Καὶ οὕτω τὴν ἀγάπην ἀληθινὴν ἡ χάρις ἐντίθησι ταῖς
ψυχαῖς τῶν μεμυημένων· ὅ τι μὲν εἰς αὐτοὺς δρῶσα καὶ

B P Gass Migne

89, 5 ὅθεν *om.* Gass
90, 1 δῆλον B
91, 4 ὅσῳ Gass
92, 3 παρέσχε Gass

90. a. Phil. 4, 4
92. a. cf. Rom. 8, 15 ‖ b. Jn 1, 12 ‖ c. cf. I Jn 4, 18

de joie ; car cette tristesse était le fruit de la charité et de la générosité, aussi n'introduisait-elle dans son cœur rien d'amer ni de cruel ni de mesquin.

90. Qu'il se réjouissait en tout temps, cela ressort clairement des paroles par lesquelles il exhortait les autres à se réjouir sans cesse : « Réjouissez-vous sans cesse dans le Seigneur, dit-il, je vous le répète, réjouissez-vous[a] » ; il n'aurait pas conseillé aux autres ce qu'il n'eût pas montré auparavant par ses propres actes.

91. Telle est la vie des saints, c'est ainsi qu'elle est bienheureuse : dès à présent, comme il est normal pour ceux qui cueillent le fruit de la béatitude par l'espérance et la foi ; mais quand ils s'en iront, elle sera d'autant plus grande que recevoir la réalité même est plus parfait que d'espérer, et que la vision pure du bien est plus parfaite que la foi.

Don de Dieu

92. De cette vie nous recevons de la part de Dieu un Esprit d'adoption filiale[a], d'où naît la charité parfaite, en laquelle consiste la vie bienheureuse. Car les mystères nous donnent de recevoir le Christ, et « à ceux qui l'ont reçu, dit l'Écriture, il a donné le pouvoir de devenir enfants de Dieu[b] » ; or aux enfants appartient la charité parfaite de laquelle est bannie toute crainte[c]. Celui qui aime de cette façon ne peut craindre ni la perte d'un salaire ni les coups, car l'un est le fait des esclaves et l'autre des mercenaires ; mais aimer si purement est le propre des seuls fils[24].

Ainsi, la grâce infuse la véritable charité dans les âmes de ceux qui ont été initiés ; comment elle agit en eux et

---

24. Cf. Max. Conf., *Myst.*, c. 24 (*PG* 91, 712 A) : distinction entre la fidélité des esclaves (crainte des coups), des mercenaires (attrait des récompenses) et des fils (disposition volontaire de l'âme).

(721) ἥντινα παρεχομένη πεῖραν, εἰδεῖεν ἂν οἱ μαθόν|τες· ὡς δ᾽
ἔνεστιν ὁλοσχερῶς εἰπεῖν, τῶν θείων ἀγαθῶν αἴσθησιν
ἐνιεῖσα, καὶ τῷ γεῦσαι μεγάλων περὶ μειζόνων ἐλπίζουσα,
15 καὶ βεβαίαν ἐντιθεῖσα πίστιν ἀπὸ τῶν ἤδη παρόντων περὶ
τῶν μήπω φαινομένων[d].

93. Τὰ δὲ παρ᾽ ἡμῶν τὸ διασῶσαι τὴν ἀγάπην. Οὐ γὰρ
ἀρκεῖ τὸ φιλῆσαι μόνον καὶ δέξασθαι τὸ πάθος, ἀλλὰ δεῖ
καὶ συντηρῆσαι καὶ τῷ πυρὶ προσθεῖναι τὴν ὕλην ὥστε
κατασχεῖν.

94. Τοῦτο γάρ ἐστι τὸ μένειν ἐν τῇ ἀγάπῃ ἐν ᾧ πᾶσα
μακαριότης· τὸ μένειν μὲν ἐν τῷ Θεῷ, μένοντα δὲ ἔχειν
αὐτόν· «ὁ γὰρ μένων, φησίν, ἐν τῇ ἀγάπῃ ἐν τῷ Θεῷ μένει
καὶ ὁ Θεὸς ἐν αὐτῷ[a]». Τοῦτο δὲ γίνεται καὶ πεπηγυῖαν ἐν
5 τῇ γνώμῃ τὴν ἀγάπην ἔχομεν, ἐπειδὰν διὰ τῶν ἐντολῶν
ἀφικώμεθα καὶ τοὺς τοῦ φιλουμένου σώσωμεν νόμους. Ἀπὸ
μὲν γὰρ τῶν ἐνεργειῶν ἡ ψυχὴ διατίθεται πρὸς ταύτην ἢ
ἐκείνην τὴν ἕξιν ὅπως ἂν ἔχωσιν ἐκεῖναι χρηστότητος ἢ
πονηρίας, ἐπεὶ καὶ τῶν τεχνῶν ἐκείνας κτώμεθα καὶ
10 μανθάνομεν ὧν ἂν ταῖς ἐνεργείαις συνεθισθῶμεν.

95. Οἱ δὲ τοῦ Θεοῦ νόμοι περὶ τῶν ἐνεργειῶν κείμενοι
τῶν ἀνθρωπίνων καὶ ταύτας ὁρίζοντες καὶ πρὸς ἐκεῖνον
τάττοντες μόνον, τὴν ἀκόλουθον τοῖς κατορθοῦσιν ἐντιθέασιν
ἕξιν, ἥτις ἐστὶ τὸ βούλεσθαι τὰ δοκοῦντα τῷ νομοθέτῃ καὶ
5 μόνῳ πᾶσαν ὑποτάττειν τὴν γνώμην καὶ πλὴν ἐκείνου θέλειν

B   P   Gass   Migne

95, 4 ἥτις *om.* Gass

---

92. d. cf. Hébr. 11,1
94. a. 1 Jn 4,16

quelle sorte d'expérience elle leur apporte, ceux qui l'ont connue peuvent le savoir. Mais dans la mesure où on peut le dire de façon générale, elle procure la perception des biens divins, en faisant goûter de grands biens elle en espère de meilleurs, et à partir des biens présents elle infuse une foi solide en ceux qui ne paraissent pas encore[d].

LA VIE EN CHRIST, C'EST LA CHARITÉ

93. Notre part à nous est de sauvegarder la charité. Car il ne suffit pas d'aimer seulement et de recevoir cette passion, mais il faut la conserver et mettre du bois au feu afin de l'entretenir[25].

Demeurer dans la charité

94. Voici ce que signifie «demeurer dans la charité», en quoi consiste toute béatitude : demeurer en Dieu et l'avoir à demeure en nous. «Celui qui demeure dans la charité, dit l'Écriture, demeure en Dieu et Dieu en lui[a]». C'est ce qui se produit, et nous avons la charité bien ancrée dans notre volonté, quand nous marchons dans la voie des commandements et que nous observons les lois de l'aimé. En effet, par ses actes l'âme est disposée selon tel ou tel *habitus*, selon la bonté ou la malice de ces actes, de même que nous acquérons et apprenons ceux des arts dont nous nous habituons à pratiquer les actes.

95. Les lois de Dieu qui concernent les actes humains, qui les déterminent et les dirigent vers lui seul, infusent en ceux qui les accomplissent l'*habitus* approprié, c'est-à-dire vouloir ce qui plaît au législateur, ne soumettre qu'à lui toute sa volonté, ne rien vouloir en-dehors de lui : en cela

---

25. Cf. CHRYS., *In Matth.*, hom. 15, 7 (*PG* 57, 233) : «J'ai allumé le feu ; le maintenir allumé, c'est le rôle de votre ferveur».

οὐδέν· ὅπερ ἐστὶ μόνον ἀκριβῶς εἰδέναι φιλεῖν. Καὶ διὰ
τοῦτό φησιν ὁ Σωτήρ· «Ἐὰν τὰς ἐντολάς μου τηρήσητε,
μενεῖτε ἐν τῇ ἀγάπῃ μου[a]».

96. Ταύτης δὲ τῆς ἀγάπης ἔργον ἡ μακαρία ζωή· τὴν
γὰρ θέλησιν πανταχόθεν συνάγουσα καὶ τῶν ἄλλων ἀπά-
γουσα πάντων καὶ αὐτοῦ τοῦ θέλοντος, τῷ Χριστῷ
συνίστησι μόνῳ. Τῇ θελήσει δὲ τὰ ἡμέτερα πάντα ἀκολουθεῖ
5 καὶ ὅποι φέρει χωροῦσι, καὶ σώματος ὁρμὴ καὶ λογισμοῦ
κίνησις καὶ πᾶσα πρᾶξις καὶ πᾶν ὁτιοῦν ἀνθρώπινον, καὶ
ὅλως ἡ θέλησις τὸ καθ᾽ ἡμᾶς ἄγει καὶ φέρει· κἂν ἐκείνη
κατασχεθῇ που, πάντα ἐκεῖ δέδεται, καὶ ὁ ταύτης κρατήσας
ὁλόκληρον ἔχει τὸν ἄνθρωπον.

97. Οὐκοῦν οἷς ἡ γνώμη τοῦ Χριστοῦ κατ᾽ ἄκρας ἑάλω
καὶ μόνῳ πρόσκειται, καὶ πάντα ὅσα βούλονται καὶ ὧν
ἐρῶσι καὶ ἃ ζητοῦσιν ἐκεῖνός ἐστι, τούτοις ὅλον τὸ εἶναι καὶ
ἡ ζωὴ παρ᾽ αὐτῷ, ἐπεὶ καὶ τὴν θέλησιν αὐτὴν οὐκ ἔστι ζῆν
5 καὶ ἐνεργὸν εἶναι μὴ ἐν τῷ Χριστῷ μένουσαν ὅτι πᾶν ἀγαθὸν
ἐκεῖ, καθάπερ ὀφθαλμὸς τὰ αὐτοῦ ποιεῖν οὐκ ἂν ἔχοι μὴ
τῷ φωτὶ χρώμενος· ἐκείνῳ τε γὰρ μόνον ἐργάζεται τὴν
ὄψιν τὸ φῶς, ἥ τε θέλησις πρὸς ὃ δύναται ἐνεργεῖν μόνον
ἐστὶ τἀγαθόν.

98. Ὅθεν ἐπεὶ ταμίας τῶν ἀγαθῶν ἁπάντων ἐκεῖνος, εἰ
μὴ πᾶσαν τὴν γνώμην ἐν αὐτῷ φέροντες θήσομεν ἀλλά τι
τῆς θελήσεως ἔξω τοῦ θησαυροῦ τούτου πέσοι, ἀργόν ἐστι
καὶ νεκρόν· «Ἐὰν μή τις μείνῃ γάρ, φησίν, ἐν ἐμοί, ἐβλήθη
5 ἔξω ὡς τὸ κλῆμα καὶ ἐξηράνθη καὶ συνάγουσιν αὐτὰ καὶ
εἰς τὸ πῦρ βάλλουσι καὶ καίεται[a]».

B P Gass Migne

96, 8 ὁ om. Gass || 9 ἄνθρωπον : νοῦν Gass
97, 6 ἔχῃ Gass

95. a. Jn 15, 10

seul consiste exactement de savoir aimer. C'est pourquoi le
Sauveur dit : «Si vous gardez mes commandements, vous
demeurerez dans ma charité[a]».

96. L'oeuvre de cette charité, c'est la vie bienheureuse ;
car en rassemblant de partout la volonté et en l'éloignant
de tout le reste et même de celui qui veut, elle l'unit au
Christ seul. Or tout ce qui est nôtre suit notre volonté et va
là où elle le porte : l'impulsion du corps, le mouvement de
l'imagination, toute activité, tout ce qui est humain ; bref,
la volonté conduit à son gré tout ce qui nous concerne ; est-
elle attachée quelque part, là tout est retenu, et celui qui
s'en est rendu maître possède l'homme tout entier.

Placer sa volonté dans le Christ

97. Ainsi donc, ceux dont la volonté a été totalement
ravie par le Christ et n'est attachée qu'à lui seul au point
que tout ce qu'ils veulent, tout ce qu'ils aiment, tout ce
qu'ils cherchent, c'est lui — ceux-là, leur être entier et leur
vie sont avec lui, puisque leur volonté même ne peut vivre
et agir sans demeurer dans le Christ, parce que tout bien
est en lui, de même qu'un œil ne saurait remplir son office
sans se servir de la lumière ; en effet, seule la lumière lui
donne la vision, et seul le bien mobilise la volonté.

98. C'est pourquoi, puisque le Christ est le dispensateur
de tous les biens, si nous ne venons pas placer en lui toute
notre volonté mais que quelque chose de notre vouloir
tombe hors de ce réceptacle, cela reste stérile et mort : «Si
quelqu'un ne demeure pas en moi, dit-il, on le jette dehors
comme le sarment et il sèche ; on les rassemble, on les jette
au feu et ils brûlent[a]».

98. a. Jn 15, 6

99. Εἰ δὲ καὶ τὸ τὸν Χριστὸν μιμήσασθαι καὶ ζῆν
κατ' ἐκεῖνον ἐν Χριστῷ ζῆν ἐστι, καὶ τοῦτο τῆς γνώμης
ἔργον ὅταν τοῖς τοῦ Θεοῦ βουλήμασι ὑπακούσῃ, καθάπερ
ἐκεῖνος τῶν ἑαυτοῦ θελήσεων ὑπέταξε τῇ θείᾳ τὴν ἀνθρω-
5 πίνην · καὶ ἵνα τοῦτο διδάξῃ καὶ τῆς ὀρθῆς ζωῆς παράδειγμα
ἡμῖν καταλίποι[a], τὸν ὑπὲρ τοῦ κόσμου θάνατον ὅτε μὲν
(724) ἀποθανεῖν ἐδέησεν οὐ πα|ρῃτήσατο · πρὶν δὲ ἥκειν τὸν
καιρὸν ἀπηύξατο[b], δεικνὺς ὡς οὐχ ἑαυτῷ ἤρεσεν ἐν οἷς
ἀπέθνησκεν[c], ἀλλ' ὅ φησιν ὁ Παῦλος, «ὑπήκοος γενόμε-
10 νος[d]» ἐπὶ τὸν σταυρὸν ἦλθεν, ὡς ἂν οὐ θέλημα ἔχων ἐν ᾗ
ἐκ δυοῖν ἓν ἀλλὰ δύο θελημάτων ὁμολογίαν.

100. Οὕτω φαίνεται διὰ πάντων ἐν τῇ τελειότητι τῆς
θελήσεως συνεστάναι τὴν μακαρίαν ζωήν, λέγω δὲ ἐν τῷ
παρόντι.

Δυοῖν γὰρ ὄντοιν ἐν οἷς ὁ ἄνθρωπος, τοῦ νοῦ καὶ τῆς
5 γνώμης, ἀνάγκη μὲν κατ' ἄμφω ταῦτα συνελθεῖν τῷ Θεῷ
καὶ συναφθῆναι τὸν ἐξ ὁλοκλήρου μέλλοντα μακάριον εἶναι,
τῷ μὲν νῷ καθαρῶς αὐτὸν θεωροῦντα, τῇ γνώμῃ δὲ τελείως
φιλοῦντα.

101. Συμβαίνει δὲ οὐδενὶ τῶν ἐν φθαρτῷ σώματι ζώντων
δι' ἑκατέρων εὐδαιμονεῖν, ἀλλὰ τοιούτους ἀνθρώπους μόνος
ὁ φθορᾶς ἀπηλλαγμένος δέξεται βίος · ἐπὶ δὲ τοῦ παρόντος
τῆς μὲν θελήσεως ἕνεκα τέλειοι τὰ πρὸς τὸν Θεὸν οἱ
5 μακάριοι, τῆς δὲ κατὰ νοῦν ἐνεργείας οὐκέτι. Ἀγάπην μὲν
γὰρ παρ' αὐτοῖς τελείαν εὑρήσεις, Θεοῦ δὲ θεωρίαν καθαρὰν

B　P　Gass　Migne

99, 1 τὸ *om*. Gass ‖ 5 διδάξαι Gass ‖ 9 ἀπέθνησκεν P : ἀπέσκεν Gass
ἔπασχεν Migne
101, 6 γὰρ *om*. Gass

---

99. a. cf. I Pierre 2, 21 ‖ b. cf. Hébr. 5, 7 ; Matth. 26, 39 et par. ‖ c.
cf. Rom. 15, 3 ‖ d. cf. Phil. 2, 8

99. Si c'est d'imiter le Christ et de vivre selon lui qui est vivre en Christ, c'est aussi l'œuvre de la volonté, quand elle obéit aux vouloirs de Dieu : de même le Christ a soumis une de ses volontés à l'autre, l'humaine à la divine, et pour nous l'enseigner et nous laisser un modèle de vie droite[a], il ne refusa pas de mourir pour le monde quand il lui fallut mourir, mais avant que l'heure fût venue il tenta de l'écarter par des supplications[b], montrant par là qu'il ne se cherchait pas lui-même en mourant ainsi[c], mais, comme dit Paul, «s'étant fait obéissant[d]» il alla à la croix, comme quelqu'un qui n'avait pas une seule volonté, ni une volonté issue de deux, mais un accord de deux volontés[26].

LA VIE BIENHEUREUSE EN CE MONDE
RÉSIDE DANS LA VOLONTÉ

100. Tout montre ainsi que la vie bienheureuse consiste dans la perfection du vouloir, je veux dire en ce monde.

En effet, l'homme étant constitué de deux choses, l'esprit et la volonté, il est nécessaire que celui qui doit être bienheureux dans la totalité de son être rencontre Dieu et s'unisse à lui sous ces deux rapports, par son esprit en le contemplant purement, et par sa volonté en l'aimant parfaitement.

101. Or, aucun de ceux qui vivent dans un corps corruptible ne se trouve être heureux sous ces deux rapports : de tels hommes, seule la vie affranchie de la corruption les recevra ; dans la vie présente, les bienheureux sont parfaits au regard de Dieu à cause du vouloir, mais non par l'activité de l'esprit. Car on peut trouver chez eux un amour parfait, mais une contemplation pure de

26. Doctrine des deux volontés du Christ, défendue jusqu'au martyre par MAX. CONF. (cf. *disp. cum Pyrr.*, *PG* 91, 296 A) et définie par le sixième concile oecuménique (Constantinople, 680-681).

οὐδαμῶς. Εἰ γὰρ καὶ πάρεστιν αὐτοῖς ἔτι καὶ μετὰ σώματος
ζῶσι τὸ μέλλον καὶ πεῖραν ἔσχον ἤδη τῶν ἄθλων, ἀλλ' οὐ
συνεχῶς οὐδὲ διηνεκῶς οὐδὲ τελείως, τοῦ βίου τούτου μὴ
10 συγχωροῦντος. Καὶ διὰ τοῦτο· «Τῇ ἐλπίδι χαίρομεν[a]»,
φησὶ Παῦλος, καὶ «διὰ πίστεως περιπατοῦμεν, οὐ διὰ
εἴδους[b]», καὶ «ἐκ μέρους γινώσκομεν[c]»· καίτοι τὸν
Χριστὸν εἶδεν[d], ἀλλ' οὐχὶ ἑκάστοτε τῇ θεωρίᾳ ταύτῃ συνῆν.
Τὸ γὰρ ἀεὶ τοῦτο τὸ μέλλον ὄψεται μόνον, καὶ τοῦτο αὐτὸς
15 ἔδειξεν ἐπεὶ περὶ τῆς παρουσίας ἐκείνης διεξῆλθεν ἐπαγα-
γών· «Καὶ οὕτω πάντοτε σὺν Κυρίῳ ἐσόμεθα[e]».

102. Ὅθεν εἴ τις ἐν Χριστῷ μετὰ τοῦ σώματος ζῇ
καὶ τῆς αἰωνίου ζωῆς ἣ Παῦλος ἐκέλευσεν[a] ἐνθένδεν
ἠδυνήθη λαβέσθαι, ἐν τῇ γνώμῃ ταύτην ἔχει, δι' ἀγάπης
ἐπὶ τὴν χαρὰν ἀφικνούμενος τὴν ἀπόρρητον — τῆς μὲν
5 τοῦ νοῦ καθαρᾶς ὄψεως εἰς τὸ μέλλον ταμιευομένης αὐτῷ,
τῆς δὲ πίστεως ἐπὶ τὴν ἀγάπην χειραγωγούσης. Ὁ δεικνὺς
ὁ μακάριος Πέτρος, «Εἰς ὃν ἄρτι μὴ ὁρῶντες, φησί,
πιστεύοντες δὲ ἀγαλλιᾶσθε χαρᾷ ἀνεκλαλήτῳ καὶ δεδο-
ξασμένῃ[b]».

103. Ἐν ταύτῃ δὲ τῇ ἀγάπῃ καὶ τῇ χαρᾷ ἡ μακαρία
ἐστὶ ζωή· αὕτη ἡ ζωὴ τὰ μὲν κρύπτεται κατὰ τὸν Παύλου
λόγον· «Κέκρυπται γάρ, φησίν, ἡ ζωὴ ὑμῶν[a]», τὰ δὲ
φαίνεται· καὶ ᾗ φησιν ὁ Κύριος· «Τὸ Πνεῦμα ὅπου θέλει
5 πνεῖ καὶ τὴν φωνὴν αὐτοῦ ἀκούεις ἀλλ' οὐκ οἶδας πόθεν
ἔρχεται καὶ ποῦ ὑπάγει· οὕτως ἐστὶ πᾶς ὁ γεγεννημένος
ἐκ τοῦ Πνεύματος[b]».

B P Gass Migne

102, 7 Πέτρος *om.* B

---

101. a. Rom. 12, 12 ‖ b. II Cor. 5, 7 ‖ c. I Cor. 13, 9 ‖ d. cf. I Cor.
9, 1 ; 15, 8 ‖ e. I Thess. 4, 17
102. a. cf. I Tim. 6, 12 ‖ b. I Pierre 1, 8
103. a. Col. 3, 3 ‖ b. Jn 3, 8

---

27. Peut-on déceler ici une allusion aux querelles de l'époque sur la
vision de Dieu? Cabasilas défend à la fois la possibilité d'une

Dieu, il n'en est pas question[27]. En effet, même si le futur
leur est présent alors qu'ils vivent encore dans leur corps,
et s'ils ont déjà eu une expérience des récompenses, ce
n'est ni continûment ni continuellement ni parfaitement,
car cette existence ne le permet pas. C'est pourquoi «nous
nous réjouissons en espérance[a]», dit Paul, et «nous
marchons dans la foi, non dans la vision[b]», et «nous
connaissons partiellement[c]»; pourtant il avait vu le
Christ[d], mais il n'avait pas cette contemplation constam-
ment. Cette contemplation perpétuelle, seul le futur la
connaîtra, et Paul lui-même l'a montré, quand il traite de
la dernière Parousie, en ajoutant : «et ainsi nous serons
toujours avec le Seigneur[e]».

102. C'est pourquoi si quelqu'un vit en Christ avec son
corps, et s'est trouvé dès lors capable de recevoir la vie
éternelle comme Paul nous y a exhortés[a], c'est dans sa
volonté qu'il la possède, car c'est par la charité qu'il
parvient à cette joie inexprimable — car la vision pure de
l'esprit a été mise en réserve pour lui dans le futur, tandis
que la foi le conduit par la main jusqu'à la charité. C'est ce
que montre le bienheureux Pierre lorsqu'il écrit : «Sans le
voir encore, mais en croyant, vous tressaillez d'une joie
ineffable et pleine de gloire[b]».

103. Dans cette charité et cette joie est la vie bienheureuse ; cette vie même, d'un côté est cachée selon le mot de
Paul : «Votre vie est cachée[a]»; et de l'autre côté elle est
manifeste ; et comme le dit le Seigneur, «l'Esprit souffle où
il veut, tu entends sa voix mais tu ne sais ni d'où il vient ni
où il va ; ainsi en est-il de celui qui est né de l'Esprit[b]».

expérience de la vie future et l'impossibilité de goûter continûment
cette expérience. Il n'est pas en cela tellement éloigné de la doctrine
palamite, telle qu'on la trouve dans les *Triades*, tout en cherchant une
voie «mesurée».

104. Ἃ μὲν γὰρ εἰς αὐτὴν τὴν γεννῶσαν καὶ πλάττουσαν
ἥκει χάριν, ὅ τι τέ ἐστιν αὐτὴ καὶ ὃν ἀναπλάττει τρόπον,
ἀφανής ἐστιν ἡ ζωή· φαίνεται δὲ τῷ μέρει τῶν ζώντων,
ὅπερ ἐστὶν ὁ πρὸς τὸν Θεὸν ἀπόρρητος ἔρως καὶ ἡ ἐπ᾽
5 αὐτῷ χαρά. Ταῦτα γὰρ αὐτά τε δῆλα καθέστηκε καὶ τὴν
ἀφανῆ μηνύει χάριν. Πρῶτον μὲν ὅτι καρπὸς ταῦτα τῆς
χάριτος· «Ὁ καρπὸς γάρ, φησί, τοῦ Πνεύματος ἀγάπη,
χαρά[a]», «ἀπὸ δὲ τοῦ καρποῦ τὸ δένδρον γινώσκεται[b]»·
ἔπειθ᾽ ὅτι Πνεῦμα μὲν υἱοθεσίας ἡ χάρις, ἡ δὲ ἀγάπη τὴν
10 συγγένειαν ταύτην αὐτοῖς μαρτυρεῖ καὶ ὡς εἶεν υἱοὶ Θεοῦ[c],
μηδὲν ἔχοντες μισθαρνικὸν μηδὲ δουλικόν.

105. Τοῦτον δὲ τὸν τρόπον καὶ Σολομὼν εὗρε τὴν
μητέρα τοῦ ζῶντος παιδίου καὶ σημεῖον ἐνόμισεν ἱκανὸν
παρασχεῖν αὐτὴν τοῦ τεκεῖν τὸ σφόδρα φιλεῖν[a]. Ὅθεν οὐδὲν
(725) ἀπεικὸς καὶ τοὺς υἱοὺς τοῦ | ζῶντος Θεοῦ τῷ τεκμηρίῳ
5 τούτῳ μανθάνειν. Καθάπερ γὰρ ἐκείνην ὡς οὐδὲν εἶχε κοινὸν
πρὸς τὸ τεθνηκὸς παιδίον ἡ περὶ τὸ ζῶν φιλοστοργία καὶ
πρόνοια σαφῶς ἐδήλωσεν, οὕτω καὶ τούτοις ἡ περὶ τὸν
ζῶντα Θεὸν αἰδὼς καὶ τὸ φίλτρον ἀπόδειξίς ἐστιν ἐναργὴς
ὅτι οὐ νεκρῶν ἐγένοντο πατέρων, οὓς οὐδὲ θάπτειν τοὺς
10 οὕτω ζῶντας συνεχώρησεν ὁ Σωτήρ· «Ἄφες γάρ, φησί,
τοὺς νεκροὺς θάψαι τοὺς ἑαυτῶν νεκρούς[b]».

106. Ἐπεὶ οὐδὲ κατὰ τοῦτο μόνον ἀπὸ τῆς ἀγάπης
τὴν υἱότητα βεβαιοῦσιν ἑαυτοῖς ὅτι ὡς πατρὶ τῷ Θεῷ
πρόσκεινται καὶ φιλοῦσιν, ἀλλ᾽ ὅτι καὶ ἐοίκασι διὰ τὴν
ἀγάπην αὐτῷ, ὅτι τε οἱ μὲν ἀγαπητικοί εἰσιν, ὁ δὲ Θεὸς
5 ἀγάπη ἐστί[a], καὶ ὅτι ζῶντος ἐκείνου καὶ αὐτοὶ τῆς ἀγάπης

B P Gass Migne

104, 3 τῷ μέρει τῶν : τῶν μεριτῶν Gass ‖ 4 αὐτῶν *post* Θεὸν *add.* B
105, 3 εἴη *post* οὐδὲν *add.* Gass ‖ 5 γὰρ *om.* Gass ‖ 9 ἐγένετο Gass
106, 1 ἀπὸ τῆς *om.* Gass ‖ 3 πρόσκειται B ‖ 5 καὶ ὅτι — αὐτοὶ *om.*
Gass

104. a. Gal. 5, 22 ‖ b. Matth. 12, 33 ‖ c. cf. Rom. 8, 15-16

104. En effet, en tout ce qui concerne la grâce même qui enfante et qui modèle — ce qu'elle est en elle-même et de quelle façon elle remodèle —, cette vie est invisible ; mais elle est manifeste du point de vue des vivants, c'est-à-dire en l'amour inexprimable pour Dieu et la joie qui en découle. Car ces sentiments se sont eux-mêmes rendus visibles et ils révèlent la grâce invisible. Tout d'abord parce qu'ils sont le fruit de la grâce : « Le fruit de l'Esprit, dit l'Écriture, est charité, joie[a] » ; et « on reconnaît l'arbre à son fruit[b] » ; ensuite, parce que la grâce est un « Esprit d'adoption filiale » et que la charité en eux témoigne de cette parenté et de ce qu'ils sont fils de Dieu[c], puisqu'ils n'ont rien du mercenaire ni de l'esclave.

105. C'est de cette façon que Salomon trouva quelle était la mère de l'enfant vivant, et il jugea l'ardeur de son amour comme un signe suffisant de ce qu'elle l'avait enfanté[a]. Aussi rien d'invraisemblable à ce que l'on reconnaisse aussi à ce signe les fils du Dieu vivant. De même en effet que la vive affection et la sollicitude de la mère envers l'enfant vivant montra clairement qu'elle n'avait rien de commun avec l'enfant mort, de même chez eux aussi, la révérence et la tendresse envers le Dieu vivant, sont une démonstration flagrante qu'ils ne sont pas nés de pères morts, de ceux que le Sauveur n'a pas même permis d'enterrer à ceux qui sont ainsi vivants : « Laissez les morts enterrer leurs morts », dit-il[b].

106. En effet, ils garantissent leur filiation par la charité, non seulement en ce qu'ils sont attachés à Dieu comme à un père et qu'ils l'aiment, mais aussi en ce que par la charité ils lui ressemblent, du fait qu'eux sont charitables et que Dieu est charité[a], et aussi du fait que lui

105. a. cf. III Rois 3, 16-28 ‖ b. Matth. 8, 22
106. a. I Jn 4, 8

ἕνεκα ζῶσιν. Οἱ γὰρ ἀληθῶς ζῶντες οὗτοί εἰσι παρ' οἷς τὸ
καλὸν τοῦτο τρέφεται πάθος, καθάπερ ὧν ἄπεστιν ἐκεῖνο
πάντα νεκρά.

Διὰ τοῦτο γὰρ ὅτι υἱοί, δι' ὧν ποιοῦσι τὸν Πατέρα
10 τιμῶσι, καὶ ζῶντες αὐτοὶ ζῶντα κηρύττουσι τὸν Θεὸν
παρ' οὗ γεγέννηνται, καὶ τὴν ἀνεκλάλητον γέννησιν ἣν ἐκεῖθεν ἐγεννήθησαν «τῇ καινότητι τῆς ζωῆς» ἐν ᾗ κατὰ τὸν
Παύλου λόγον «περιπατοῦσι[b]» πιστούμενοι, τὸν ἐν οὐρανοῖς
Πατέρα δοξάζουσιν[c]· οὕτως ἀπορρήτως καὶ φιλανθρώπως
15 γεννῶνται. Καὶ ὡς ἔοικε διὰ τοῦτο «Θεὸς οὐ νεκρῶν ἀλλὰ
ζώντων ἐστὶν ὁ Θεός[d]», ὅτι παρ' ἐκείνοις τὴν οἰκείαν
εὑρίσκει δόξαν· ὅθεν καὶ πρὸς τοὺς πονηροὺς ἔλεγεν· «Εἰ
Θεός εἰμι ἐγώ, ποῦ ἐστιν ἡ δόξα μου[e];» Τοῦτο δηλῶν
ὁ Δαβὶδ «Οὐχὶ οἱ νεκροὶ αἰνέσουσί σε, Κύριε, φησίν,
20 ἀλλ' ἡμεῖς οἱ ζῶντες[f]».

107. Τοιαύτη ἡ ἐν Χριστῷ ζωὴ καὶ οὕτω κρύπτεται καὶ
οὕτω φαίνεται τῷ φωτὶ τῶν καλῶν ἔργων ὅπερ ἐστὶν ἡ
ἀγάπη. Ἐν ταύτῃ γὰρ ἡ λαμπρότης ἁπάσης ἐστὶν ἀρετῆς
καὶ τὴν ἐν Χριστῷ ζωὴν ὅσον εἰς τὴν ἀνθρωπίνην φέρει
5 σπουδήν, ἐκείνη συνίστησιν. Ὅθεν οὐκ ἄν τις ἁμάρτοι ζωὴν
αὐτὴν προσειπών· καὶ γὰρ ἕνωσίς ἐστι πρὸς τὸν Θεόν,
τοῦτο δὲ ζωή, καθάπερ θάνατον ἴσμεν τὸν ἀπὸ Θεοῦ
χωρισμόν. Διὰ τοῦτο γὰρ «ἡ ἐντολὴ αὐτοῦ, φησί, ζωὴ
αἰώνιός ἐστι[a]», τὴν ἀγάπην λέγων. Καὶ αὐτὸς ὁ Σωτήρ·
10 «Τὰ ῥήματα ἃ ἐγὼ λαλῶ ὑμῖν Πνεῦμά εἰσι καὶ ζωή εἰσιν[b]»,
ὧν τὸ κεφάλαιον ἡ ἀγάπη. Καί «ὁ μένων ἐν τῇ ἀγάπῃ ἐν

B P Gass Migne

107, 10 ἐστι ... ἐστιν Gass

106. b. cf. Rom. 6,4 ‖ c. cf. Matth. 5,16 ‖ d. Matth. 22,32 ‖
e. cf. Mal. 1,6 ‖ f. Ps. 113,25-26
107. a. Jn 12,50 ‖ b. Jn 6,63

28. La charité comme fondement de toutes les vertus : en cela se
résument bien des courants de la spiritualité byzantine ; cf. entre

est vivant et qu'eux, à cause de la charité, ils sont vivants.
Car ceux qui vivent en vérité, ce sont ceux qui nourrissent
cette belle passion, de même qu'en ceux qui en sont privés
tout est mort.

Parce qu'ils sont fils, ils honorent leur Père en tous leurs
actes ; vivants ils annoncent le Dieu vivant dont ils sont
nés ; en attestant la naissance inexprimable qui les a fait
naître d'en haut par la «nouveauté de vie» en laquelle ils
«marchent», selon le mot de Paul[b], ils rendent gloire à leur
Père qui est aux cieux[c] : tant est ineffable et ami des
hommes le mode de leur enfantement ! A mon sens, si
«Dieu est le Dieu non des morts mais des vivants[d]», c'est
qu'il trouve chez les vivants la gloire qui lui revient ; aussi
disait-il même aux méchants : «Si je suis Dieu, où est ma
gloire[e] ?» ; c'est ce que veut dire David par ces mots : «Ce
ne sont pas les morts qui te loueront, Seigneur, mais nous
les vivants[f]».

La vie en Christ est charité

107. Telle est la vie en Christ, voilà en quoi elle est
cachée et en quoi elle est manifestée par la lumière des
œuvres bonnes, c'est-à-dire la charité. En elle en effet est
la splendeur de toute vertu[28], et c'est elle qui constitue la
vie en Christ, dans la mesure où celle-ci a quelque chose à
voir avec l'effort humain. C'est pourquoi on ne se
tromperait pas en l'appelant vie ; car elle est union à Dieu
et c'est cela qui est la vie, de même que la mort, nous le
savons, est séparation d'avec Dieu. C'est pourquoi «son
commandement est vie éternelle[a]», dit l'Écriture en
parlant de la charité. Et le Sauveur ajoute : «Les paroles
que je vous dis sont Esprit et elles sont vie[b]» ; et la
récapitulation de ces paroles est la charité. Et aussi :

---

autres CHRYS., *In Matth.*, *hom.* 19, 7 (*PG* 57, 283) ; MAX. CONF.,
Centuries sur la charité ; SYM. N. T., *Cat.* 1 (*SC* 96)...

τῷ Θεῷ μένει καὶ ὁ Θεὸς ἐν αὐτῷᶜ», ᾧ ταὐτόν ἐστιν ἐν
τῇ ζωῇ μένειν καὶ τὴν ζωὴν ἐν αὐτῷ· «Ἐγὼ γάρ εἰμι,
φησίν, ἡ ζωήᵈ».

108. Εἰ δὲ καὶ ζωή ἐστιν ἡ κινοῦσα τὰ ζῶντα δύναμις,
τί τὸ κινοῦν τοὺς ὡς ἀληθῶς ζῶντας ἀνθρώπους ὧν θεός
ἐστιν ὁ Θεὸς ὃς «οὐ νεκρῶν ἀλλὰ ζώντων ἐστὶ Θεόςᵃ»;
οὐδὲν ἂν εὕροις ἢ τὴν ἀγάπην αὐτήν, ἣ μὴ μόνον αὐτοὺς
5 ἄγει καὶ φέρει ἀλλὰ καὶ ἑαυτῶν ἐξάγει ῥᾳδίως, καὶ οὕτω
ζωῆς μᾶλλον ἁπάσης εἰς αὐτοὺς δύναται δρᾶν ὥστε καὶ
ζωῆς ἐπικρατέστερον ἔχει. Καὶ γὰρ ζωῆς πείθει καταφρονεῖν οὐ τῆς ῥεούσης μόνον ἀλλ' ἤδη καὶ τῆς ἑστώσης.

109. Τί οὖν δικαιότερον ἂν τῆς ἀγάπης καλοῖτο ζωή;
χωρὶς δὲ τούτων ὁ πάντων περιηρημένων μόνον περιλειφθὲν
τοὺς ζῶντας ἀποθανεῖν οὐκ ἐᾷ, τοῦτό ἐστιν ἡ ζωή· τοιοῦτον
δὲ ἡ ἀγάπη. Πάντων γὰρ τῶν ἄλλων ἐπὶ τοῦ μέλλοντος
5 καταργουμένων, ᾗ φησὶ Παῦλοςᵃ, ἡ ἀγάπη μένουσα μόνον
πρὸς τὸν βίον ἐκεῖνον ἀρκεῖ ἐν Χριστῷ Ἰησοῦ τῷ Κυρίῳ
ἡμῶν, ᾧ πρέπει πᾶσα δόξα αἰώνιος. Ἀμήν.

B P Gass Migne

107. c. I Jn 4, 16 ‖ d. Jn 11, 25
108. a. Matth. 22, 32
109. a. cf. I Cor. 13, 8-13

«Celui qui demeure dans la charité demeure en Dieu et Dieu en lui[c]» : ce qui revient à demeurer dans la vie, et la vie en soi, car «Je suis la vie», dit le Seigneur[d].

108. Si la vie est la vertu qui meut les vivants, qu'est-ce qui meut les hommes vraiment vivants dont le dieu est Dieu, «le Dieu non des morts mais des vivants[a]»? On ne saurait rien trouver d'autre que la charité elle-même, qui non seulement les conduit à son gré, mais les arrache aisément à eux-mêmes et peut agir sur eux plus que toute vie, au point d'avoir sur eux plus d'empire que la vie! Elle les persuade en effet de mépriser la vie, non seulement celle qui s'écoule mais même celle qui demeure.

109. Qu'est-ce donc qui mériterait, plus que la charité, le nom de vie? En outre, ce qui reste seul quand tout a été enlevé et qui ne laisse pas mourir les vivants, voilà ce qu'est la vie; or telle est la charité. Car lorsque tout le reste, dans le monde futur, aura disparu, comme dit Paul[a], la charité qui seule demeure suffira pour cette vie, dans le Christ Jésus Notre-Seigneur, à qui revient toute gloire dans les siècles. Amen.

INDEX SCRIPTURAIRE

Les chiffres entre parenthèses indiquent les simples allusions.
Pour chaque citation ou allusion, le chiffre romain indique le livre, et le chiffre arabe le paragraphe.

INDEX DES AUTEURS CITÉS

Les références entre parenthèses indiquent des citations implicites, sans nom d'auteur.

INDEX DE MOTS GRECS

γραφή VI 51,10.   l'Écriture I 4,9 ; 8,1 ; 33,3.   peinture I 18,3 ; 24,6.

δημιουργία première II 32,10 ; 33,6 ; IV 97,1.   nouvelle II 30,11.

διακωχή propagation du mal II 41,7.

διανοέμαι concevoir Dieu II 97,2.

διάνοια I 11,12 ; 64,6 ; II 16,11 ; 97,6 ; V 23,3 ; VI 11,1.

διδασκαλία enseignement oral II 74,15 ; 78,7 ; 79,3 ; 85,1-2.

δίκη II 83,14 ; VI 39,8 ; 54,5.   châtiment I 32,7 (διδόναι) ; 36,1 (ἀπαλλαγή) ; 47,1 (διδόναι).8 (ἐπάγειν) ; 48,2.6 (quittance) ; 49,1 ; 51,4 (λύειν) ; 52,3 (διδόναι).4 (διδόναι).8 (ἀπαιτεῖν) ; 56,1 (ἀπαιτεῖν) ; 57,9 ; II 37,7 ; 42,2 (ἀπαλλάττω).10 ; 43,11 (διδόναι) ; IV 20,15 (διδόναι) ; 22,8 (ἀπολύειν) ; 52,2 ; 54,3.8 (ἀναιρεῖν) ; VI 5,2 ; 68,6 ; 73,11 (ἀπαιτεῖν) ; VII 26,13 ; 36,10.

δύναμις IV 27,8.12 ; 78,4 ; V 4,3 ; 14,4.   faculté humaine I 1,11 ; 12,3.14 ; II 43,6.13 ; 44,12 ; 51,9 ; 53,15 ; 59,5.11 ; 60,2.10 ; 63, 2.7 ; IV 8,5 ; 57,2.4.9.   vertu, efficacité I 18,1 ; 48,4 ; 51,6 ; II 6,3 ; 65,1 ; 80,3 ; 85,3 ; 86,9 ; III 2,6 ; 10,6 ; 11,12 ; 19,7 ; 20,6 ; IV 4,2 ; 29,1 ; 36,4 ; 55,10 ; 109,1 ; V 22,2 ; 24,1.2 ; VII 8,11 ; 12,1.   force, puissance I 27,10 ; 30,5 ; II 33,6 ; 67,4 ; 70,8 ; 72,1 ; 80,12 ; 84,1 ; 86,13 ; 89,9 ; 100,8 ; III 9,4 ; 13,21 ; IV 12,3 ; 14,5 ; 91,17 ; 94,5 ; 95,6 ; VI 5,1 ; 20,20 ; VII 4,2 ; 8,7 ; 59,5 ; 60,11 ; 63,1.3 ; 74,13 ; 80,5 ; 108,1.

εἶδος I 62,3 ; II 75,5 ; 76,9 ; 98,12 ; VII 14,3.   espèce II 67,8 ; 76,1.   figure originelle, perdue en Adam et recouvrée au baptême I 62,1 ; II 11,5.9 ; 14,4 ; 17,6 ; 27,9 ; 43,16 ; 44,15 ; IV 2,11.   — d'une statue II 11,6 ; 13,5 ; 49,11 ; IV 35,5.   — du Christ (μακάριος) II 12,2 ; 34,27 ; 86,15 ; IV 18,2.   — (+ ὕλη) II 12,2 ; 13,5.9.

εἰκών comparaison I 17,11 ; IV 40,12 ; 45,8.   sens matériel I 20,8 ; 52,9 ; II 11,7.9 ; III 76,5.   — spirituel II 12,2 ; 30,13 ; 51, 13 ; 75,4-5 ; VI 93,5.   symbole I 36,7 ; II 83,4 ; 85,12 ; 87, 4.6 ; 98,6 ; V 13,5.6 ; VII 36,10.

ἐκκλησία institution II 58,10 ; 71,3.7.9 ; III 2,3.   mystique I 9,6 ; II 71,3.9 ; IV 30,6.

ἔκστασις II 82,7.

ἔμβρυον I 3,1.8.

ἐνέργεια activité I 12,10 ; 19,5 ; II 5,3 ; III 1,2 ; IV 25,7 ; VI 90,5 ; VII 36,7 ; 47,10 ; 49,8 ; 94,7.10 ; 95,1.   — spirituelle III 1,5 ; 8,1 ; 9,11 ; 16,3 ; 17,10 ; IV 2,7.   faculté de l'âme VII 65,7.   opposé à ἕξις II 37,2.3.8.11 ; 38,2.3 ; 42,11 ; 43,1 ; IV 54,3 ; 54, 4.   — à δύναμις IV 78,4.   — à φύσις VII 61,3.

ἐνεργός V 22,6 ; supp. 2 ; VI 20,8 ; 33,2 ; 36,4.9 ; VII 29,4.

ἔννοια VI 9,3 ; 32,4 ; 43,7 ; 44,5 ; 46,3.10 ; 79,5 ; 87,2.

ἐνόω union au Christ I 6,4 ; II 2,5 ; IV 10,5 ; 27,3.5 ; 29,5 ; 46,6 ;

97,14 ; V 25,5. — de l'âme et du corps II 38,13. — des natures du Christ IV 26,3.

ἕξις opposé à ἐνέργεια II 37,2.7 ; 38,2.3 ; 42,5 ; 43,1 ; 84,7 ; IV 2, 10 ; 28,6 ; 55,3. (= charité) VII 94,8 ; 95,4.

ἐξίστημι VI 12,1.

ἐπίγνωσις de Dieu II 74,12 ; 94,2.

ἐπιθυμέω I 25,5 ; 33,5.15 ; II 53,11 ; 67,4 ; 89,6 ; VI 7, 6.11 ; 80,6 ; VII 23,10 ; 38,3-4 ; 40,2 ; 53,6 ; 54,18 ; 62,2 ; 70,8. désir de Dieu IV 6,13 ; VII 60,1 ; 88, 5.15.15. — du martyre II 68,9 ; 69,5.

ἐπιθυμητός (= le Christ) II 88,4.

ἐπιθυμία I 50,7 ; V 17,16 ; 21,8 ; VI 7,7 ; 9,1.2 ; 11,3 ; 33,2 ; 80,8 ; 81,3.7 ; VII 50,13 ; 52,12 ; 54,20 ; 59,5 ; 60,9 ; 63,3. faculté I 14,4 ; II 16,11 ; 76,2 ; 88,3 ; 89,1 ; 90,6.14.18 ; VI 91,2.4. désir de la chair I 23,1 ; VII 7,6. — de Dieu VI 15,4 ; VII 46,4 ; 61,6.11 ; 63,9 ; 65,7.

ἐραστής VI 13,2 ; 41,8. du Christ II 82,6 ; VII 54,27.

ἐράω I 11,11 ; II 74,11 ; VI 8,3 ; 12,1 ; 13,2 ; VII 40,7 ; 53,2 ; 63,1 ; 64,7. l'homme pour Dieu II 73,1.3 ; VII 92,7 ; 97.2. Dieu pour l'homme VI 12,10 ; 13,11 ; 14,13 ; 41,17.

ἔρως I 14,3 ; II 74,5.11 ; 91,2.5 ; VI 38,3 ; 39,12 ; 90,4 ; 97,5 ; VII 47,7 ; 64,1.9 ; 66,11. l'homme pour Dieu I 11,10 ; II 82,7 ; 83,14 ; 84,12 ; 88,5 ; 90,2.20 ; VI 36,16 (fruit de la méditation) ; 37,2 *(idem)* ; 39,3 ; 41,10 ; 73,3 ; VII 29,4 ; 43,6 ; 44,3 ; 45,16 ; 64,9 ; 67,3 ; 88,6 ; 104,4. Dieu pour l'homme VI 10,14 ; 12,3 ; 13,11 ; 16,4 (μανικός) ; 84,11 ; 85,4 ; 86,1.

εὐδαιμονία I 36,7-8 ; IV 65,3. de la vie en Christ I 16,12 ; II 29,8 ; 45,6 ; III 7,10 ; IV 1,3 ; VI 2,7 ; VII 14,3. de la vie future I 1,13 ; II 52,18.

εὐχή don de l'Esprit III 10,2 ; 13,19. liturgique III 17,11 ; 21,2 ; V 19,9 ; 23,21 ; 27,2 ; supp., 3. demande V supp., 14 ; VI 98,4 ; 99,1 ; 104,3 ; VII 38,9 ; 50,12 ; 80,3.

εὔχομαι demander I 11,5 ; III 13,3.17 ; V 21,8 ; VII 30,12.14 ; 39,7 ; 52,6. liturgique I 33,14 ; II 20,6 ; 24,4 ; III 2,4.11 ; 9,9 ; 17, 4 ; V 18,5 ; 23,20.

ζάω I 9,5.11 ; 43,13 ; II 21,1 ; 27,7 ; 68,11 ; 70,3 ; IV 36,13 ; 37, 1.3 ; VI 35,5 ; 74,4 ; VII 5,4 ; 20,5 ; 57,5 ; 72,1 ; 105,2.6. vie naturelle II 49,4 ; 51,9 ; 60,5 ; IV 18,4 (ἐν αἰσθήσει) ; 44,5 ; 106, 4 ; V 21,15 ; VII 101,1.8. — éternelle II 54,1 ; IV 100,8 ; 103, 1. vivre en Christ, en Dieu I 4,1 ; 13,1 ; 20,1 ; III 24,11 ; VI 1,5 ; 4,3 ; 7,1 ; VII 4,13 ; 17,2 ; 24,1 ; 39,1 ; 42,6 ; 55,2 ; 68,9 ; 99,2 ; 102,1. — (en Christ) I 4,4 ; 13,10 ; 15,3.4 ; II 29,1 ; 49,4 ; 51,11 ; IV 14,4 (ἐν χάριτι) ; 38,6.10 ; 77,12 ; 80,3 ; V 25,3 ; VI 2,6 ; 8,1.3 ; 64,2 (ἐν φωτί) ; VII 2,5 ; 37,1 ; 46,6 (σὺν ἀγάπῃ) ;

72,9; 78,4; 97,4; 104,3; 105,10; 106,5.6.10; 108,1.2 (ἀληθῶς);
109,3.   — par Dieu I 9,13; 19,7.8; II 103,2; IV 37,6.12; 57,
8; 75,6; 78,8.   — pour Dieu I 43,3; VII 69,6.   — la vie de
Dieu I 65,3; II 61,2; IV 33,1 (+ τὴν πνευματικὴν).   — selon
Dieu, le Christ II 8,1; 10,2.6; 20,2; VII 99,1.   — selon la
droite raison IV 39,1; VI 3,1; VII 17,9 (ὀρθῶς).   (Pain) vivant,
(Dieu) vivant IV 37,5.16; 38,6. 10; 100,8.16; VI 18,4; 73,3;
VII 11,7; 86,4; 105,4.8; 106,5.10.

ζητέω I 12,7; 34,2; 36,7; II 24,2; 29,7 (τὴν εὐδαιμονίαν); 48,3;
53,11; 72,6; 78,8; III 16,6; IV 1,3 (τὴν εὐδαιμονίαν); 13,9; 86,
5; 104,5; V 3,4; 21,7; 24,7; 27,7; VI 2,4; 27,23; 28,11; 48,5
(τὴν ζωήν); 59,15; 60,5; 62,12; 83,2 (τὴν εἰρήνην); VII 3,2;
4,4.9; 18,1; 21, 2; 38,1.6 (τὸ φίλτρον).10; 40,2; 41,8; 45,14;
49,5; 54,4.6; 60,8; 65,9.13; 67,2; 79,6; 81,8; 88,19.   chercher Dieu I 13,6; 20,6; II 2, 11; 28,3; 29,4; IV 18,6; 105,1;
V 22,5; VI 27,20; 59,9; 83,6; 98,6; 100,1; 102,5; 103,13; VII
88,1.13; 97,3.   Dieu cherche l'homme I 20,6; 31,6; IV 91,4;
105,2; VI 12,5.7; 57,1; 59,1; 66,2; 70,20.

ζωή I 20,4; II 21,4.6; 22,5; 23,3; 30,1; 68,2; IV 37,3.15; VI
61,8; 80,4.   vie naturelle I 3,13; 4,1 (παρούσης); 22,6 (ἐν
σαρκί); 62,4; II 9,4; 14,5; 23,5; 27,8; 30,7.9; 32,12; 42,9;
51,7; IV 9,9; 34,3; 37,4; 43,10; 51,1.2; 100,9; 106,4; 107,3;
V 21,13; VI 54,16 (κοινή); 81,1 (σαρκική); 94,1 (ἀτέλη).   — en
Christ I tit. 3; 1,1; 4,2; 15,1; 16,1; 43,2; 66,1; II 18,6; 35,
5.6; 103,2; IV 3,2; VI 1,1; VII 103,2; 107,1.4.   — (en
Christ) I 2,9; 3,2 (ἐν φωτί); 5,5; 16,9; 17,1.4; 18,2; 19,3.5;
20,12 (ἐν οὐράνῳ); 21,4 (ὑπερκόσμιος); 23,1 (ἐν Πνεύματι); 25,2;
38,3 (ἀθάνατος); 41,15; 42,1.6; 43,15 (ἀληθινή); 53,7 (id.);
62,3; 65,8; II 1,1 (ἱερά); 7,4; 8,8 (καινή); 14,11; 16,9 (μακάρια);
22,11; 24,8 (μακάρια).16; 25,3; 29,3; 30,11; 42,8 (καινή); 43,4
(ἄλλη); 44,3; 48,2.3; 50,1; 57,9 (μακάρια).10 (ἀθάνατος); 66,1;
69,3 (ἀληθινή); 86,3 (id.); 101, 8 (id.); 101,8; 103,3 (ἀληθής);
IV 1, 2.4; 32,1 (πνευματική); 33,1 (id.); 36,3 (ἀληθινή); 80,3
(καινή); 81,2 (καινή, πνευματική); 99,3 (καινή); V 1,2; VI 1, 3.10;
2,2; 7,3; 49,10 (μακάρια); 50,6 (id.); 81,6 (καινή); 94,6 (ἀθάνατος); 102,4; VII 1,5; 4,14; 5,5 (μακάρια); 8,11 (καινή); 11,8
(μακάρια); 14,1 (id.).2; 61,6; 62,8; 63,9; 72,6; 91,1; 92,1.2
(μακάρια); 96,1 (id.); 97,3; 99,5 (ὀρθή); 100,2 (μακάρια); 103,2
(id.); 104,3 (ἀφάνης); 107,5.7.13; 108,1.6.7; 109,1.3.   vie du
Christ I 18,5; 21,8; 32,15; 54,6; 65,3; II 49,1; 50,3.6.9;
51,5.12.16; 61,2; 62,1.3; IV 42,10; 44,7; 89,8; VI 7,14; 94,8.
vie future I 4,4; 22,5; II 51,2; 65,1; 101,9; IV 103,3; 109,5;
VII 102,2.   (= le Christ) I 5,1; 13,9; IV 51,3; 77,9.10.13.
pain de vie I 19,7; II 5,3; IV 6,2; 36,12; 37,5.9.12; 69,1.

ζωοποιός mort du Christ II 43,3 ; 52,11.
ἡδονή I 10,3 ; 57,4 ; II 83,3 ; VII 51,1 ; 62,4 ; 71,9 ; 72,2 ; 74,11 ;
    75,2 ; 81,11.   vient de Dieu V 23,12 ; VII 51,2 ; 54,11.13 ; 55,
    2 ; 58,3.5.7 ; 59,1 ; 61,9.11 ; 62,5 ; 71,12 ; 72,5 ; 73,7 ; 74,6.16 ;
    75,9 ; 76,4 ; 77,8 ; 80,2 ; 88,23.   vient du péché VII 26,2.6 ;
    65,6.   opposé à λυπή VII 13,1 ; 14,3 ; 89,2.
ἡγούμενον II 59,8.
θαρρέω I 37,6 ; IV 64,1 ; VI 99,3 ; VII 40,10.
θέλησις volonté humaine II 46,9 ; 53,6 ; 54,4.7 ; 55,3 ; 56,9 ; IV 9,3.
    5.8.13 ; 96,7 ; VI 6,5 ; 77,2 ; VII 5,2 ; 7,11 ; 8,5 ; 13,1 ; 62,9.
    14 ; 63,2 ; 71,3.8 ; 79,2.5.8.10 ; 88,23 ; 96,2.4.7 ; 97,4.8 ; 98,3 ;
    99,4 ; 100,2 ; 101,4.   — divine IV 9,2.5 ; 18,5 ; 26,2.22 ; VI
    4,12 ; 7,4.
θεόω (humanité du Christ) II 3,8 ; III 5,1.12 ; 23,8.13.   (les
    hommes) IV 26,12 ; 83,14 ; V 23,9.
θεωρία II 53,5 ; VII 14,2 ; 91,6 ; 101,6.13.
θέωσις II 2,9 ; 3,3.
θυσία Croix III 22,2.7.   eucharistie V 7,8 ; 22,2 ; 27,1.   liturgie
    VI 71,1.
ἰδέα II 76,3 ; VI 93,4.
ἰδιότης II 31,8.
ἱκεσία VI 101,1.
καινός II 33,8 ; 43,16 ; 51,2 ; 63,7 ; 66,3 ; 86,9 ; IV 85,4 ; V 26,8 ;
    VII 51,6.   — ζωή II 8,8 ; 42,8 ; 50,3 ; 79,11 ; IV 80,3 ; 81,
    3 ; VI 81,6 ; VII 8,11.   — ἄνθρωπος II 36,7 ; 79,11 ; IV 99,
    4 ; VI 91,1.   — Ἀδάμ II 57,17 ; IV 98,6 ; VI 92,1.   — διαθηκή
    II 78,3.   — γέννησις II 33,14 ; 86,4.   — κτίσις IV 97,2 ;
    98,6 ; VI 54,7 ; 83,3.   τὸ καινότατον, τὰ καινότατα I 10,5 ; II
    68,1.6 ; VI 14,1 ; 67,1.   καινὸν οὐδέν, τί καινόν II 76,12 ; 79,7 ;
    IV 97,8 ; VI 36,3.9 ; VII 28,13.
καινότης I 26,9.
καινοτομία II 73,3 ; VI 61,1.
καλέω appel du Christ VI 99,7.   appel au Christ VI 98,2.5 ; 99,
    3.6 ; 100,2 ; 101,5.13 ; VII 3,8.4 ; 33,5.6.
καθαρσίος IV 31,5.9 ; 66,5 ; 70,1 ; V 4,3 ; 19,6 ; VI 29,8 ; 54,10 ;
    102,10.
κάθαρσις IV 65,7 ; VI 29,9.
κάθοδος IV 17,2.
καρδία II 83,15 ; IV 37,11.15 ; VI 7,7.15.   (= le Christ) IV 36,4.
    13 ; 95,5 ; 100,16 ; VI 18,7.   cœur du Christ VI 7,2.15.16.17 ;
    8,1.   — humain IV 89,8 ; V 9,7 ; VI 9,4 ; 31,7 ; 32,13.16 ;
    46,10 ; 64,1 ; 72,2.4 ; 98,7 ; 102,3 ; 103,17 ; VII 30,3 ; 89,6.
    — pur VI 49,7 ; 79,1.3 ; 80,3.
καταλλάττω I 36,3 ; 41,6 ; II 6,1-2.4 ; 20,5 ; 101,2 ; IV 14,2 ; 15,7.

κατασκευάζω I 2,6; II 43,12.14.17; 44,7.10; 90,3.16; V 7,7; VI 63,6; 91,3; 96,4.

κεφαλή I 16,12; 33,16; 57,4.6; II 98,7.10; IV 37,11.15; V 5,7; 6,8; VI 61,6.   (= le Christ) I 8,5; 9,3.10; 13,14; 62,10.11.12; 64,9.10; II 64,3.7; 71,9; IV 50,3.10.12; 108,6; VI 18,5.   tête du Christ III 3,2; VI 7,2.   notre tête I 61,2; II 57,20; 98, 5.   tête/membres I 9,13; 10,3; II 64,4.5; 71,10.12; IV 36, 10.13; 41,3; 50,4; 97,18; 103,6.

κενόω III 21,5; IV 28,7; V supp. 12; VI 12,4.

κένωσις VI 13,12.

κλῆσις VII 33,6.

κλίμαξ II 4,6; VI 50,5.

κοινωνία I 28,10; IV 1,4; 45,1; 48,1.   eucharistie I Tit. 5; IV Tit. 2; 3,2; 30,2; 31,1; 36,2; 42,2.   union à Dieu I 37,5; IV 25,7.9; 42,8; 43,12; 77,3; 84,5; VI 40,3.   communication de l'Esprit III 2,8; 6,6.

κρίσις I 30,1; II 68,3; VI 74,11; VII 21,4.

λατρεία IV 36,1.6; 39,5; 40,11; 77,3.

λατρεύω IV 36,5; 38,2.6.11; 39,2; 40,9.

λογικός IV 60,5.

λογισμός imagination II 16,9; 67,9; 68,4; 99,2; V 11,3; VI 11,3.6; 77,2; 88,3; 91,3; 97,2; 101,14; VII 21,1; 31,9; 33,4; 36,4; 37,7; 78,6; 96,5.   réflexion II 102,1; III 13,1; IV 97,4; VI 103,21.   pensée (neutre) VI 9,2; 27,2; 32,15; 33,2; 35,3; 36, 1.13; 47,3; 80,9; 97,6. — (bonne) VI 19,3; 25,2; 35,1; 42, 15; 45,2; 46,8; 47,5; 48,4; 49,3; 50,1; 73,4; 74,2; 75,2.5; 80,1; 98,3; 103,3; 104,4; VII 29,11; 42,8; 45,5.   — (mauvaise) VI 55,8; VII 40,13.

λόγος I 1,14; 64,2; II 72,4; 87,6; 91,11; IV 64,7; 70,6; 82,1; 109,11; V 8,1; 19,10; 23,19; VI 3,7; 10,7; 41,11; 44,12; 59,13; 77,5; 99,6; VII 17,7; 28,8; 47,6; 54,22; 65,9.   raison humaine I 7,2; II 63,2; 84,11; 97,6.7; 101,6; III 13,12; IV 98,2; VI 20,9; 35,5; 42,10; 76,4; 88,1; VII 45,17; 58,7; 66, 13.   parole II 65,5.7; 71,13; 75,4; 76,10; 78,1.4.6.8; 79,14; 80,3.10; 81,6; 85,1.3; 87,5.22.23; 97,14; III 13,22; IV 77,1; 91,5.14; V 1,1.8; 17,15; 23,5.9.11; VI 1,10; 2,4; 44,13; 47, 3; 50,4; 60,2; 67,18; VII 1,5; 7,4; 14,1.6; 16,1.5; 31,2; 78,1.   ὁ ὀρθὸς — III 14,7; IV 78,4; V 14,9; VI 3,2; 35,9; 36,10; VII 24,5; 46,9; 54,6.   (= le Christ) II 33,11; 98,13; III 8,7.

λυπή VI 29,2.5; 30,1; 31,9; 32,4; VII 13,1; 14,4; 16,2.6; 17,6; 24,6; 25,3; 26,12; 37,2; 38,12; 44,10; 45,13.16; 49,12; 72, 7; 74,7; 81,5.12; 89,4.

λύτρον I 33,8; 64,6; II 32,6; 44,4; VII 82,2.

μανικός μανικὸς ἔρως VI 16,4.

μελετάω II 84,15; VI 10,1; 26,1; 32,8; 35,8; 42,1; 44,1; 52,3; 56,4; 84,13; 86,5.

μελετή VI 10,3.4; 24,8; 25,1; 32,1; 34,6; 36,17.20; 37,1; 38,6.8; 39,1; 46,1; 48,1; 50,5; 56,2; 65,2; 73,2; 79,2.5.6.7; 82,2.6; 84,3; 85,3; 98,1; 104,4; VII 6,1.

μεριμνάω VII 35,1; 38,1.11; 39,1; 40,1; 41,9.

μέριμνα VII 30,1; 31,7; 33,1; 35,1; 37,3; 38,5.10; 39,3; 41,5.18.

μεσίτης III 18,4; V supp., 6.

μιμέομαι II 41,6; III 21,7.   métier de mime II 83,5.   mimer la Passion par les mystères I 18,3; II 34,21-22.   imiter le Christ II 85,9.11; VI 24,11; VII 99,1.

μορφή II 13,9; 17,4; 49,11.   forme reçue au baptême I 62,1; II 11,4.9.10; 34,28; 43,16 (καινή); 44,4 (μακάρια); IV 2,5. — du Christ en nous I 62,1; IV 42,13; 83,3.

νέος II 43,17; 50,2; IV 72,6.   homme nouveau II 30,3; IV 48,12; 54,9.   Nouvel Adam VI 92,1.3; 93,8.

νοῦς I 14,2 (προσχεῖν); II 88,3; III 14,4 (λαβεῖν); 24,5; IV 9,2.4.8; VI 20,5 (ἐν νῷ ἔχειν); 34,1; 36,1.15 (προσέχειν); 38,4 (προσχεῖν); 81,2 (προσέχειν); 82,7 (νοῦ σπουδή); 88,1; 90,5; 91,2; VII 26,4 (πήρωσις); 36,5; 87,7 (προσέχειν); 101,5; 102,5. — καὶ ψυχή IV 25,10; 26,2.27; VI 10,5. — καὶ γνωμή VII 100,4.7. — du Christ IV 9,2.5; 26,2.27. — dans la Trinité IV 18,5.

οἰκονομία mystères I 28,1.   rédemption II 33,7; 34,2.3; 34,7-8.10. 21; IV 16,16.

ὁμολογέω martyre II 85,8; 86,7.   profession de foi IV 71,9.

ὁμολογία martyre II 83,6; 85,8; 86,7.   passion du Christ IV 20, 15.   profession de foi IV 71,10.   harmonie des deux volontés du Christ VII 99,11.

ὁμόθεος I 26,8.

ὄργανον corps instrument de l'âme II 38,11.

οὐσία VI 43,6.

παλαιός II 27,9; 50,4; IV 72,3. — ἄνθρωπος (opp. νέος) II 30,1; IV 48,13 (opp. καινός) II 36,7. (neutre) II 40,1. — Ἀδάμ (opp. νέος IV 99,1; VI 92,2; 93,1.8 (opp. καινός) IV 98,7; VI 92,1. (neutre) VI 93,1. — νόμος IV 14,10; V 26,8.

πάθος passion du Christ I 42,3; II 34,26; 56,11; 83,5; 86,8; VII 26,6; 31,8.   passion de l'âme II 38,12; 39,2; 97,12; III 13, 4; 31,6; VI 46,11; VII 26,6; 36,10; 49,9.   sentiment II 62, 4; 65,8; 91,10; VI 30,4; 32,15; VII 16,4; 28,1; 29,8; 44,6; 45,3; 49,11; 58,5; 72,13; 88,3; 93,2; 106,7.   maladie II 103, 7; VI 14,9; 55,9; 77,2; VII 38,14.

παρασκευάζω V 5,4; 7,9; 27,2; VI 7,6-7; 27,9.   prépare à la vie future I 3,2-3; 4,3-4; 33,7; II 46,1-2.2; 51,3-4.12; 52,5; 101,

στῖγμα II 85,7 ; IV 107,5.

σύμβολον I 18,3 ; II 28,1 ; 83,4 ; 85,12 ; 98,1 ; 99,1.

σύμμορφος II 11,10.

συνάφεια I 8,2.7 ; 9,1 ; 10,7 ; 11,11 ; 17,10.

συνάφη IV 10,6.

συνάπτω I 9,5.10 ; 41,6 ; II 44,2.12-13 ; IV 45,4 ; 48,3.   union au
    Christ I 9,5-6.11.12 ; 10,5-6 ; 11,3 ; 14,12 ; 15,6 ; 18,8-9 ; 32,
    13 ; 54,5 ; 64,3 ; II 1,4.6 ; 2,1-2.3.11 ; 3,7 ; IV 24,5 ; 26,9 ; 49,
    8 ; 95,7 ; VII 100,6.   — des deux natures en Christ I 32,11 ;
    IV 18,3 ; 26,5.

συνεχής VII 57, 1.3.7.   communion IV 34,2 ; 35,6 ; VI 54,9 ; 102,6.
    méditation, souvenir de Dieu VI 32,2.11 ; 34,3 ; 37,1 ; 81,6 ; VII
    28,3.   invocation du Christ VII 33,6.

συνίστημι I 17,10 ; II 37,3 ; 64,2 ; III 19,1 ; IV 26,15 ; 30,2 ; 42,2 ;
    70,1 ; VI 29,5.   faire exister I Titre, 4 ; 2,5 ; 16,1 ; 17,10 ; 66,
    1 ; II 37,12 ; 43,16 ; III 1,1 ; 3,8 ; IV 25,10 ; 43,10 ; 46,5.6 ;
    47,4 ; 50,11 ; 57,4.8 ; 74,6-7.8 ; 99,1 ; VI 41,5 ; 91,2 ; VII 1,9 ;
    4,13 ; 38,5 ; 107,5.

σύσσωμος I 17,7.

συζάω II 52,17 ; IV 74,6 ; 98,2 ; VII 61,8 ; 88, 12.25.

τίκτω I 2,16 ; 16,9 ; II 37,12 ; 70,8 ; 74,5 ; 84,12.

τιμή I 26,6 ; IV 13,4.8 ; 15, 11.16.18 ; 16,2 ; 17,6 ; VI 16,8 ; 23,20.

τραῦμα blessure du péché I 51,5 ; II 37,5 ; IV 55,9 ; VI 27,17.19.
    — d'amour II 77,5.   — du Christ I 55,10 ; VI 15,8 ; 16,7.
    — des martyrs VI 24,15.

τρυφάω II 53,7.9 ; IV 64,7.

τρυφή I 59,2 ; II 53,5 ; 68,12 ; IV 109,9 ; V 21,18 ; VI 10,5 ; 32,
    9 ; 97,5 ; VII 40,1 ; 41,1.

τύπος I 33,8 ; 36,7 ; II 30,14 ; 37,6 ; 98,19 ; III 24,1 ; IV 73,6 ; 107,
    6 ; V 9,3 ; 13,5.7 ; VI 15,8 ; 47,7.

ὕβρις IV 13,4 ; 15,15 ; VI 12,8.

ὑβρίζω I 50,2 ; 52,10 ; IV 13,3.6 ; VI 76,3 ; 84,2 ; 85,2 ; 86,10.

φιλέω II 68,7 ; 70,10 ; 74,4.9 ; 89,10 ; 91,2.11 ; III 13,12 ; IV 80,13 ;
    VI 16,2 ; 57,5 ; 58,2.4 ; 66,12 ; 97,6 ; VII 27,7 ; 38,8.9 ; 44,8 ;
    47,5 ; 50,1.4 ; 51,8 ; 56,4 ; 57,11 ; 63,2 ; 64,3.10 ; 66,2 ; 67,5.6 ;
    68,1.11 ; 70,3.12 ; 71,10 ; 77,7 ; 79,13.   Dieu pour l'homme I
    7,5 ; 17,9.11 ; IV 31,12 ; 95,4 ; VI 10,13 ; 12,5 ; 13,10.14 ; 16,
    4.7 ; 41,1 ; 62,11 ; 100,3.   l'homme pour Dieu I 11,4 ; 59,5 ;
    II 73,4 ; 76,6.17 ; 80,2.4-5 ; 82,1 ; 83,13.14 ; 84,15 ; 93,7 ; IV
    75,8 ; VI 6,8 ; 19,6 ; 40,7 ; 41,2.7 ; 58,7 ; 70,11.13.15 ; 84,15 ;
    100,3 ; VII 6,9 ; 54,26 ; 55,2 ; 56,4.6.10 ; 65,10 ; 66,7.8 ; 68,11 ;
    69,6 ; 71,12 ; 72,12-13 ; 73,8.12-13 ; 80,1.3 ; 86,9 ; 87,10 ; 88,4.
    7 ; 92,8 ; 93,2 ; 94,6 ; 95,6 ; 100,8 ; 106,3.

φιλία I 2,5; 8,7; 37,4; II 23,9; VI 13,4; 23,21; 41,18; 58,1; 59, 1; VII 69,2; 77,7.

φίλος II 84,15; VI 44,8; 58,10; 62,10; 101,2; VII 68,5.   ami de Dieu I 2,2.4; 32,8; 33,3; 34,8; 36,4.13; 37,5; II 6,5; 32,5; VI 23,20; 66,10; 67,3; 70,16; VII 75,9.

φιλοσοφέω VII 47,4.

φιλοσοφία sagesse humaine III 13,6; IV 14,14; 33,4; 71,10; 80,2; VI 34,1; 41,6.   — chrétienne II 86,10-11 (θαυμαστήν); 97,13 (ἀληθοῦς); IV 16,8 (οὐρανίον); 81,2 (καινὰ καὶ πνευματικά); 85, 4; VI 65,5 (ἀληθῆ); VII 17,10 (ἀληθινῆς); 48,1; 54,10-11 (ἐσχάτης).   ascèse II 70,7; 81,19; IV 64,1.

φιλόσοφος II 84,10; VI 54,9; VII 54,12.13.

φίλτρον II 74,8; 76,10; 92,7; IV 80,13; VI 12,2; VII 57,8; 69,4. (l'homme pour Dieu) I 11,7; 55,10; 59,6; II 55,6; 73,2; 81, 24; 88,4; 91,9; 92,3; 100,8; VI 31,12; 70,3.21; VII 28,4; 44,5; 45,21; 48,1; 54,25; 55,3; 68,12; 77,4; 105,8.   (Dieu pour l'homme) VI 11,5; 13,8; 14,12; 16,1.5; 40,3; 68,4.

φύσις I 3,2; 12,2; II 38,15; 53,2; 54,8; 56,2; 70,11; 77,1; 79, 4; 91,3; 104,1; III 6,1; 7,2; IV 46,3; 89,7; VI 15,3; 93,11; 97,1; VII 23,1; 45,9; 51,5; 52,1.8; 54,15.16; 58,7; 60,5; 61, 2; 63,6.   par nature I 28,3; II 2,7; IV 79,3.11; VI 41,12; 64,14; VII 66,8; 71,3.   nature humaine I 26,6; 32,12; 44, 4; 51,4; II 2,7; 33,13; 54,3; 57,7; 59,5; 72,4; III 4,5.8; 5,1.11; 7,7; IV 15,7; 16,18; 17,1; 26,12; 27,6; 59,4; 78,11; 97,1.9; V 13,4; 17,16; VI 16,9; 17,1; 25,2; 51,6; 66,4; 75, 16; 88,2; 91,1; 92,5; 93,1; 94,4; VII 25,6; 26,17; 71,1.6; 79,3.   les deux natures du Christ I 43,18; II 50,5.7; 56,9; III 5,6; 8,10; 21,6; IV 19,4; 96,5; VI 22,9; 41,12; 58,8; 64,10; 97,4.8; VII 22,3.

χαιρέω VI 58,6; VII 4,5; 50,1.4.9.12; 53,2; 54,26; 57,12; 58,3; 62,2.3; 70,5.11.13; 71,9.10; 74,4.15; 75,5; 79,11.   se réjouir du bien, de Dieu VI 7,6; 8,4; 24,5-6; 44,4; 45,3; VII 13,7; 15,2; 51,10; 52,7; 55,3; 56,11; 61,9; 62,5.10; 69,7; 70,2; 72,2.3; 73,8; 74,2; 76,2.3; 77,9; 81,3; 83,3; 90,1.2.   — des outrages VI 14,6; 85,1.7; 86,10.

χάρα VII 59,2; 60,11; 61,6; 74,9; 75,5.   joie liée à l'amour II 89,9 (ἀγαπή); 91,5 (id.).9 (id.); 92,7 (id.).9 (id.); 93,3 (id.); 100,1 (id.).6 (id.); VII 54,25 (φίλτρον); 55,3 (id.); 102,4 (ἀγαπή); 103,1 (id.); 104,5 (ἔρως).   — spirituelle II 92,12 (πεπληρωμένην); VI 44,4 (née de la méditation); VII 56,2; 57,1 (συνεχής).10; 59,4; 71,5; 74,1; 76,1.3; 77,11; 80,5; 81,6 (ἀληθίνη); 85,3.4.8; 86,1; 89,3.

χαρίεις VI 44,15; VII 58,4.8; 59,2; 74,2; 86,1.

χάρις II 63,4; V 16,4; 19,13; VI 101,6; VII 50,5; 54,6; 88,17.

(singulier) I 16,7 ; 37,2.6 ; II 72,6 ; 103,7 ; III 14,8 ; IV 4,3 ; 14,4 (ἐν χάριτι ζωή) ; 21,5 ; 29,1 ; 42,1 ; 61,6 ; 109,6 ; V 20,1 ; 21,10 ; 22,11 ; VI 1,8 ; 4,2 ; 53,5 ; 59,8 ; 104,7 ; VII *Tit.* 2 ; 1, 7.11 ; 2,9 ; 33,7 ; 58,2 ; 92,10 ; 104,2.6.9. (pluriel) I 17,10 ; 25, 9 ; 50,6 ; 65,2.9 ; II 6,6 ; 44,2 ; 79,5 ; III 5,13 ; 7,10 ; 18,7 ; IV 1,7 ; 3,13 ; 5,9 ; 17,1 ; V 21,1 ; VI 32,4 ; VII 80,5.   dons de l'Esprit II 54,9 ; 60,11.

χάρισμα baptême II 10,5 ; 16,1 ; 18,3.   don de l'Esprit III 9,2 ; 10,2 ; V 21,6.

χριστοειδής IV 25,4.

TABLE DES MATIÈRES

SOURCES CHRÉTIENNES

Fondateurs : H. de Lubac, s.j.
† J. Daniélou, s.j.
C. Mondésert, s.j.
Directeur : D. Bertrand, s.j.
Directeur-adjoint : J.-N. Guinot

Dans la liste qui suit, dite « liste alphabétique », tous les ouvrages sont rangés par nom d'auteur ancien, les numéros précisant pour chacun l'ordre de parution depuis le début de la collection. Pour une information plus complète, on peut se procurer deux autres listes au secrétariat de « Sources Chrétiennes » — 29, rue du Plat, 69002 Lyon (France) — Tél. : 78 37 27 08 :

1. La « liste numérique », qui présente les volumes et leurs auteurs actuels d'après les dates de publication ; elle indique les réimpressions et les ouvrages momentanément épuisés ou dont la réédition est préparée.
2. La « liste thématique », qui présente les volumes d'après les centres d'intérêt et les genres littéraires : exégèse, dogme, histoire, correspondance, apologétique, etc.

LISTE ALPHABÉTIQUE (1-361)

SOUS PRESSE

PROCHAINES PUBLICATIONS

Également aux Éditions du Cerf

LES ŒUVRES DE PHILON D'ALEXANDRIE
publiées sous la direction de

R. ARNALDEZ, C. MONDÉSERT, J. POUILLOUX.
Texte original et traduction française.

IMPRIMERIE A. BONTEMPS

LIMOGES (FRANCE)

Registre des travaux :

DÉPÔT LÉGAL : Mars 1990

IMPRIMEUR Nº 1589-89 — ÉDITEUR Nº 8957